Tous Continents

De la même auteure

Romans

SÉRIE POUR LES SANS-VOIX

Pour les sans-voix, Volet 3 – Une place au soleil,
   Éditions Québec Amérique, coll. Tous Continents, 2013.
Pour les sans-voix, Volet 2 – Paysages éclatés,
   Éditions Québec Amérique, coll. Tous Continents, 2012.
Pour les sans-voix, Volet 1 – La Jeunesse en feu,
   Éditions Québec Amérique, coll. Tous Continents, 2011.

SÉRIE AU BOUT DE L'EXIL

Au bout de l'exil, Tome 3 – L'Insoutenable vérité,
   Éditions Québec Amérique, coll. Tous Continents, 2010.
Au bout de l'exil, Tome 2 – Les Méandres du destin,
   Éditions Québec Amérique, coll. Tous Continents, 2010.
Au bout de l'exil, Tome 1 – La Grande Illusion,
   Éditions Québec Amérique, coll. Tous Continents, 2009.

Mon cri pour toi, Éditions Québec Amérique, coll. Tous Continents, 2008.

SÉRIE D'UN SILENCE À L'AUTRE

D'un silence à l'autre, Tome III – Les promesses de l'aube, Éditions JCL, 2007.
D'un silence à l'autre, Tome II – La lumière des mots, Éditions JCL, 2007.
D'un silence à l'autre, Tome I – Le temps des orages, Éditions JCL, 2006.

Jardins interdits, Éditions JCL, 2005.

Les Lendemains de novembre, Éditions JCL, 2004.

Plume et pinceaux, Éditions JCL, 2002.

Clé de cœur, Éditions JCL, 2000.

Contes

Contes de Noël pour les petits et les grands, Éditions Québec Amérique, album, 2012.

Récit

Mon grand, Éditions JCL, 2003.

Coup de foudre

Coup sur coup – Tome 1

Projet dirigé par Marie-Noëlle Gagnon, éditrice

Conception graphique : Julie Villemaire
Mise en page : André Vallée – Atelier typo Jane
Révision linguistique : Sylvie Martin et Line Nadeau
Photographie en couverture : Photomontage réalisé à partir d'une
    photographie de © francis49/iStockphoto.com

Québec Amérique
329, rue de la Commune Ouest, 3ᵉ étage
Montréal (Québec) Canada H2Y 2E1
Téléphone : 514 499-3000, télécopieur : 514 499-3010

Nous reconnaissons l'aide financière du gouvernement du Canada par
l'entremise du Fonds du livre du Canada pour nos activités d'édition.

Nous remercions le Conseil des arts du Canada de son soutien. L'an
dernier, le Conseil a investi 157 millions de dollars pour mettre de l'art
dans la vie des Canadiennes et des Canadiens de tout le pays.

Nous tenons également à remercier la SODEC pour son appui financier.
Gouvernement du Québec – Programme de crédit d'impôt pour l'édition
de livres – Gestion SODEC.

Conseil des Arts   Canada Council   **SODEC**
du Canada   for the Arts   Québec

**Catalogage avant publication de Bibliothèque et Archives nationales
du Québec et Bibliothèque et Archives Canada**

Duff, Micheline
Coup sur coup
(Tous continents)
Sommaire : t. 1. Coup de foudre.
ISBN 978-2-7644-2572-5 (vol. 1) (Version imprimée)
ISBN 978-2-7644-1249-7 (vol. 1) (PDF)
ISBN 978-2-7644-1251-0 (vol. 1) (ePub))
I. Duff, Micheline. Coup de foudre. II. Titre. III. Titre : Coup de foudre.
IV. Collection : Tous continents.
PS8557.U283C68 2014   C843'.6   C2013-942097-5
PS9557.U283C68 2014

Dépôt légal : 1ᵉʳ trimestre 2014
Bibliothèque nationale du Québec
Bibliothèque nationale du Canada

Imprimé au Québec

Micheline Duff

Coup de foudre

Coup sur coup – Tome 1

Roman

Québec Amérique

MOT DE L'AUTEURE

Ce roman étant rempli de musique, j'ai formulé le rêve fou de permettre au lecteur d'entendre les pièces évoquées dans le texte… Qu'à cela ne tienne! Les éditions Québec Amérique ont créé une page Internet que vous n'aurez qu'à consulter pour vous laisser bercer par ces airs au fur et à mesure de votre lecture. Grâce à ce miracle de la technologie, littérature et musique se rejoignent dans le plus beau des coups de foudre!

Au fil du roman, les morceaux disponibles en écoute sont signalés par une petite note de musique. Il vous suffira alors de vous rendre au www.quebec-amerique.com/coupsurcoup et de vous laisser transporter.

1. *Jesus bleibet meine Freude, BWV147* de Johann Sebastian Bach (version cantate)
2. *Jesus bleibet meine Freude, BWV147* de Johann Sebastian Bach (version piano)
3. *Für Elise* de Ludwig van Beethoven
4. «Clair de lune», *suite Bergamasque* de Claude Debussy
5. «Hymne à la joie», dernier mouvement de la *Neuvième Symphonie* de Ludwig van Beethoven
6. *Impromptu Op. 90 n° 4* de Franz Schubert
7. *Prélude n° 2* de George Gershwin
8. *Concerto de Québec, version piano solo* d'André Mathieu

Par ailleurs, tel que le veut la coutume, je précise que, les personnages et les situations de ce roman étant purement fictifs, toute ressemblance avec des personnes ou des situations existantes ne saurait être que fortuite.

Je vous souhaite bonne lecture et bonne écoute!

Aux familles de mes douze petits-enfants.
Puissent-elles demeurer tissées serré,
telles que je les connais présentement.

L'absence unit et désunit, elle rapproche aussi bien qu'elle divise, elle fait se souvenir, elle fait oublier. Les chaînes composées de la sorte à notre insu [...] sont comme un insaisissable rayon qui va de l'un à l'autre, et ne craignent plus rien, ni des distances ni du temps.

Eugène Fromentin,
Dominique

CHAPITRE 1

Une heure… Une heure et demie… Une heure quarante-cinq du matin et Rémi n'était toujours pas rentré. Elle lui avait pourtant dit de revenir avant minuit. Après tout, il s'agissait simplement d'un souper, et un souper, ça ne se termine pas à deux heures du matin, sapristi ! Marjolaine avait beau se dire que la jeunesse a l'oubli facile et la résistance impuissante devant le fruit défendu, elle ne tenait plus en place.

L'attente et surtout l'inquiétude lui devenaient de plus en plus insupportables, ces derniers temps. Le même scénario se reproduisait trop souvent. Une fois encore, elle fit en soupirant, suivie de Jack, la navette entre la fenêtre du salon et son fauteuil à bascule où elle retrouvait son livre avec un soulagement momentané. Le chien, lui, dans l'attente impatiente de son jeune maître, ne cessait de se lamenter.

Si au moins ils habitaient dans une rue passante, le va-et-vient des automobiles sèmerait quelque espoir de temps à autre. Mais, sur la petite rue Durham, ce cul-de-sac trop tranquille du nord de Montréal, rien ne se produisait. Aucun bruit, aucun passant, pas même une malheureuse chatte pour lancer ses lamentations aux matous du quartier et dont la vue pourrait distraire Jack, le labrador gardien des lieux. Chaque fois qu'elle appuyait sa tête contre la vitre dans l'expectative de voir apparaître des phares pour éclairer enfin le trottoir d'en face, Marjolaine ne percevait que les poubelles de ses voisins montant paisiblement la garde sous les lampadaires, devant l'alignement de duplex aux fenêtres éteintes.

À bien y songer, cet enfant-là lui en faisait voir de toutes les couleurs depuis quelques mois déjà. Des couleurs belles et vives parfois, mais le plus souvent sombres et discordantes. Brillant, confiant, premier de classe et fonceur comme son frère aîné, François, le cher Rémi ne manquait pas, d'un autre côté, d'insolence et de témérité. Ni d'insubordination ! Elle n'aurait pas dû lui prêter sa voiture. Pourtant, à presque dix-huit ans, plusieurs de ses copains possédaient déjà la leur ou empruntaient sans aucune restriction celle de leurs parents.

Pour cette soirée-là, Rémi avait insisté pour utiliser la Ford de sa mère et «faire le taxi pour ses amis». Après tout, il leur devait des dizaines de *lifts,* ce n'était que juste et équitable de contribuer parfois au transport de sa gang, lui aussi. Sauf qu'il s'agissait d'un repas d'anniversaire dans les Laurentides. Pas question, bien sûr, de le laisser conduire la luxueuse Audi de son père. Mieux valait lui confier la vieille voiture d'occasion de sa mère. Évidemment, tel que convenu habituellement, tout le monde pourrait boire au cours de la soirée sauf le conducteur. Malheureusement, Marjolaine mettait en doute les capacités de son fils de s'interdire sérieusement d'ingurgiter de nombreuses bières ou de fumer quelques joints. Ou pire…

L'autre soir, il était rentré complètement ivre, tenant à peine sur ses jambes et affichant un regard de noyé. Elle l'avait disputé et lui avait fait la morale, mais il avait levé les yeux au ciel en poussant des soupirs d'exaspération.

— Ben quoi! J'ai pas bu tant que ça! T'exagères toujours, la mère!

Elle en avait ras le bol de ces «Ben quoi!» soi-disant justificatifs. Si la société avait décrété que l'âge adulte débutait à dix-huit ans, Marjolaine avait sa petite idée là-dessus! À ses yeux de mère, dix-huit ans était synonyme de trois pour cent de maturité et de deux pour cent de sagesse, le reste consistant à mordre inconditionnellement dans la vie en accumulant les expériences. Toutes sortes d'expériences! Les anglophones, eux, avaient au moins la lucidité de considérer leurs jeunes comme des *teenagers* jusqu'à l'âge de vingt ans!

Deux heures du matin et toujours rien. N'eût été le livre passionnant la tenant en haleine entre deux épisodes d'anxiété, Marjolaine serait devenue dingue. Mais l'autobiographie romancée du pianiste croate Ivan Solveye la transportait en quelques secondes en d'autres temps et à l'intérieur d'une autre maison quand, à Dubrovnik, en 1991, le jeune homme, à peu près à la même heure de la nuit, avait vécu un drame d'une tout autre ampleur.

Je n'osais bouger. Le moindre mouvement risquait de me trahir. À peine avais-je eu le temps de suspendre mon gilet dans la penderie, à l'entrée de la maison, que j'avais remarqué une série de voitures de l'armée populaire yougoslave en train de se garer devant la porte. Était-ce l'instinct ou un ange qui m'en avait donné l'idée? Je ne sais trop, mais je m'étais aussitôt glissé au fond du placard, derrière les manteaux, en refermant la porte sur moi. Ni vu ni connu.

Quelques instants plus tard, mon père et ma mère, menottés et bâillonnés, passaient sans le savoir devant moi, dissimulé dans la penderie, et ils quittaient la maison sous les cris et les poussées agressives des soldats. Pendant des années, ils avaient ouvertement milité pour l'indépendance de la Croatie, et ils allaient le payer de leur vie, aucun doute là-dessus ! Derrière la porte, je me mordis les lèvres pour ne pas hurler, convaincu de ne plus jamais les revoir. Cette immobilité et ce silence effroyables m'ont sauvé la vie. J'avais presque vingt ans.

Brusquement, Marjolaine interrompit sa lecture et commença à se poser des questions. Elle, en cette nuit même, allait-elle enfin revoir son fils ? Épuisé, l'esprit en déroute de la mère oscillait entre le poignant récit du Croate et la réalité présente, entre la stupeur de découvrir le drame vécu par le célèbre musicien durant son adolescence et la crainte qu'un accident ou un incident fâcheux ne soit arrivé à Rémi, son coquin de fils.

N'y tenant plus, elle referma bruyamment son livre. Un autre claquement provenant de l'extérieur fit aussitôt écho à celui du bouquin et produisit en elle une onde de soulagement. L'excitation de Jack confirma la chose : quelqu'un refermait la portière d'une voiture garée devant la maison. Elle sauta sur ses pieds et s'approcha de la fenêtre. Dieu soit loué, il s'agissait enfin de Rémi ! Elle le voyait dans l'ombre, sain et sauf, se diriger lentement, à pas nonchalants, vers l'entrée.

L'espace d'une seconde, elle eut envie de le surprendre sur le pas de la porte et de lui servir le sermon du siècle. Et puis non ! Mieux valait se calmer les nerfs et remettre la dispute au lendemain. « L'important est de garder un excellent contact », avait recommandé le psychologue consulté au sujet de son fils. Il en avait de bonnes, celui-là ! Garder le contact s'avérait déjà difficile, en garder un excellent relevait de l'exploit.

Avant même que le garçon n'ouvre la porte d'entrée derrière laquelle son chien battait de la queue avec frénésie, Marjolaine avait déjà monté les marches à la course et regagné sa chambre à l'étage. Son mari, ce cher Alain, dormait à poings fermés depuis fort longtemps, enveloppé dans son cocon d'indifférence. Qu'à cela ne tienne! Elle alluma la lampe, tapota ses oreillers et entreprit de se dévêtir. Tant pis si la clarté dérangeait un peu le cher monsieur, il n'avait qu'à se tourner et se rendormir sur ses deux oreilles.

Pourquoi Alain se serait-il tourmenté? Sa femme s'énervait suffisamment pour eux deux au sujet de leurs enfants! Il faut dire que leur aîné, François, s'en tirait très bien, inscrit pour l'automne prochain à sa dernière année en techniques de l'informatique. Et, selon le père, il n'existait pas de raison suffisante de s'alarmer pour le benjamin, allons donc! Rémi finirait par s'aguerrir et faire son chemin tout comme son grand frère. Il fallait que jeunesse se passe, n'est-ce pas? Ainsi se résumaient la philosophie et les principes d'éducation du père de la famille Legendre.

Éteignant rageusement la lampe, Marjolaine se glissa dans le lit en lui tournant le dos. Incapable de s'endormir, elle ralluma finalement et reprit sa lecture de la vie du pianiste Solveye.

Mort de peur, tremblant de tous mes membres, je restai au fond du placard pendant plusieurs heures, bien conscient que cette nuit-là représentait un moment crucial de mon existence. Ma sœur, de sept ans mon aînée, donnait des cours du soir dans un collège éloigné de la maison. Souvent, il lui arrivait d'aller dormir chez une amie. Je souhaitai ardemment qu'elle ne rentre pas au bercail ce soir-là.

Puis, avant la venue du jour, sans faire de bruit, je traversai la maison sur la pointe des pieds. En me frayant un passage à travers le salon, je remarquai une partition sur le piano : la version pianistique

d'un extrait d'une cantate de Jean-Sébastien Bach, Jésus, que ma joie
demeure♪. *J'adorais cet air, je l'avais toujours interprété comme un
cri d'espoir dans les tempêtes de l'existence. Sa découverte me fit l'effet
d'une explosion, comme si un rayon de lumière vive m'apparaissait
dans l'obscurité, tel un signe de libération. J'étais sauvé ! On venait
de m'enlever mes parents, mais la musique m'appartenait, et pas
une armée au monde, pas une séparation ni un arrachement, si ter-
ribles soient-ils, ne réussiraient à m'en écarter. Ça, non, jamais ! La
musique demeurait en moi, elle vibrait en moi, elle m'habitait et
m'habiterait pour le reste de mes jours. Là résidait mon salut.*

*Fébrilement, je m'emparai des trois pages et les glissai rapidement
sous ma chemise boutonnée jusqu'au collet. Puis, avec le sentiment
que la musique faisait corps avec moi et constituait ma force secrète,
je sortis par la porte de derrière. Prenant alors mes jambes à mon
cou, je m'enfuis à travers les arrière-cours des maisons, sautant les
clôtures et longeant les buissons plutôt que de m'engager dans le
dédale de ruelles où l'armée devait sûrement exercer une surveillance
étroite. Je réussis à me rendre ainsi à la résidence d'amis fiables qui
ne me trahiraient pas, j'en avais la certitude. Je ne me trompais pas.
Ils m'accueillirent à bras ouverts, malgré leur pauvreté et, surtout,
leurs appréhensions d'un nouvel assaut de l'armée dans leur propre
demeure. Pas une seule fois ils ne me donnèrent la permission d'utiliser
leur téléphone pour tenter de retrouver ma sœur Lydia, au cas où leur
ligne serait sous surveillance. Pour me donner du courage, je fredonnais
silencieusement la cantate de Bach à toute heure du jour ou de la nuit.*

Une musique d'un tout autre ordre ramena Marjolaine à une
réalité bien différente. À presque trois heures du matin, elle eut

---

♪ Pour entendre les deux versions de ce morceau, visitez le www.quebec-amerique.com/
coupsurcoup et sélectionnez les extraits musicaux nᵒˢ 1 et 2 : *Jesus bleibet meine Freude*,
BWV 147, de Bach.

l'impression qu'un rythme endiablé secouait toute la maison. Ayant réintégré, suivi de son chien, sa chambre au sous-sol sans réaliser que sa mère ne dormait pas, Rémi avait tourné le bouton de sa radio. Marjolaine serra les dents, crispa les poings et tourna sa langue sept fois, avant de dévaler les marches quatre à quatre, incapable de se retenir de lui crier, depuis le haut de l'escalier du sous-sol, de cesser son vacarme.

— Rémi Legendre, ça suffit ! Tu fermes ça ou je te confisque ton système de son pour six mois !

Un silence aussi glacial qu'instantané lui servit de réponse. Elle remonta rapidement dans sa chambre pour affronter un Alain à moitié réveillé et déjà bougonneux.

— Veux-tu bien me dire ce qui se passe, Marjo ?

— Rien, mon cher, rien ! Tu peux te rendormir sur tes deux belles p'tites oreilles bien précieuses.

Le ton sarcastique ne dérangea pas l'homme. Il se retourna aussitôt et se rendormit effectivement sur ses deux oreilles, ce qui n'eut pas pour effet d'aider son épouse à retrouver son calme. Il aurait pu demander si leur fils était rentré, quand même ! Elle reprit furieusement son livre mais, n'arrivant plus à se concentrer, elle le referma. Elle ne réussit à plonger dans un sommeil bénéfique qu'après avoir ressassé ses frustrations, ses problèmes personnels et ses difficultés familiales.

Pas facile, la vie de mère, et pas facile, non plus, celle d'épouse d'un homme indifférent. Pas plus facile, d'ailleurs, que celle d'écrivaine, génératrice d'isolement et de solitude. Son refuge béni, pourtant… Si elle adorait son métier de romancière, Marjolaine ne trouvait pas toujours évident de bûcher, seule au monde dans son bureau, et ce, pendant des mois et des mois, voire des années, sur des textes pour lesquels elle ne recevait ni appréciation immédiate, ni commentaires encourageants de façon continue, encore moins de salaire régulier, contrairement à tous les travailleurs ordinaires de l'univers. La récompense ne venait que des années plus tard, quand elle venait, sous forme de publication et, trop souvent, de maigre rémunération. Il fallait être habité par une folle passion et croire outrageusement en soi pour se lancer dans cette aventure aussi téméraire que merveilleuse.

Ce n'est que tôt le lendemain matin que Marjolaine remarqua, du haut de la fenêtre de sa chambre, l'aile avant droite de sa voiture, abîmée et passablement défoncée. Quoi ! Le petit sacripant avait eu un accident en plus ! Il aurait pu le lui dire, non ? À tout le moins lui téléphoner au cours de la soirée, ou chercher à l'aviser dès son arrivée, cette nuit, avec plus de deux heures et demie de retard. Après tout, cette auto-là ne lui appartenait pas. Merde ! Le chéri avait dû pousser un soupir de soulagement en croyant sa mère endormie. Cela lui avait évité des aveux sur des faits qu'elle découvrirait elle-même le lendemain. Encore beau s'il n'était pas saoul en arrivant… Elle aurait dû lui parler pour vérifier dans quel état il se trouvait en pénétrant dans la maison, ivre et gelé ou parfaitement lucide et à jeun. Frondeur ou repenti. Quelle piètre mère elle faisait !

Et maintenant, folle de rage, elle hésitait entre le réveiller immédiatement et s'adresser à un somnambule, ou bien le laisser dormir jusqu'à midi afin de pouvoir l'engueuler vertement quand il serait en possession de tous ses esprits. Existait-il une école pour former des parents bienveillants et parfaits, ouverts, patients, pertinents et adéquats ? Alain, lui, semblait n'avoir rien remarqué sur la voiture de sa femme, ce matin, puisqu'il avait quitté la maison pour son travail sans l'informer de quoi que ce soit.

Mieux valait se changer d'abord les idées et retrouver son calme. Elle se versa une tasse de café et, bien installée dans son fauteuil à bascule, elle ouvrit la radio. Hélas, au lieu de lui remonter le moral, ce qu'elle entendit lui dressa les cheveux sur la tête. On annonçait que la police recherchait un chauffard, dans la région de Saint-Adolphe-d'Howard, pour un délit de fuite. En effet, le conducteur d'une voiture inconnue, après avoir envoyé un cycliste dans le fossé vers une heure du matin, ne lui avait pas porté secours et avait plutôt poursuivi son chemin sans s'arrêter. Marjolaine tenta de se rassurer. Non, non, le party de Rémi avait lieu à Saint-Sauveur-des-Monts, donc aucune crainte à y avoir au sujet des dommages à sa voiture. Encore une fois, elle s'énervait pour rien. Son fils avait dû tout simplement frôler un poteau de clôture en s'introduisant malhabilement dans une entrée, rien de plus. Elle sortit néanmoins dans la rue pour constater les dégâts de plus près. Hum! ça avait cogné plutôt dur.

Soudain, une idée la frappa, comme une évidence. Si elle se rappelait bien, Saint-Adolphe et Saint-Sauveur étaient deux municipalités voisines. Qui sait si Rémi n'avait pas décidé de se rendre à Saint-Adolphe pour une raison quelconque au cours de la soirée… Elle se jeta sur son ordinateur, afin de trouver une carte routière de cette région. Non, elle ne faisait pas erreur. Les deux municipalités n'étaient qu'à une vingtaine de kilomètres l'une de l'autre. Elle ouvrit alors la télévision à la recherche de plus de détails sur l'accident en question et se sentit soulagée en apprenant qu'on ne craignait pas pour la vie de la victime, tout de même transportée en ambulance et gardée à l'hôpital pour un temps indéterminé à cause de sérieuses blessures.

Malgré tout, elle décida de réveiller Rémi pour connaître davantage de détails sur sa sortie. Il y avait toujours bien des limites à se montrer tolérante et compréhensive! La mère parfaite, ce serait pour une autre fois! Elle se rendit donc au sous-sol et frappa long-temps à la chambre sans obtenir de réponse. En ouvrant la porte, le garçon qu'elle vit émerger de ses oreillers n'en menait pas large et semblait revenir de loin. De très loin.

— Rémi ? Ça va ?

— Mmmm…

— Dis donc, tu es revenu plus tard que prévu, hier soir. Tu aurais pu me prévenir. Il ne s'est rien passé de grave, j'espère ?

— Mmmm…

— Là, je suis sérieuse, Rémi. Ma patience a ses limites. Réveille-toi et réponds-moi franchement, pour l'amour du ciel ! Qu'est-il arrivé à ma voiture ? Tu as eu un accident ?

— Un accident ? Euh… non, j'ai pas eu d'accident ! Pourquoi tu me demandes ça ?

Cette fois, Marjolaine ne put se retenir et se jeta sur le lit pour secouer énergiquement son fils.

— Hé ! J'exige une réponse honnête, Rémi Legendre, tu m'entends ? D'où viennent les dommages sur mon auto ?

— Je l'sais-tu ! Quelqu'un a dû la frapper en sortant du stationnement. Me suis aperçu de rien, moi !

— Quel stationnement ? À Saint-Sauveur ou à Saint-Adolphe ?

— À Saint-Adolphe ? Chus pas allé là, moi !

— As-tu pris de l'alcool, hier soir, Rémi ? Ou pire, de la drogue ? Tu es rentré à deux heures et demie du matin alors que je t'avais imposé un retour à minuit. Je veux des explications, et des vraies !

— Tu m'avais dit minuit ? M'en suis pas rappelé, c'est tout !

La mère sentit une moutarde encore plus piquante lui monter au nez. Avant de quitter la chambre, elle se retourna d'un bloc, mains sur les hanches.

— Bon, c'est fini, tu ne te serviras plus jamais de mon auto. F-I-FI, N-I-NI! Trouve-toi un boulot dans un dépanneur, pis paye-toi-z'en une!

— Ben quoi? J'ai rien fait, m'man, j'te jure!

— Tes serments, j'y crois plus!

Marjolaine remonta l'escalier en fulminant, se sentant plus désespérée que jamais. Après un deuxième café, elle prit une décision, tout en se traitant de pessimiste. Se fiant à son intuition féminine, elle opta pour faire réparer la voiture immédiatement. Si l'état du cycliste blessé la nuit dernière se détériorait, ou pire, s'il rendait l'âme, les policiers se mettraient à enquêter plus sérieusement. Et si jamais son fils, dans un état d'ébriété avancée, avait malencontreusement frappé cet individu sans trop s'en rendre compte, aucune preuve n'existerait plus sur l'automobile. Sans même téléphoner à Alain à son bureau pour lui demander son avis, lui qui n'était au courant de rien et semblait s'en ficher de toute façon, elle se rendit aussitôt au centre de réparation de carrosserie le plus près.

Quelque peu découragée lors de son retour à pied du garage, Marjolaine se mit à tourner en rond dans la maison, d'autant plus que Rémi persistait à demeurer dans son lit à l'heure du dîner. Et ses cours au cégep, il s'en fichait aussi? Elle se mit à manipuler bruyamment ses casseroles. Mille six cents dollars bien comptés, payables à la livraison de la voiture dans trois ou quatre jours, cela lui paraissait plutôt difficile à digérer.

Voilà comment une mère – une très sainte mère, disons-le! – réparait les bêtises de son vaurien de fils : montant d'argent faramineux pour une vieille voiture qui n'avait pas mérité d'être assurée pour ses propres dommages, quatre longs jours à s'en priver, elle qui avait un rendez-vous le surlendemain chez son éditeur à l'autre bout de la ville et, ce matin, perte totale d'un avant-midi de travail. Sans parler de l'absence d'inspiration pour le reste de la journée, sinon de la semaine, à cause de la fatigue due à sa nuit blanche. À cause, surtout, de l'angoisse qui allait sans cesse la tenailler. Elle accentua son vacarme dans la cuisine jusqu'à ce qu'il devienne infernal.

Plus elle y songeait, plus elle soupçonnait la responsabilité de Rémi dans le fameux accident de la nuit dernière. Il en était capable, le scélérat ! Et si c'était le cas, il se garderait de l'avouer, elle n'en doutait pas un instant. À part ça, tout allait très bien, madame la marquise !

Allons ! Elle devait faire quelque chose, se changer les idées, sortir de la cuisine. Elle tenta de retourner à sa lecture, mais n'arriva guère à se concentrer. Comment éprouver de la compassion pour le Croate et son passé quand tant de problèmes l'assaillaient elle-même présentement ?

Et si elle se mettait au piano ? Interpréter de la musique, en dépit de son talent plutôt anémique, lui apportait autrefois un grand réconfort. Naturellement, les sons ramenaient ses émotions à la surface, autant la douceur et la tendresse à exprimer que la rage à évacuer. Il arrivait même que les lignes mélodiques la transportent dans une autre dimension, hors du temps et hors d'elle-même. Hélas, ces dernières années, elle ne trouvait plus le temps de s'exercer sur cet instrument.

Réussirait-elle, cette fois, à se concentrer suffisamment pour s'exécuter de façon convenable ? Qui sait si la musique ne l'emporterait pas loin de la réalité difficile de cette journée ? Si une composition musicale avait suffi à consoler le grand Ivan Solveye, pourquoi ne pas essayer de l'imiter? Comment s'appelait cette pièce de Bach, déjà? Elle rechercha le nom dans la biographie de Solveye. *Jesus bleibet meine Freude.* Sait-on jamais si elle n'en possédait pas la partition dans un vieux cahier enfoui quelque part sur une tablette ou dans son banc de piano…

Elle faillit lancer un cri de joie en la dénichant, au fond d'une armoire, dans l'un de ses nombreux recueils de musique. Elle s'installa aussitôt au piano pour défricher la magnifique pièce d'exécution plutôt facile, d'abord écrite pour le chant. Mine de rien, ses doigts alertes découvrirent, sur le clavier, l'air de la prière d'espoir entonnée dans le motet de Jean-Sébastien Bach : « Jésus, que ma joie demeure… Il guérit toutes les blessures… »

Mentalement, elle remercia Solveye, le grand pianiste de réputation mondiale qui, par ses confidences biographiques, venait de lui rouvrir une porte vers la sérénité : la magie de la musique. Cette porte, elle la connaissait bien, l'ayant toujours possédée depuis sa prime enfance. Le temps était venu de l'ouvrir de nouveau.

CHAPITRE 2

Marjolaine referma son ordinateur avec un air satisfait. En dépit de ses préoccupations et énervements de la nuit dernière et de la matinée, elle avait tout de même réussi à reprendre son manuscrit, au début de l'après-midi, et à y pondre quelques bonnes idées après le départ de Rémi pour le collège. À la suite d'une longue heure d'évasion passée au piano, elle avait enfin pu retrouver une certaine tranquillité d'esprit. Cela ne l'avait pas empêchée d'éplucher tous les journaux et d'écouter toutes les chaînes de radio et de télé afin d'obtenir des nouvelles du cycliste. On n'avait annoncé son décès nulle part.

Il passait midi quand Rémi était remonté de sa chambre du sous-sol d'un pas lourd. Après un repas gargantuesque dévoré en silence, il s'était ensuite apprêté à quitter la maison, affichant un air bourru, sans une salutation et encore moins un mot d'excuse à l'égard de sa mère. Seul Jack avait mérité une vague caresse. Marjolaine n'avait alors pas hésité à s'imposer.

— Tu pourrais au moins saluer ta mère, non ? Salut, mon grand, je te souhaite une bonne journée ! J'espère que tu ne te sens pas trop fatigué. N'avais-tu pas des cours ce matin ?

— …

— Rémi, m'as-tu entendue ? Je te parle ! Je te souhaite une bonne journée.

— Mmmm…

— Vas-tu rentrer pour le souper ?

Un haussement d'épaules avait constitué sa seule réponse. La vue du sac d'école tenu à bout de bras avait rassuré la mère et lui avait donné le courage d'accepter le mutisme empreint d'indifférence de son fils. Allons ! Elle devait cesser de tout dramatiser, rien de grave ne s'était produit. Rémi n'était pas blessé et il s'en allait au collège, le cycliste avait la vie sauve et l'auto serait réparée sous peu. La vie devait reprendre son cours normal dès maintenant. Elle avait décidé de se remettre au travail pour le reste de la journée.

Marjolaine adorait écrire. Quelqu'un lui avait dit, un jour : « Quand on écrit, on devient créateur et on ressemble au Dieu qui a créé les hommes à son image. » Elle n'appuyait pas vraiment cette théorie mais, incroyablement, mystérieusement, la magie de l'écriture la transportait en quelques instants dans des univers infiniment différents du sien. Étourdie par les idées qui se bousculaient dans sa tête et emportée vers des ailleurs hors de sa réalité, elle transposait à la hâte les fruits de cette créativité sur le papier et barbouillait de mots des centaines et des centaines de pages blanches. Dans ces moments-là, Marjolaine Danserot, étonnée, devenait toute-puissante, créatrice de personnages et de leur âme, organisatrice des péripéties et des intrigues de leur vie, dessinatrice de leur destin, génératrice de situations inventées de toutes pièces ou influencées par sa propre existence et ses propres rêves.

Ce jour-là, en y réfléchissant sérieusement, elle ne put s'empêcher d'établir un parallèle entre son roman et l'œuvre musicale dont elle venait d'interpréter maladroitement quelques mesures sur le piano. Tout comme la poésie et la fiction, la musique représentait une œuvre de création humaine, l'une des plus belles et des plus difficiles, emportant autant l'auditeur que l'interprète dans l'univers profond des émotions. Par sa musique, Bach l'avait emmenée aujourd'hui loin de chez elle et de ses problèmes, sur les sentiers lumineux de l'évasion et de l'oubli. Surtout de la paix. Peut-être même de la prière : *Jésus, que ma joie demeure…*

Le partage avec le reste du monde de tous ces concepts artistiques issus de l'imagination constituait un merveilleux miracle et le plus extraordinaire des héritages. Et, pour certains créateurs de la trempe de Bach, le musicien, mais aussi de Molière, l'écrivain, de Michel-Ange, le peintre et sculpteur, et des quelques milliers d'autres grands artistes de l'humanité, le même miracle se prolongeait et perdurait depuis des siècles. Marjolaine se sentait privilégiée, même d'une humble manière et pour un public restreint, de participer par l'écriture à un tel phénomène.

Depuis la parution des deux premiers tomes de sa trilogie, *Les exilés,* son éditeur criait joyeusement au succès en librairie. De plus, des centaines de lecteurs lui apportaient sans cesse des témoignages de remerciement et d'admiration, soit par courrier électronique, soit de vive voix lors des salons du livre. Et cela, cette prise de conscience d'une communication et d'un partage unique entre elle et son lectorat, constituait, plus que n'importe quelle autre rému-nération, le véritable salaire de l'écrivaine. La nourriture de son âme.

Par contre, terminer le dernier tome de sa trilogie à caractère historique représentait à ses yeux un défi de taille. Les deux premiers tomes avaient suscité des attentes, et la dernière partie devait s'avérer à la hauteur de ces premiers volets, sinon encore plus captivante, avec une conclusion à la fois surprenante et satisfaisante.

Pour la trame de cette série, tout en y apportant de nombreux éléments tout à fait fictifs et issus de son esprit en ébullition, Marjolaine avait scrupuleusement respecté les contextes historiques du Canada et des États-Unis de la fin du dix-neuvième siècle, après avoir effectué de nombreuses recherches dans les livres d'histoire de la bibliothèque nationale.

Elle n'avait pas résisté, cependant, à l'envie d'inventer une audacieuse idylle entre le vicaire d'une paroisse de Canadiens français exilés aux États-Unis et l'aînée des filles de l'un des personnages principaux. Quelle étrange idée, à bien y penser! L'aventure quelque peu osée avait gardé le cap dans le manuscrit jusqu'à ce que Marjolaine découvre, seulement la semaine dernière, le véritable nom du vicaire en place à ce moment-là. Quoi! Il existait vraiment un vicaire dans cette paroisse, à cette époque? Aucun de ses livres de recherche n'en avait fait mention. Et voilà que sur Internet, dans un article sur Wikipédia, on divulguait même son nom!

Évidemment, par respect pour l'Histoire, l'auteure ne pouvait se permettre d'attribuer fictivement une telle liaison amoureuse à un prêtre ayant réellement existé. Elle se trouvait donc dans une impasse, obligée de tout rayer et de renoncer à cette tranche salée du roman. Elle prit mal la chose, ayant travaillé sur ces nombreux chapitres depuis un assez long laps de temps. Quel plaisir fou elle avait pris à vivre, en imagination, cette folle épopée d'un amour illicite entre un prêtre et une fille de la paroisse, elle, Marjolaine Danserot, la sage et fidèle épouse dont la vie affective prenait forcément, avec les années, des tournures de plus en plus tièdes et beiges! Et plates!

En rédigeant ces chapitres, elle s'était lancée dans une aventure palpitante et passionnée, avec le sentiment d'adorer elle-même le jeune prêtre Émile dont elle avait fait le représentant de l'homme idéal, un être fort et solide et, en même temps, sensible et romantique. Et beau, naturellement! Et... Non, elle n'arriverait pas à renoncer à cette intrigue. Qu'à cela ne tienne, il y aurait deux vicaires dans cette paroisse, le vrai… et l'autre, le merveilleux faux personnage fabriqué de toutes pièces et objet d'amour de sa créatrice!

Elle écoula le reste de l'après-midi sur la trame amoureuse d'Émile au cœur pur et ne vit pas passer le temps jusqu'à cinq heures, où elle sentit la fatigue la gagner. Un souper vite fait suffirait pour ce soir. L'aîné, François, ne venant pas manger à la maison le jeudi à cause d'un cours du soir, elle prépara trois portions dans l'espoir que Rémi, pour une fois, se joigne à ses parents.

Dès son retour du bureau, Alain s'étonna de l'absence de la voiture de sa femme, habituellement stationnée devant l'entrée.

— Je l'ai confiée au garage cet avant-midi pour la faire réparer. Rémi a dû avoir un accident, hier. Tu n'as pas remarqué les dommages à l'aile droite, ce matin, en t'en allant travailler?

— Euh… non, j'ai rien vu.

Marjolaine lui raconta alors les événements de la nuit précédente. À son étonnement, elle vit son mari réagir violemment, contrairement aux attitudes de détachement, voire d'insouciance totale qu'il adoptait en général à chacune des bêtises de leur fils. «Du déni total!» concluait-elle avec colère lors de pareils moments. Mais cette fois, le père de Rémi semblait réellement outré.

— Ce petit-là va nous rendre fous! Mille six cents dollars, hein? Cet argent, il va nous le remettre en totalité. Cenne par cenne, s'il le faut, mais il va nous le payer, le petit morveux!

— Là n'est pas la question, Alain. Il ne s'agit pas d'une affaire d'argent. À tout le moins, il faut voir plus loin et creuser plus profondément. Rémi se fiche de tout, à commencer par toi et moi. C'est normal à son âge de vouloir rompre le cordon ombilical, nous devons l'admettre. Il désire vivre à sa manière, comme il l'entend et en dehors de nous. Mais quand il profite de ses parents sans respecter les consignes, quand il ne prend pas ses responsabilités, quand il nous cache des choses et refuse d'avouer pour quelle raison il n'est pas rentré, et quand il ne peut nous expliquer ce qui s'est produit avec ma voiture, là, je m'inquiète sérieusement.

— Ben, qu'il subisse les conséquences de ses actes et nous remette l'argent ! C'est seulement de cette façon-là qu'il va apprendre, ton petit chéri ! C'est ma théorie à moi, ma belle.

Et voilà ! Il avait dit « ton petit chéri » ; la discussion était close… jusqu'à la prochaine fois ! Marjolaine jeta un œil au chien étendu par terre de tout son long, le museau entre les pattes. Il n'avait pas bronché pendant toute la durée de la conversation. Elle l'envia un instant. Lui, au moins, ne se tracassait aucunement !

Rémi ne se présenta pas pour le souper. Après un repas silencieux, Alain se leva subitement de table pour s'en aller fumer une cigarette sur le patio sans ajouter un mot pendant que Marjolaine ramassait les assiettes et les ustensiles avec mauvaise humeur. Ainsi allaient sa vie de couple et sa vie de parent, sans complicité, sans connivence et sans soutien. D'une dispute à l'autre. D'une incompréhension à l'autre.

Ce soir-là, sans avertir, Rémi ne vint pas à la maison. Comme cela lui arrivait de temps en temps d'aller dormir chez un de ses copains, Marjolaine ne s'inquiéta pas outre mesure, même si elle ne put obtenir de réponse à ses appels répétés sur le téléphone portable de son fils. Elle interpréta plutôt sa fuite inexpliquée comme un aveu détourné de ses bêtises de la veille.

À neuf heures, épuisée, elle sombra malgré elle dans un sommeil profond au cours duquel un cycliste, sur le point de rendre l'âme, se confessait à un prêtre prénommé Émile. Derrière eux scintillaient les gyrophares rouge et bleu d'une voiture de police.

Au grand soulagement de Marjolaine et à la grande joie de Jack, Rémi se pointa en fin d'après-midi le lendemain, tendu comme un arc. Sa mère, dont la théorie sur l'éducation différait de celle de son mari, l'embrassa sur les deux joues en constatant son air effaré.

— Tiens, un revenant ! Comment vas-tu, Rémi ? As-tu passé une bonne journée, hier ? Et cette nuit ?

Le garçon avait beau vouloir se montrer indépendant, dans son désarroi, il ne put résister à la tendresse de sa mère et, sans hésitation, pressa ses bras autour d'elle. Dans le cœur de Marjolaine, l'étreinte dura l'espace d'un pardon, d'une réconciliation tacite mais entière. Elle décida de ne pas ressasser le même sujet et de remettre à plus tard ses interrogations sur le fameux party de Saint-Sauveur… ou de Saint-Adolphe.

— Dis donc, n'as-tu pas un cours de littérature le vendredi, toi ? Comment ça s'est passé ? De quels auteurs avez-vous parlé ?

— J'ai manqué mon cours, maman.

— Comment ça ?

— Ça fait dix jours que je vais plus au cégep.

— Rémi, tu me niaises !

— Non, c'est la vérité, j'ai plus envie d'y aller. J'ai tout lâché.

CHAPITRE 3

Quelques jours plus tard, au retour d'une matinée au centre commercial, Marjolaine découvrit Rémi assis au coin de la table de cuisine, en train de dévorer une boîte entière de biscuits au chocolat, accompagnés d'un grand verre de lait. À ses pieds, Jack se délectait des énormes brisures que le garçon laissait volontairement tomber par terre.

— Salut! J'espère que tu as mangé autre chose que ça pour le dîner, mon grand. Pour les produits laitiers, ça peut toujours aller, mais n'oublie pas : deux à trois portions de fruits et légumes, des protéines et…

— Je dîne pas, là, m'man, je déjeune! J'ai travaillé hier soir jusqu'à minuit, l'as-tu oublié? Je viens juste de me lever, là!

Non, elle n'avait pas oublié que, tout récemment, il avait commencé à travailler le soir dans une station-service au lieu de terminer sa première année de cégep. Bien sûr, elle n'aimait pas beaucoup le voir rentrer à bicyclette à des heures tardives dans les petites rues étroites du nord de la ville, mais cela ne l'inquiétait pas autant que le fait d'avoir platement lâché ses études à l'approche de la fin de l'année scolaire et remis à l'automne prochain la reprise des cours abandonnés.

Le petit garçon rêvant autrefois de devenir médecin quand il serait grand ferait mieux de retrousser ses manches et d'adopter une autre attitude, à moins de rencontrer, à l'instar du pianiste Solveye, un Jean-Sébastien Bach de la médecine pour l'inspirer et le sauver. Sinon, il n'irait pas très loin, elle en avait bien peur.

Marjolaine n'avait pas oublié, non plus, la capacité de mentir de Rémi, et encore moins la sienne lorsqu'elle avait trompé l'enquêteur afin de sauver la peau de son fils. Quand, sous les aboiements hostiles de Jack, un policier s'était présenté à la porte, deux jours après l'incident, elle s'était sentie fondre littéralement. Seul l'air détaché et inexpressif de l'homme l'avait aidée à retrouver son sang-froid.

— Madame Legendre, nous sommes à la recherche de jeunes qui ont fêté mercredi soir dernier dans une discothèque de Saint-Adolphe-d'Howard. Quelqu'un nous a rapporté que votre fils Rémi faisait partie du groupe, est-ce exact?

— À Saint-Adolphe-d'Howard? Je sais que Rémi est allé à Saint-Sauveur, ce soir-là, mais pas à Saint-Adolphe. Pourquoi me demandez-vous cela?

— Désolé, madame, c'est moi qui pose les questions. J'aimerais que vous me répondiez franchement, s'il vous plaît. Je voudrais rencontrer votre fils, s'il se trouve ici présentement.

Le badge de policier porté par l'homme lui conférait tous les droits, et son ton glacial avait achevé de refroidir les esprits de Marjolaine. Elle n'avait pas insisté. Il voulait des réponses? Il en aurait! Mais qu'il ne compte pas sur sa franchise, oh! que non! Son instinct maternel outrepassait, et de loin, son sens moral. Après tout, il y allait de l'avenir de son fils, et on n'avait nulle part annoncé le décès du blessé. Et puis, Rémi n'avait probablement rien à voir avec toute cette histoire puisqu'il ne lui avait rien avoué, même quand elle était revenue à la charge, le lendemain. Tout ne résidait que dans sa tête de mère affolée pour rien. Strictement rien. Pourquoi ne pas faire confiance aux réponses de son fils, même évasives et imprécises ?

— Rémi se trouve au cégep présentement, en train de passer un important examen de français. La fin de l'année arrive, vous savez, et…

— Avec quelle voiture s'est-il rendu dans le nord, ce jour-là ?

— Avec la mienne. Il m'arrive de la lui prêter de temps en temps. Il a un permis de conduire, ne vous inquiétez pas pour ça.

— Nous l'avons déjà vérifié, madame. Là n'est pas la question. Puis-je jeter un œil sur votre voiture ? Elle se trouve dans le garage, je suppose ?

— Non… Euh… Je… je l'ai prêtée à ma sœur. Elle est partie avant-hier pour… pour dix jours en… aux États-Unis.

— Quelle est la couleur de votre Ford ? Elle date de 2009, je crois…

Oh là là ! Le policier connaissait déjà la marque et l'année de sa voiture ! Marjolaine en avait ressenti des sueurs froides et avait imaginé des taches de peinture noire sur la bicyclette accidentée. Hélas, de toute évidence, elle ne pouvait se permettre de mentir sur la couleur de l'auto à cause de la description probablement donnée par les copains de Rémi.

— Ma voiture est noire.

— Votre fils vous l'a-t-il rapportée en bon état, ce soir-là ?

— Mais oui, ça va de soi ! Excusez-moi, monsieur, mais là, vous m'intriguez vraiment !

— Il s'agit simplement d'une vérification. Merci, madame. Au revoir, madame.

Après son départ, Marjolaine avait éclaté en sanglots. Elle aurait dû questionner Rémi avec plus d'insistance, exiger des explications réelles au sujet des dommages passablement importants à sa voiture. S'il fallait… Ah, mon Dieu ! S'il fallait qu'il ait frappé quelqu'un et ait poursuivi son chemin sans s'arrêter ! Ou bien s'il fallait qu'en état d'ébriété trop avancé, il ait heurté le cycliste sans se rendre compte de rien ! Cet enfant-là allait la rendre folle !

Si au moins son mari partageait ses craintes. Au fond, il avait sans doute raison de ne pas s'en faire. Elle devenait trop émotive. Pourquoi tout dramatiser ainsi ? « Une vraie romancière ! » s'était écrié Alain pour la taquiner, quand elle lui avait finalement confié ses inquiétudes. Il aurait tout de même pu se garder d'en rajouter, avant de lui tourner le dos.

— Si jamais le cycliste meurt, t'en fais pas, ma femme, ton policier, tu vas le revoir ! Rien de plus facile pour un enquêteur que de trouver le garage de la ville ou de n'importe où dans la province qui a réparé une Ford noire endommagée récemment sans trop d'explications.

Elle l'avait regardé partir, écœurée.

En cet après-midi ensoleillé de mai, au moment précis où Rémi achevait de s'empiffrer de biscuits, il ne réalisa pas la nouvelle raison de s'énerver donnée à sa mère en lui relatant l'appel téléphonique reçu au cours de l'avant-midi.

— Oh ! j'oubliais, m'man : François a appelé tantôt pour t'annoncer une bonne nouvelle. Il vient de se trouver un travail d'étudiant fort payant pour cet été. Sauf que…

— Sauf que quoi ?

— Il va aller couper des arbres sur la Côte-Nord d'ici à septembre. C'est l'fun, hein ? Pas de danger que ça m'arrive à moi, une job pareille !

— Toi, mon cher, tu ne bouges pas d'ici et tu restes à Montréal avec ton père et ta mère, même si je dois partir pendant trois semaines au cours de l'été, compris ? Contente-toi de ton travail au garage, ça me semble déjà suffisant.

La belle affaire ! Elle qui comptait sur son aîné pour superviser le petit frère durant son voyage en Europe… Tout cela venait gâcher sa joie d'avoir été sélectionnée pour une retraite d'écriture en Suisse. Elle partie et François dans le Nord, Rémi, seul ici avec son père, en profiterait pour dérailler, aucun doute là-dessus !

Marjolaine vit donc venir l'été avec appréhension, son beau rêve rongé par l'angoisse. Que se passerait-il après son départ ? Rémi resterait-il sage ? Se nourrirait-il bien ? Était-ce une bonne idée de lui laisser sa voiture ? Maintiendrait-il son intention de retourner à l'école à la fin d'août ? Qui sait si le fait de gagner un salaire et de pouvoir s'offrir une certaine indépendance ne le détournerait pas de ses bonnes résolutions… Et si jamais le policier rebondissait avec des preuves plus tangibles, qu'adviendrait-il, hein ? Que se passerait-il si elle se trouvait à l'autre bout du monde ?

En y songeant, elle frissonnait de peur, mais finissait par se raisonner tant bien que mal. Après tout, elle ne partait que pour vingt et un jours, le temps passerait rapidement, voyons ! Et Alain n'aurait pas le choix de veiller sur Rémi et de voir à ce que tout se passe bien. François, lui, aurait pu intervenir en cas de besoin. En dépit de tout, l'aîné exerçait une véritable influence positive sur son benjamin, et Marjolaine misait sur lui pour le remettre sur le chemin de la sagesse et surtout des études. Elle n'avait pas prévu le voir quitter Montréal pour tout l'été.

Quant à elle… Non, elle ne devait pas annuler son départ. Elle avait accepté avec une telle joie cette invitation, en tant qu'auteure, pour aller écrire dans un château de Suisse ! Rien que l'évocation du mystérieux château de Manuello la remplissait déjà de rêves et de fantasmes. Non, elle n'y renoncerait pas. Elle irait, en juillet, y passer les trois semaines prévues en compagnie de quatre autres écrivains venus de différents pays. Il s'agissait d'une véritable reconnaissance comme romancière, et l'expérience en vaudrait la peine, elle n'en doutait pas un instant. Mais maintenant que l'été se pointait et que son fils avait commencé à déconner, elle ne se sentait plus aussi enthousiaste.

Il ne restait plus qu'à espérer qu'en son absence, Alain et son fils arriveraient à prendre du bon temps ensemble. Pourquoi pas ? Et pourquoi ne feraient-ils pas un voyage de pêche, tiens ?

À la suite de la capture de mon père et de ma mère, je sentais que ces amis qui m'hébergeaient en secret prenaient de grands risques. À la longue, cela devenait trop dangereux. Tôt ou tard, on découvrirait le pot aux roses et ces gens risquaient d'hériter du même sort que mes parents… et moi de même ! De plus, mon piano me manquait terriblement.

Réfugié au fond d'une remise, sans rien pour me tenir occupé à part une tablette à écrire et quelques ouvrages fort ennuyeux à lire, à relire et à re-relire, je chantais et re-chantais mille fois par jour la partition de Jésus, que ma joie demeure. Je m'amusai à en changer la tonalité et la notation, et à expérimenter différents rythmes, puis j'inscrivis des ornements, des trilles et des gruppettos. Je transformai aussi le contrepoint et inventai même différents accompagnements orchestraux. Cette merveilleuse planche de salut me procurait la satisfaction d'entretenir au moins mes connaissances musicales. Dans l'une de mes variations sur le thème, j'ajoutai des rythmes modernes, convertissant ce chant religieux en un «choral pop»! Ah! je me sentais fier de mon chef-d'œuvre, ayant l'impression de l'avoir travaillé conjointement avec le plus grand maître du monde : Jean-Sébastien Bach.

J'en vins à me sentir follement près du compositeur, au point de lui écrire chaque jour des lettres et des poèmes! De là-haut, il pouvait m'aider et intervenir pour moi, pauvre étudiant en musique coupé du monde et réfugié au fond d'une vieille remise délabrée de la banlieue de Dubrovnik, sans piano, avec une seule partition et une pile de feuilles blanches en main. Et, surtout, presque sans personne à qui parler à part mes merveilleux sauveteurs qui ne cessaient de m'encourager sans me proposer de solution.

Un jour, ils eurent l'idée d'aviser mon ancien prof de piano de ma triste situation. C'est ainsi qu'au bout de deux mois, à la suite de la venue en Croatie d'un pianiste américain de haute réputation pour un concert, ce professeur réussit à convaincre le musicien vedette de me parrainer, en plus de m'obtenir en catimini un faux passeport et une bourse d'études à la Juilliard School of Music de New York. Ces deux hommes m'ont sauvé la vie car, grâce à eux, j'ai pu m'exiler en douce vers les États-Unis.

Quelle aventure digne d'un roman! Marjolaine n'arrivait pas à abandonner la lecture de la biographie intitulée *Et pourquoi pas?*, signée par Ivan Solveye lui-même. Malgré son imagination débordante, jamais elle n'aurait pu inventer une telle histoire, aussi poignante et pathétique. Tout y était : l'authenticité, la justesse, la fluidité en même temps que la profondeur et l'émotion. Quel artiste, tout de même, à la fois musicien et écrivain ! Le miracle avait fini par s'accomplir pour le jeune Ivan puisque, après trois années chez les Américains, il était allé parachever ses études musicales en France, où il avait immigré définitivement et obtenu la nationalité française. En quelques années, le jeune musicien était devenu l'un des plus grands pianistes au monde, s'exécutant maintenant sur toutes les scènes depuis de nombreuses années.

Marjolaine lui vouait une admiration sans bornes et adorait chacun de ses disques. Elle avait même en main des billets en prévision de son prochain concert, la semaine suivante. De là lui était venu l'intérêt pour son autobiographie avant d'aller l'entendre à la Place des Arts.

Elle se rappelait en souriant ce samedi du mois dernier où elle avait pris le métro vers le centre-ville en compagnie d'Alain, en vue de lui acheter son cadeau d'anniversaire dans le plus vaste magasin de sport de la ville. Ainsi, il pourrait choisir lui-même la nouvelle canne à pêche qu'elle avait décidé de lui offrir. Une fois les achats terminés, elle avait tourné son visage des beaux jours vers son mari et s'était adressée à lui d'une voix doucereuse et presque suppliante.

— Dis donc, si on marchait quelques rues plus loin ? On pourrait se rendre jusqu'à la Place des Arts pour voir s'il reste de bons billets pour le récital de Solveye, le 20 juin.

— Un récital de piano ? Ouais… je te vois venir ! Tu vas me demander de t'accompagner, je suppose ?

— Oui, mon cher ! Et tu as deux bonnes raisons pour ne pas me le refuser : premièrement, parce que Solveye est un pianiste extraordinaire et, deuxièmement, parce que je te demande cette sortie en guise de cadeau d'anniversaire. Avais-tu oublié que j'aurai quarante-deux ans ce jour-là ? Alors ?

— OK, j'ai compris ! Ce que femme veut…

De retour à la maison, Marjolaine avait rangé les deux billets dans un lieu sûr, savourant à l'avance son plaisir, d'autant plus qu'elle aimait particulièrement le détail du programme. Elle se demanda, cependant, quel achat lui plaisait davantage : les billets de concert ou l'équipement de pêche. Qui sait si, durant son absence, le père et son jeune fils ne se redécouvriraient pas l'un et l'autre en allant taquiner la truite ensemble, l'un avec sa nouvelle canne à pêche, l'autre avec l'ancienne…

Elle se demanda surtout pour quelle raison Alain n'avait pas immédiatement fait le lien entre son anniversaire et la date du concert quand elle la lui avait mentionnée en allant acheter les billets.

Et son sourire devint amer.

CHAPITRE 4

Le récital de Solveye, présenté un dimanche après-midi à quatre heures, fut à la hauteur des attentes du public de la Place des Arts et suscita des critiques positives et des louanges de la part de tous les médias.

Quand elle le vit surgir sur la scène, Marjolaine eut peine à retenir un cri. Par une coïncidence incroyable, le pianiste ressemblait en tous points à Émile, le personnage du roman sur lequel elle bûchait chaque jour depuis des mois, ce prêtre qui la fascinait, l'obsédait, même s'il était fictif. Ne connaissant pas le physique de Solveye à part le portrait miniature imprimé au verso de son autobiographie, elle n'avait donc pu s'en inspirer pour son manuscrit. La photo présentait un gros plan d'un visage inexpressif aux traits réguliers, nez droit, lèvres closes et chevelure abondante, rien de plus. Comment cette banale image aurait-elle pu influencer l'écrivaine dans la description physique inventée de toutes pièces du bel Émile de son roman, sur le point de défroquer à cause d'un amour délictueux?

Voilà qu'elle voyait apparaître soudain, saluant la foule devant le piano à queue, un grand bonhomme aux allures d'adolescent malgré le début de la quarantaine. Il affichait un sourire aimable et bienveillant, en passant timidement une main nerveuse dans sa longue chevelure brune et bouclée, tel qu'elle imaginait le bel Émile. «Je suppose qu'il a les yeux gris lui aussi, le coquin!» se dit-elle, incapable de le vérifier à cause de l'éloignement de la scène.

Avec le sentiment d'applaudir non seulement le grand artiste, mais en même temps son cher Émile dessiné à sa mesure et n'existant que dans son manuscrit, Marjolaine battit des mains chaleureusement pendant qu'Ivan Solveye, vêtu de noir, s'installait tranquillement au piano.

Elle ne fut pas déçue en l'écoutant. Autant cet homme écrivait bien, autant il jouait admirablement du piano. D'une certaine manière, grâce à sa programmation, Solveye brossa un tableau sommaire de l'histoire de la musique. Il évoqua la période baroque avec un *Prélude et Fugue* de Bach, souligna le classicisme avec une *Fantaisie* de Mozart et, grâce à un jeu à la fois fougueux et tendre, il traduisit les passions du romantisme à travers la sonate *Pathétique* de Beethoven. Pour le vingtième siècle, le *Clair de lune* de Debussy, interprété de façon magistrale, adoucit en Marjolaine les contraintes de ce temps et la transporta sur les rives calmes et paisibles de son lac intérieur. Le pianiste termina avec une pièce de John Cage martelée à un rythme d'enfer, sans mélodie ni harmonie, sur le piano transformé par différents objets fixés sur les cordes. Que des dissonances agressives et quelle cacophonie insupportable! «C'est ça, se dit Marjolaine, c'est exactement ça, le monde actuel: du vacarme bien rythmé et parfois irritant à souhait pour les "vieilles" comme moi!»

Après chacune de ses performances, Solveye saluait avec une simplicité remarquable, gratifiant la foule en délire d'un sourire affable et sans prétention. Au moment du rappel, Marjolaine perdit le contrôle de ses émotions et essuya une larme quand elle vit le pianiste s'avancer vers le micro et s'adresser à l'auditoire dans un français teinté d'accent mais fort bien maîtrisé, pour expliquer la pièce qu'il allait jouer.

— Je vais vous présenter maintenant *Jésus, que ma joie demeure,* d'après un choral, c'est-à-dire une prière chantée écrite par Jean-Sébastien Bach. Lorsque je me suis échappé à jamais de la maison de mon enfance en 1991, à Dubrovnik, le soir même où j'ai perdu mes parents qu'on a condamnés à mort ultérieurement, j'ai emporté avec moi la version pianistique de cet extrait de cantate. Cette musique-là m'a sauvé la vie. Pendant des semaines, caché au fond d'une remise, j'ai travaillé mentalement la partition. Voici quelques-unes des variations personnelles que j'en ai créées.

Lentement, Solveye chemina vers le piano dans un silence à entendre voler une mouche. Il joua d'abord la version classique de la composition. Marjolaine ne put s'empêcher de comparer sa piètre interprétation personnelle avec celle, mélodieuse et chantante, du pianiste, et son admiration monta d'un cran. Survint alors l'apothéose. Il ajouta des accords au thème , puis il se mit à jouer la pièce sous forme de blues, un blues triste et envoûtant fort apprécié de l'auditoire. Quelques instants plus tard, la musique se transforma de nouveau et emporta la foule sur un rythme de jazz très vif, avec abondance de syncopes et de contretemps sans jamais s'égarer très loin de l'air initial du choral. Il le convertit, pour la finale, en un rock'n'roll endiablé.

L'ovation dura un temps record. Pour la première fois de sa vie, Marjolaine, debout, lança des bravos à tue-tête en battant des mains à s'en faire éclater les paumes. Mais le pianiste, sans doute lui-même bouleversé par les souvenirs évoqués par cette musique, n'offrit pas d'autre rappel, se contentant de revenir à maintes reprises sur la scène pour saluer la foule en toute simplicité. Ce n'est qu'une fois Solveye disparu définitivement dans les coulisses et le silence revenu dans la salle que Marjolaine reprit conscience de la présence d'Alain à ses côtés et qu'elle se tourna vers lui. Il la regardait d'un air amusé.

— Pas besoin de te demander si tu as apprécié le récital, hein, Marjo ?

— J'ai adoré ce concert ! Quel artiste, n'est-ce pas ?

— Je l'ai trouvé pas mal bon, moi aussi.

En vérité, Alain Legendre ne s'y connaissait pas vraiment en musique classique et préférait de loin la musique populaire actuelle. Cela ne l'empêchait pas d'apprécier certains classiques, même s'il avait habituellement tendance à les qualifier d'anciens et de démodés.

— Merci pour mon cadeau de fête, Alain, c'était vraiment une bonne idée !

L'homme ne prit pas conscience du ton sarcastique de sa femme.

— Mais il s'agissait de ton idée, pas de la mienne, je te ferai remarquer. Des bonnes idées, tu n'en manques jamais, toi, ma femme ! Mais… rira bien qui rira le dernier ! Je t'invite à souper au restaurant, maintenant. Que dirais-tu du bistrot portugais dont je t'ai parlé, l'autre jour ?

— Pourquoi pas ? J'avais dégelé des steaks, mais ils peuvent attendre jusqu'à demain.

Quelle ne fut pas la surprise de Marjolaine, une fois au restaurant, de retrouver, assis bien sagement à une table située près d'une fenêtre, ses deux fils l'attendant avec une énorme gerbe de fleurs.

— Bonne fête, maman !

Quoi ! Ils avaient tout manigancé à l'avance ! Elle n'en revenait pas. En ce moment même, Rémi n'était-il pas sur le point de commencer sa soirée de travail à la station-service et François, rendu sur la Côte-Nord ? Non, non, elle faisait erreur. Rémi ne travaillait pas le dimanche soir, elle l'avait oublié. L'aîné, lui, reviendrait à quelques reprises au cours de l'été pour trois ou quatre jours de congé, billets d'avion gratuits, payés par la compagnie qui l'embauchait. Pour cette fois, il s'était bien gardé de faire mention de ce premier retour, justement pour surprendre Marjolaine à l'occasion de son anniversaire.

François se leva le premier pour embrasser sa mère.

Elle prit son visage entre ses mains. François, son grand, son beau, son merveilleux garçon devenu trop rapidement un homme… François, sa fierté, le fleuron de son travail de mère et d'éducatrice… François, le cadeau de sa vie…

— Je ne pensais pas te voir ici ce soir, toi ! Quelle belle surprise !

— Es-tu contente, maman ? C'est moi qui ai eu l'idée de te fêter au resto. Et tu vas me voir durant tout le début de la semaine. Comme tu pars pour la Suisse très bientôt, mon frère et moi, on veut que tu t'ennuies de nous !

Quant à Rémi, tout sérieux, il dévorait sa mère des yeux depuis quelques minutes. De toute évidence, il avait quelque chose à lui dire, elle n'en doutait pas. Il eut une seconde d'hésitation avant de lancer sa promesse, après s'être longuement raclé la gorge.

— Je te fais la promesse solennelle, m'man, de rester sage tout l'été. C'est ça, mon cadeau !

— Ah ! te voilà pris au piège, jeune homme ! Ton père, François et moi sommes témoins de ta promesse, là !

Tous s'esclaffèrent, mais cela n'empêcha pas Marjolaine d'éprouver un pincement au cœur. Elle voyait mal comment le souvenir de ces fleurs et les quelques mots de tendresse réussiraient à effacer aussi facilement des jours et des jours, voire des mois d'indifférence de la part des trois hommes de sa vie. Bien sûr, ses garçons l'aimaient toujours, elle n'en doutait pas. Mais la vie les emportait et, obnubilés chacun de leur côté par leurs propres activités, ils avaient souvent tendance à oublier l'existence de leur mère, comme on peut oublier celle du réfrigérateur tant on est habitué à sa présence. Tant qu'il est là…

Même Alain se montrait trop souvent déconnecté de la réalité de sa femme, celle de mère, certes de plus en plus effacée avec la maturité de ses fils, mais aussi celle d'épouse. Après bientôt vingt-trois ans de mariage, leur couple se trouvait enlisé dans l'habitude et tous les deux vivaient leur propre existence, se côtoyant quotidiennement entre les murs de la même maison sans trop se rejoindre, pas plus sur le plan des émotions qu'à celui des préoccupations.

Ainsi, Marjolaine se tracassait seule et dans l'isolement, non seulement au sujet de l'adolescence difficile de Rémi, mais aussi pour son travail d'écrivaine. Elle n'avait personne avec qui parler de sa relation avec son éditeur, de ses recherches qui n'aboutissaient pas toujours à son gré, de ses attentes pour la promotion de ses livres, ni de ses appréhensions concernant les critiques et de l'appréciation du public à chacune de ses publications.

Alain ignorait tout à ce sujet. À vrai dire, il ne s'intéressait que de loin à la carrière de sa femme. À peine s'il s'informait de temps en temps du sujet sur lequel elle était en train d'écrire. S'il arrivait à Marjolaine, à l'occasion, de lui demander de lire un extrait de texte, il l'approuvait infailliblement, sans vraiment le commenter. « Oui, oui, c'est bon, très bon… » Rien de plus n'en ressortait. Aucun commentaire, aucun avis positif ou négatif, aucun enthousiasme, aucun conseil et même aucune erreur à relever.

À l'inverse, il fallait bien l'admettre, Marjolaine ne connaissait ni les hauts et les bas du travail de son mari, ni ses problèmes pour l'administration de sa compagnie de consultants en ingénierie, pas plus que ses aspirations et sa vision de l'avenir. Quant à ses intérêts marqués pour les affaires et le sport, ils ennuyaient exagérément sa femme.

Évidemment, le couple se disait toujours amoureux et se rapprochait tout de même à sa manière pour partager voyages, cinéma, plaisirs gastronomiques, excursions à vélo, promenades dans la nature. L'été, si Alain entretenait « sa » piscine et que Marjolaine cultivait « ses » fleurs, ils réussissaient, en de rares occasions, à partager une bière froide sur le patio. L'hiver, il déneigeait l'entrée pendant qu'elle préparait les repas, mais il arrivait qu'ils se retrouvent en skis de fond dans un boisé environnant. Au lit, une vague tendresse avait insidieusement remplacé les ardeurs sexuelles d'autrefois. Mais le couple se tenait encore par la main même si, mine de rien, la vie les emportait dans un espace de paix relative. Hélas, dans sa vie comme devant son ordinateur, Marjolaine sentait la solitude prendre de plus en plus de place.

Au fil du temps, les jours et les mois étaient devenus des années sans trop que mari et femme ne s'en rendent compte. Quarante-deux ans… Elle a aujourd'hui quarante-deux ans, c'est-à-dire deux fois vingt ans plus deux autres années. Oh là là ! Marjolaine n'en revenait pas. Vite, il fallait profiter de la vie, y mordre plus que jamais en prenant les bouchées doubles, savourer consciemment chaque jour qui passait avant de perdre irrémédiablement son statut de jeune femme. Tout allait trop vite.

Elle plongea son nez dans la gerbe de fleurs et prit une longue inspiration. Ils lui avaient apporté des marguerites, ses fleurs préférées. Comment s'en étaient-ils souvenus ?

— Savez-vous quoi, mes trois hommes ? Je vous aime !

On leva alors les verres à sa santé, en lui souhaitant à l'avance un bon voyage en Suisse. Alain choisit ce moment précis pour sortir de sa poche un minuscule paquet emballé dans du papier doré. Quoi ! Un autre cadeau ? Les billets de concert n'avaient-ils pas suffi ? Étonnée, Marjolaine découvrit alors, dans un écrin de velours, une magnifique montre en or.

— Alain, quelle folie !

— Tu n'allais tout de même pas partir pour l'Europe avec ta vieille montre, hein ? Je sais, je sais, tu pourrais t'en acheter une autre en Suisse, mais… en regardant celle-là plusieurs fois par jour, peut-être te fera-t-elle penser à moi. Ou plutôt à nous trois, tes hommes…

Elle renifla un bon coup. Dire qu'elle trouvait son mari « pas assez sentimental » ! ! ! Néanmoins, la gentillesse du geste ne réprima en rien son besoin de changement et ne réussit pas à amoindrir sa hâte de partir.

Cher ami,

Pardonnez-moi, monsieur Solveye, cette audace de vous appeler « cher ami » alors que vous ignorez jusqu'à mon existence. Mais à travers votre œuvre merveilleuse d'écriture et de musique, j'ai décelé une telle grandeur d'âme que je ne peux m'empêcher de vous témoigner mon admiration et de vous offrir mon amitié. Aussi, je n'ai pas hésité très longtemps avant d'écrire cette lettre. Il m'aura suffi d'assister à votre récital, ici à Montréal, après avoir savouré votre autobiographie jusqu'à la dernière page, pour avoir envie de vous dire à quel point vous m'avez rejointe et touchée jusqu'aux fibres secrètes de mon âme.

Permettez-moi tout d'abord de me présenter. Je m'appelle Marjolaine Danserot, j'ai quarante-deux ans, je suis mariée au même homme depuis 23 ans et mère de deux grands garçons. Il y a une dizaine d'années, j'ai commencé à écrire des romans et j'en suis au huitième. Mes livres marchent assez bien dans mon pays, et j'ose espérer qu'ils procurent des moments agréables, éveillent des émotions et suscitent certaines réflexions chez mes lecteurs.

Comme la musique vous a sauvé et continue de vous maintenir en vie, l'écriture est devenue pour moi une véritable raison de vivre, une planche de salut qui me projette loin des platitudes et des insatisfactions de l'existence.

Je suis présentement à travailler sur le troisième et dernier tome d'une saga familiale historique relatant l'exode important de Québécois vers les États-Unis au tournant du dix-neuvième siècle, sujet qui requiert de multiples et passionnantes recherches. Quel beau métier que celui d'écrivain, n'est-ce pas ?

Vous possédez largement ce talent pour l'écriture, croyez-moi, et ce fut un délice de lire votre autobiographie. Laissez-moi vous dire combien j'ai apprécié votre verbe tellement riche et fluide, poétique aussi. Votre profondeur, surtout. Quelle vie à la fois trépidante et dramatique que la vôtre ! Et quelles leçons de courage et de persévérance on peut tirer de cette lecture ! Franchement, vous avez toute mon admiration d'auteure, et j'espère avoir le bonheur de découvrir d'autres œuvres écrites de votre main, un de ces jours.

La semaine dernière, j'ai assisté à votre excellent concert à la Place des Arts de Montréal. Pas besoin de vous dire que l'amoureuse de musique en moi s'est sentie fort émue, emportée par autant de beauté et de passion. De plus, vous avez suscité dans mon esprit une intense réflexion sur le monde actuel.

Malgré le rythme effréné du temps présent, la course folle contre la montre, les défis de la performance, malgré le tapage infernal masquant la beauté du silence, ce vacarme envahissant maintenant les lieux publics, les rues, les centres commerciaux, les restos, les écoles, tout !, malgré tout cela, la musique classique existe toujours, comme un recueillement. Si les bruits de ce siècle refrènent le besoin naturel de méditer, ce soir-là, vous avez su créer un moment de grâce hors du temps pour rentrer en soi-même, pour palpiter et écouter son cœur. La musique classique, celle qui exprime toute la gamme des émotions humaines, a encore sa place, en ce vingt et unième siècle, et vous nous l'avez génialement démontré. Merci, monsieur Solveye, de m'avoir fait vivre un tel moment et de m'avoir portée, par votre musique, vers le plus extraordinaire des refuges, celui de mon âme.

En même temps que ma tablette à écrire, je projette d'apporter tous vos disques avec moi lors de mon voyage en Suisse, au château de Manuello, face au lac Léman où, dans huit jours, je me rendrai comme auteure en résidence pour trois semaines, en compagnie de quatre autres écrivains venant des quatre coins du monde. Sachez que je meublerai mes moments de silence avec votre divine musique. Et comme l'endroit semble doté d'un vieux piano, j'inclurai quelques partitions dans mes bagages, histoire de m'amuser un peu entre mes travaux d'écriture, même si je ne possède pas vraiment de talent pour la musique.

Pour la lecture publique qui aura lieu trois jours avant la fin de mon séjour, j'ai d'ailleurs choisi un extrait de l'un de mes premiers romans, où Beethoven occupe une place importante pour l'un de mes personnages. Vous dire à quel point la musique de ce compositeur me parle et me touche… En plein dans le cœur! Beethoven se révèle une inspiration pour moi et j'ai installé sa photo non pas sur mon piano, mais juste au-dessus de l'écran de mon ordinateur d'écrivaine!

Il y a des êtres qui passent ainsi dans la vie et qui, malgré la distance, malgré le silence et l'absence de contact direct, réussissent à nous atteindre plus intensément que les gens à côté desquels on vit. Vous l'avez expérimenté en 1991 avec Jean-Sébastien Bach, il en est de même pour moi avec certains compositeurs et leurs interprètes, dont le grand Ivan Solveye. Merci d'exister, cher ami, et merci d'être celui-là!

Je tenais à vous le dire, tout simplement, en toute amitié, si lointaine et étrange que puisse paraître cette amitié. Soyez heureux auprès des vôtres et continuez, par votre art, à rendre le monde, sinon meilleur, à tout le moins plus heureux. Longue vie à vous!

Marjolaine Danserot

Au cours de la nuit suivant le concert, elle n'arrivait pas à dormir et s'était levée à deux heures du matin pour s'installer à l'ordinateur. Se vider le cœur sur les pages de cette lettre l'avait soulagée, mais, depuis ce temps, elle hésitait à la poster. Ivan Solveye recevait sans doute continuellement des dizaines et des dizaines de témoignages du même genre, et il lirait peut-être le sien avec indifférence et détachement. Elle faillit tout jeter à la poubelle, d'autant plus que, malgré ses recherches sur Internet, on ne donnait nulle part une adresse postale ou numérique pour communiquer avec l'artiste.

Préférant contourner Facebook, Twitter et autres modes de communication en ligne, Marjolaine avait cherché longtemps à quelle
adresse envoyer sa lettre. Le pianiste habitait en France, elle le
savait, mais elle ignorait évidemment à quel endroit. Toutefois, il lui
était venu une idée : elle allait adresser son envoi à la maison d'édition ayant publié l'autobiographie. On s'occuperait assurément de
la lui transmettre. Le lendemain, elle jeta donc son enveloppe dans
la boîte aux lettres et réprima un sourire en songeant au titre du
livre de Solveye. Ne l'avait-il pas intitulé *Et pourquoi pas ?*

Elle l'oublia ensuite complètement, convaincue de ne jamais
recevoir de réponse, à l'instar de ses propres lecteurs qui l'avaient
inondée de commentaires gratifiants à la sortie de chacun de ses
romans et à qui elle ne s'était pas toujours donné la peine de
répondre. Qu'importe, elle avait des choses à exprimer et elle l'avait
fait. Elle se sentait donc soulagée et contente. Point à la ligne.

CHAPITRE 5

À sept heures du soir, le deuxième jour de juillet, madame Berthe, la Suisse qui vint chercher Marjolaine à l'aéroport de Genève, trouva une Québécoise à la fois surexcitée et anxieuse à l'idée de la grande aventure qu'elle allait vivre. Âgée d'une cinquantaine d'années, vêtue de façon classique et les cheveux retenus en un savant chignon, la femme examinait Marjolaine derrière une épaisse paire de lunettes à monture d'écaille.

— Madame Danserot? Bienvenue parmi nous! Je m'appelle Berthe Pfeiffer, je suis la responsable des auteurs et je m'occuperai de vous durant tout votre séjour. Vous êtes la première à arriver sur les lieux. Les autres rentreront plus tard au cours de la soirée ou tôt demain matin, selon leur itinéraire.

— Ah bon! À moi l'honneur de découvrir enfin Manuello!

Tout en s'occupant de conduire la voiture sur les chemins cahoteux franchissant la quarantaine de kilomètres entre l'aéroport et la minuscule agglomération où se trouvait le château, la dame, fort volubile et sans doute familière avec le public, posa d'abord à

Marjolaine les questions d'usage pour s'informer de son voyage et de sa bonne forme.

En traversant le premier village, Marjolaine ne manqua pas de s'exclamer sur la beauté des lieux. Ces petites rues étroites, ces vieilles maisons de pierres, ce haut clocher qu'elle avait aperçu au loin, au-delà de la colline… quel charme !

— Comme c'est joli, ici ! Vous n'avez pas idée de mon dépaysement, moi qui arrive directement d'une grande ville nord-américaine ! J'ai très hâte de connaître le château et le petit hameau qui l'entoure.

Madame Berthe prit plaisir à lui expliquer longuement d'où le château tenait son nom.

— Lors de sa construction en 1869, l'immense résidence a d'abord été achetée par un représentant de la noblesse française, le baron Manuel de la Cannebière. Au moment précis d'en faire l'acquisition, l'homme a appris la grossesse de son épouse après plusieurs années de tentatives pour concevoir un enfant. Fou de joie, le couple a décidé de donner à son fils premier-né le prénom du père : Manuel. Bien sûr, le mari et la femme avaient l'espoir de voir de nombreux frères et sœurs, des petits « manuelleaux », s'ajouter ultérieurement à leur famille pour meubler, de leurs cris de joie, le silence plutôt sinistre des vingt pièces encore désertes de l'édifice réparties sur deux étages. Quand est venu le temps de nommer cette nouvelle habitation où naîtrait l'enfant, ils ont opté pour : château des Manuelleaux, en l'honneur de cette future progéniture. À l'époque, le mot s'écrivait donc de cette manière : M-a-n-u-e-l-l-e-a-u-x.

— Quelle charmante histoire !

— Non, la suite ne s'est pas transformée en une belle histoire. Elle a plutôt viré au drame, car le mauvais sort en a décidé autrement. Écoutez bien son déroulement : au lieu du fils tant espéré, une petite fille malade et chétive est venue au monde prématurément, quelque temps à peine après l'installation du couple dans le château. Le lendemain de l'accouchement, la mère a rendu l'âme, emportée par une hémorragie massive. Le père s'est montré inconsolable, d'autant plus qu'avec le temps, il a bien réalisé que la jeune Manuella souffrait d'une déficience intellectuelle très grave. À trois ans, l'enfant sérieusement retardée ne marchait pas encore, ne répondait pas à son nom et ne comprenait strictement rien aux normes de l'hygiène et de la propreté. Dévoré de chagrin, l'homme a tout de même décidé de se remarier avec une femme du monde, qui a accepté de venir vivre au château des Manuelleaux.

— Ouf! voilà qui finit bien! Mais dites-moi, pour quelle raison écrit-on maintenant *Manuello* avec un *o*?

— L'histoire ne s'arrête pas là. La nouvelle épouse a effectivement donné de nombreux petits « manuelleaux » à son époux, mais elle a fermement refusé d'adopter l'« enfant folle », comme elle l'appelait avec dédain, tolérant à peine sa présence dans la somptueuse demeure. Confiée jour et nuit à une servante, la pauvre Manuella restait enfermée continuellement dans un coin de la résidence, à l'étage, sans jamais se joindre aux autres enfants. Dès qu'un visiteur important se présentait, on la reléguait automatiquement au grenier afin de ne plus entendre ses lamentations et ses cris déments. Honte de la famille, bannie, rejetée, isolée sous les combles du château, la fillette pleurait, se roulait par terre et finissait par s'endormir en suçant son pouce.

Marjolaine frissonna. Il y avait là un véritable roman! Mais d'apprendre que ce drame d'horreur découlait d'une histoire vraie et s'était passé dans le château où elle s'en allait habiter lui faisait froid dans le dos. Pauvre, pauvre petite Manuella! Son interlocutrice, emportée par son exposé, ne lui laissa pas le temps de s'exprimer.

— Une nuit où des visiteurs s'étaient attardés plus tard qu'à l'accoutumée, on a oublié d'aller chercher Manuella au grenier afin de la descendre et de l'installer dans son lit. Comble de malchance, sa servante était tombée malade la veille, et on a continué d'ignorer totalement l'enfant. Il passait largement midi, le lendemain, quand quelqu'un s'est aperçu de la négligence. On a alors trouvé la fillette gisant par terre, morte étouffée dans une mare de vomi et d'excréments. On l'a enterrée secrètement derrière le jardin sans même réclamer la bénédiction d'un prêtre.

— Ah, mon Dieu, quelle tristesse !

— Vous avez raison, quelle tristesse… Peu de temps après, le baron a vendu le château et s'en est retourné vivre en France avec sa famille. On n'a plus jamais entendu parler d'eux. À partir de ce moment-là, des vignerons s'y sont succédé jusqu'à ce que, vers la fin du vingtième siècle, Manuello da Conti, un grand écrivain italien fort riche et connu dans son pays, en prenne possession. Il s'est réfugié à cet endroit durant de nombreuses années pour écrire ses plus grands chefs-d'œuvre, après avoir converti le nom du château des Manuelleaux en celui de Manuello, selon son prénom.

— Ah ! maintenant je saisis mieux la provenance du nom de la Fondation Manuello, celle qui invite si généreusement des écrivains à venir y passer trois semaines. Mais dites-moi, cet auteur italien vit-il encore ?

— Non. À sa mort, en 2001, il a laissé par testament la résidence en héritage « aux écrivains du monde entier », souhaitant que des auteurs y viennent d'un peu partout pour travailler leurs œuvres comme il le faisait, lui. C'est ainsi qu'à chaque été depuis une dizaine d'années, la Fondation invite gratuitement, avec l'aide de bénévoles et pour des périodes de trois semaines, des groupes de cinq auteurs provenant de différents pays pour venir y écrire, se rencontrer et échanger. Manuello a été en quelque sorte transformé en une immense auberge équipée à la fine pointe de la technologie, vous allez voir.

Marjolaine n'oublierait jamais sa joie et son excitation, en même temps que sa surprise, quand on lui avait appris, quelques mois auparavant, avoir retenu sa candidature, envoyée avec plus ou moins d'espoir. Elle n'en revenait pas! On l'avait choisie, elle, pour la haute qualité et la diversité de ses œuvres, parmi les nombreux autres écrivains ayant postulé! Quand on l'avait informée qu'un auteur de polars marocain, un poète très connu de l'Argentine, une romancière coréenne ainsi qu'une auteure dramatique belge feraient partie du groupe, elle n'en avait pas cru ses oreilles et n'avait plus tenu en place jusqu'à son départ.

— Ma chère Marjolaine – vous permettez que je vous appelle Marjolaine? –, nous voici arrivées. Je vous présente le château de Manuello.

Le premier coup d'œil sur l'environnement de l'édifice remplit d'abord Marjolaine d'émerveillement. Elle retenait son souffle tant elle était médusée par la beauté des lieux. Sis au sommet d'une montagne, entouré de murailles sur trois faces mais ouvert sur le paysage à l'avant, le majestueux petit château de pierres dressait ses tourelles, telle une miniature des châteaux de la Loire. Un jardin de fleurs et des plantations de vignes descendant en pente douce jusqu'au lac Léman complétaient son merveilleux écrin.

Marjolaine allait ainsi de surprise en surprise, ne cessant de s'exclamer, convaincue de se trouver tout bêtement au milieu d'un rêve. Quoi! On avait installé, dans le jardin, des fauteuils et des tables équipées de prises de courant pour brancher des ordinateurs sur Internet? Quoi! L'apéritif serait servi par des bénévoles tous les jours sur la terrasse, à dix-huit heures? Quoi! Chaque soir, des cuisinières prépareraient les repas et les serviraient sur la véranda, arrosés de vin et éclairés à la chandelle ? Quoi ! L'immense salon du château, grand comme une salle de bal et entièrement décoré dans le style Louis XVI, serait utilisé pour la fameuse soirée de lecture publique ? Quoi ! La bibliothèque contenait près de deux mille livres et disques ? Quoi ! Quoi !

Madame Berthe, employée par la Fondation, vivait avec son mari et ses deux grandes filles dans une petite maison située à l'extérieur des murailles mais à proximité. Elle s'occuperait des besoins des cinq visiteurs durant tout leur séjour. Fièrement, elle poursuivit le tour du propriétaire comme si les lieux lui appartenaient.

— Nous vous avons assigné la plus jolie chambre du château, soit celle des maîtres, madame Marjolaine, puisque vous êtes la plus âgée des trois femmes invitées. Les hommes, eux, n'apprécieraient sans doute pas assez la beauté et le charme du lieu ! Venez, je vais vous y mener.

Elles grimpèrent le magnifique escalier de marbre, et Marjolaine faillit tomber par terre en découvrant, dans sa chambre située au milieu du large corridor et directement sur l'avant du château, l'immense lit surmonté d'un baldaquin de soie bleu royal et recouvert d'un splendide couvre-lit assorti.

— Dieu du ciel, je vais habiter dans un véritable palais, moi !

— Profitez-en, ma chère !

En effet, elle allait occuper une vraie chambre de souveraine, avec salon attenant, divan, table à café entièrement sculptée, cheminée de pierres, grandes fenêtres panoramiques donnant sur le lac Léman et, à l'horizon, sur les montagnes de France. Entre la chambre et la salle de bain ultramoderne se trouvait le lieu de travail agrémenté d'un fauteuil et d'une large table où déposer son ordinateur. L'espace d'une seconde, Marjolaine éprouva un vague sentiment de culpabilité vis-à-vis des autres écrivains dont elle avait visité les petites chambres. Quoique confortables et bien équipées, elles ne supportaient pas la comparaison, même celles destinées aux deux autres femmes, situées sur le même étage, aux deux coins frontaux de l'édifice. Les hommes, eux, habiteraient au premier, non loin des cuisines, du salon et de la salle à dîner.

— Installez-vous, ma chère dame, et prenez tout votre temps. Vous avez déjà mangé, j'espère ? De toute façon, si jamais vous avez envie de vous mettre quelque chose sous la dent, chaque jour, moi ou une bénévole prendrons soin de remplir le réfrigérateur de victuailles. Vous devrez cependant vous occuper vous-même de cuisiner votre petit-déjeuner et votre repas du midi. Ne vous gênez pas pour me faire part de vos besoins ou de vos goûts particuliers.

Le bruit d'une voiture s'engageant dans le stationnement interrompit la conversation. Madame Berthe s'approcha de la fenêtre.

— Tiens, tiens ! Voici justement une autre invitée qui arrive ! Suivez-moi, je vais vous la présenter.

Au bas de l'escalier, Marjolaine vit une jeune femme aux cheveux roux ébouriffés traverser le hall d'entrée. Madame Berthe lui tendit aussitôt une main amicale.

— Madame Lacasse, je suppose ? Vous avez fait un bon voyage ? Permettez-moi de vous présenter Marjolaine Danserot, romancière du Québec. Marjolaine, voici Agnès Lacasse, scénariste en provenance de Belgique et future romancière, je crois. Est-ce que je me trompe ?

Agnès Lacasse se contenta d'un vague demi-sourire sans répondre. Puis, elle porta sur Marjolaine un regard insistant frisant l'effronterie en lui serrant longuement la main à la manière d'une nageuse en détresse. « Qu'est-ce qui lui prend de m'empoigner de la sorte ? » se demanda-t-elle. Une telle attitude, face à un homme, aurait pu trahir une promesse indécente, d'autant plus que, le visage outrageusement maquillé sur sa trentaine plutôt flétrie, la femme portait un pantalon moulant et un décolleté audacieux, fort peu de mise pour la circonstance. Après tout, ne venait-elle pas de conduire sa Peugeot sur les sept cents kilomètres la séparant de sa demeure de Bruxelles ?

Comme Agnès ne mit pas de temps à réclamer avec insistance l'aide de madame Berthe pour transporter ses innombrables bagages à sa chambre, Marjolaine en profita pour s'excuser et aller s'installer dans ses propres appartements.

De jouer à la princesse l'époustouflait. Comme il y avait loin entre sa vie ordinaire au Québec et l'instant présent, tellement beau, tellement rempli d'inconnu et d'imprévu ! Tellement rempli d'aventure… Elle avait l'impression d'avoir délaissé son univers depuis des lustres alors qu'elle avait quitté son foyer depuis à peine une trentaine d'heures. À la vérité, ses trois heures d'attente à l'aéroport, lors du départ de Montréal, lui avaient paru plus longues que le trajet au complet jusqu'à Manuello. Alain s'était contenté de la déposer, avec ses valises, à la porte des départs internationaux en l'embrassant du bout des lèvres.

— Profites-en bien !

Rien de plus. Cela avait semé l'amertume dans l'âme de la voyageuse. Son mari n'avait même pas réclamé de recevoir de ses nouvelles de temps à autre, sachant bien, sans doute, qu'elle le ferait fidèlement et régulièrement de toute façon. Profite bien de quoi, cher Alain ? De la tranquillité pour écrire ? Marjolaine l'avait déjà dans sa maison quand son mari et ses fils partaient le matin sans jamais se demander de quelle manière elle occuperait sa journée. Profite bien du beau décor ? Des repas prévus et préparés ? Ouais, elle profiterait sûrement du congé à ce sujet. Et de quoi d'autre ? Du contact avec des écrivains étrangers ? Oui, cela avait constitué sa principale motivation en posant sa candidature pour vivre cette expérience. Mais son premier contact avec cette Agnès Lacasse venait de tout remettre en question. Elle n'avait nullement besoin de la présence d'une énergumène de cette catégorie pour poursuivre l'écriture de son roman, allons donc !

De toute manière, la conviction d'avoir droit, elle aussi, à ses propres aventures et à ses expériences personnelles dépassant son rôle de mère et même celui d'épouse lui donna l'envie de défaire allègrement ses valises. Cette fois, c'est l'écrivaine qui venait d'arriver en Suisse. Que l'écrivaine. Ou plutôt que la femme, Marjolaine Danserot. Tant pis pour l'épouse et la mère, elles étaient demeurées au Québec ! Qui sait si cette expérience d'outre-mer n'apporterait pas un tournant dans sa carrière d'auteure ? Et puis, les idées ne lui manquaient pas pour terminer sa trilogie. Elle n'aurait que cela à faire : reprendre possession de ses personnages et de leurs intrigues, retrouver son gracieux Émile et ses impardonnables péchés de luxure avec la fille du bûcheron émigrée aux États-Unis. Et tout cela meublerait son esprit durant ces trois semaines. Uniquement cela. Oui, elle en profiterait !

Si la Coréenne et l'Argentin arrivèrent trop tard dans la soirée pour les rencontrer, Marjolaine put saluer de la main, de loin, le Marocain Mustapha Majid, arrivé lui aussi en voiture en compagnie de sa femme. Le couple venait d'effectuer un séjour de deux semaines en Europe dans une voiture louée, avant de se séparer près de la muraille du château. Marjolaine décréta, d'après les étreintes et les interminables baisers d'adieu entrevus du haut de sa fenêtre, qu'Agnès Lacasse, en dépit de ses allures aguichantes, aurait du fil à retordre pour arriver à séduire ce conjoint amoureux, si jamais l'idée lui venait de partir à l'assaut des deux auteurs masculins invités.

Ce soir-là, en dépit de son apparence monumentale et de ses charmes indéniables, le château de Manuello éveilla chez Marjolaine l'impression d'un véritable lieu de retranchement, place forte pour des intrigues ténébreuses ou romanesques et cousues de fil blanc. Une fois de plus, Alain aurait certainement qualifié cette réflexion de «propre à une romancière».

Cela la fit sourire.

CHAPITRE 6

Le lendemain matin, un homme plutôt jeune et d'allure athlétique déjeunait sur la terrasse en compagnie d'une Asiatique minuscule quand Marjolaine descendit à la cuisine pour dévorer des croissants au chocolat. Elle s'empressa de les rejoindre, café à la main et visage avenant. Les deux communiquaient ensemble de façon tordue dans une langue ne ressemblant ni au coréen ni à l'espagnol, encore moins au français. Elle réprima un sourire.

— Bonjour, je suis Marjolaine Danserot, du Québec, au Canada.

Les deux derniers arrivants du groupe se levèrent d'un bloc et s'identifièrent avec une solide poignée de main. La femme se présenta en premier.

— *My name is…* euh… jé m'âpéle Cho Hee Sun *from Corea,* mais j'hâbite main'nant en *Germany.*

— Yé souis Paolo Santiago dé Argentina.

Si leur sourire parut sincère et sympathique à Marjolaine, elle trouva leur accent épouvantable et se demanda si la communication en français entre les cinq auteurs s'avérerait possible au cours des semaines à venir. Maîtriser la langue française constituait pourtant une condition requise pour l'admission à Manuello. « Bof… on se débrouillera bien ! Au pire, on se parlera en anglais. Des auteurs, ça ne manque ni d'imagination ni de ressources », se rassura-t-elle.

De plus, compte tenu de la localisation du château dans la partie francophone de la Suisse, on avait exigé de chacun d'apporter un texte en français, écrit de sa propre main, en prévision d'une lecture publique d'une durée maximale de dix minutes. Sans doute ces gens avaient-ils fait traduire leurs pages à l'avance et les liraient-ils avec leur terrible prononciation. Marjolaine, elle, ne s'était pas compliqué la vie, et avait choisi de présenter intégralement le prologue fort poétique de l'un de ses romans, relatant une scène où un musicien chante l'*Hymne à la joie* de Beethoven sur une falaise surplombant la mer, mariant sa voix à celle des vagues pour lancer dans le vent le plus beau des poèmes lyriques.

— Vous avez fait bon voyage ?

— *Si ! Si !*

— *Yes !* Euh… voui, voui ! *And* vous, Mardjoleene ?

— Oui, bien sûr ! Et j'ai apporté beaucoup de travail. Quel bel endroit, ici, pour écrire, n'est-ce pas ?

Elle étendit le bras en désignant la roseraie. Une table l'attirait en particulier, et elle se l'appropria du regard. C'est à cet endroit, et pas ailleurs, qu'elle désirait poursuivre la saga des héros de son roman.

Elle se retrouva donc dans le jardin, une heure plus tard, humant le parfum des fleurs, son ordinateur branché et installé sur la table de métal blanc de son choix. Se remettre dans son histoire d'un siècle passé ne fut pas facile. Comment oublier qu'à ses pieds, derrière le muret, les vignes descendaient doucement jusqu'au lac aux eaux calmes dans lesquelles miroitaient les montagnes du Jura de Haute-Savoie ? Comment, autour d'elle, ne pas admirer les centaines de roses blanches ou rouges qui se balançaient dans la brise ? « Allons, ma vieille, concentre-toi ! se dit-elle en secouant la tête. Tu es ici pour travailler, alors au boulot ! La nature, tu auras bien assez de trois semaines pour l'admirer ! »

Soudain, un papillon blanc batifolant parmi les buissons attira son attention. Magnétisée, Marjolaine le suivit des yeux pendant un long moment. Cette blancheur, cette pureté, cette vie… Le mouvement de ses ailes l'hypnotisait, la fascinait… Elle interpréta cette vision comme un signe. « Dieu est ici, se dit-elle. Vas-y, ma chère, sors ton imagination et deviens créatrice à ton tour ! »

Elle ne vit pas le temps passer. Sur les pages du manuscrit rédigé à la main, Émile en vint à épouser secrètement son Antoinette adorée, au cours d'une nuit remplie d'étoiles, dans les fondations à ciel ouvert d'une église en construction, usant de son statut de prêtre catholique pour valider son propre mariage en dépit des règles rigides et immuables du sacerdoce chrétien. En écrivant ces lignes d'une main leste, Marjolaine se trouvait là avec les mariés, véritablement présente à la scène, émue, attendrie, presque amoureuse elle-même d'Émile. De l'instant présent et du décor fantastique de Manuello, elle avait tout oublié. Hélas, son héros serait bientôt dans l'obligation de quitter les ordres, et elle n'aimait pas cette partie plutôt amorale du roman vers laquelle la trame l'entraînerait forcément.

Cela allait à l'encontre de ses principes d'obliger son personnage à défroquer. Quand on s'engage dans une voie telle que la prêtrise, ou même le mariage, n'importait-il pas d'y demeurer fidèle ? Cette magnifique histoire d'amour s'était pourtant nourrie de tricheries et de mensonges dès le début… Marjolaine se demandait si, comme auteure et pour la sauvegarde de la moralité, elle n'avait pas le devoir de révéler inexorablement l'autre côté de la médaille, c'est-à-dire le caractère pervers de cette relation.

Soudain, des pas derrière elle la firent sursauter et la ramenèrent aussitôt à la réalité. Agnès Lacasse s'approchait d'elle. Sans même que Marjolaine ne l'y invite, la femme se tira une chaise et engagea la conversation en omettant de s'excuser de la déranger.

— Bonjour, madame Danserot. Vous permettez qu'on se taille une bavette[1]? Vous voilà déjà à l'ouvrage! Comment va l'inspiration aujourd'hui?

— Bonjour Agnès. Appelez-moi Marjolaine, je vous en prie. Et puis… pourquoi ne pas se tutoyer puisqu'on va se côtoyer durant trois semaines en partageant plein de choses?

Cette fois, la Belge avait revêtu un ensemble de blouse et de pantalon imprimé de couleurs voyantes, ressemblant fort à un pyjama d'hiver. Marjolaine se demanda si elle n'avait pas justement dormi dans cet accoutrement. Mais le regard semblait plus lucide et serein, ce matin. Plus cordial, surtout.

— D'accord, Marjolaine, je veux bien! Tu écris des romans, je crois? Moi, je n'y arrive pas facilement, je t'avoue.

— Tu publies surtout des œuvres dramatiques, d'après ce qu'on m'a dit?

— En effet, j'ai écrit quelques pièces de théâtre et des scénarios basés sur de la fiction. L'un d'eux a été retenu pour une courte série à la télévision belge, il y a trois ans. Ça a bien marché, mais depuis,

---

1. Bavarder, discuter.

c'est le calme plat. Je travaille également sur des textes accompagnant des films documentaires. Et j'ai aussi publié un essai philosophique.

— Un essai philosophique ? Ah, là, tu m'impressionnes ! Malheureusement, je ne connais aucune de tes œuvres.

— Moi non plus, je ne t'ai jamais lue ! Ma série d'une saison à la télévision n'a jamais été exportée hors de la Belgique. Même chose pour les films et mon traité de philo.

— Mes derniers romans existent maintenant en version numérique, tu pourras donc les lire quand tu voudras. Au fait, madame Berthe n'a-t-elle pas affirmé, hier soir, ton intention d'entreprendre l'écriture d'un roman ici même, à Manuello ?

— Oui, je le désire ardemment, mais cela représente tout un défi pour moi ! J'ai déjà commencé, d'ailleurs, et le premier chapitre est à peu près terminé. Mais je manque d'idées. Syndrome de la page blanche, je suppose. Je suis justement venue dans cet endroit pour chercher de l'inspiration, en souhaitant qu'il se passera des choses…

Intriguée, Marjolaine se demanda si la Belge n'espérait pas des intrigues amoureuses entre les invités.

— Qu'il se passera des choses ? De quel genre de choses parles-tu ?

— Bien… des choses… À vrai dire, j'aurais envie que les fantômes du château se manifestent à un moment donné. Cela m'inspirerait tellement comme auteure, tu n'as pas idée ! Tu n'espères pas cela, toi ?

— Les fantômes du château ? Comment ça ? Tu penses qu'il y a des fantômes à Manuello ? Allons donc !

— On ne te l'a pas dit ? On a dû oublier. Eh oui ! ma chère, selon la légende, il paraît qu'une petite fille du nom de Manuella vient très souvent hanter le château dans lequel elle a vécu et est morte, au dix-neuvième siècle. Certains prétendent même que sa mère, morte le lendemain de sa naissance, l'accompagne parfois dans ses promenades nocturnes.

— Qui sont ces « certains » qui croient cela ?

— Bien… les gens qui viennent ici, quoi ! Le personnel d'entretien, les bénévoles, les auteurs des années passées… On en parle même dans un livre sur les maisons hantées !

Marjolaine ne savait comment réagir. Elle n'allait tout de même pas accorder de la crédibilité à cette femme pour le moins bizarre ! La veille, en racontant l'histoire des lieux, madame Berthe n'avait nullement fait mention de phénomènes mystérieux ou surnaturels. De toute façon, Marjolaine ne croyait nullement aux fantômes, pure invention de ceux qui avaient l'imagination trop fertile ou ne possédaient pas suffisamment d'intelligence pour attribuer une explication scientifique à des manifestations occultes. Des gens naïfs et peu raisonnables… Toutes ces histoires de maisons hantées, de sorcières, de signes astraux et d'événements paranormaux la faisaient sourire. D'ailleurs, le fait que la Fondation Manuello ne l'en ait jamais avertie avant sa venue prouvait le manque de sérieux de l'affaire, sinon on lui en aurait fait part, allons donc ! Très peu pour elle, l'ésotérisme !

— Comment as-tu appris cela, Agnès ?

— Je ne sais trop. Tout le monde est au courant, voyons !

— Et tu t'attends à quoi, exactement, durant le séjour ?

— J'espère pouvoir entrer en contact avec les âmes errantes de Manuella et de sa mère. Cela m'aiderait pour les besoins de mon roman. Je sens que ces femmes ont un secret à livrer. J'ai entendu leur appel, une nuit de l'hiver dernier, c'est pourquoi j'ai aussitôt envoyé ma candidature à la Fondation pour venir ici cet été.

— Leur appel ? Comment ça ?

— Il faisait tempête et le vent hurlait à ma fenêtre. Cette nuit-là, je cherchais justement une idée pour un roman fantastique. À un moment donné, j'ai entendu la bourrasque murmurer « Manuello, Manuello… » Le son m'a paru clair, vibrant, insistant. Évident même ! Comme j'avais pris connaissance, la veille, de l'offre de séjour en résidence dans ce château, j'ai tout de suite compris le message et j'ai aussitôt envoyé ma candidature.

— Tu as vraiment cru cela ?

— La Fondation m'a choisie parmi un grand nombre de postulants, cela prouve tout ! Et quand j'ai insisté pour occuper la chambre située sur le coin ouest de la bâtisse, on a d'emblée accédé à ma demande, sans même me poser de questions. N'y a-t-il pas là un signe clair et net, sans équivoque ?

— Pourquoi cette chambre en particulier ?

— À l'époque, la fillette occupait celle-là, semble-t-il.

— Bon… Dis à tes fantômes, si jamais tu les rencontres, de laisser tranquille l'occupante de la chambre du milieu. Je ne souhaite nullement les connaître, moi, ces revenantes ! Je veux la paix.

Agnès regarda son interlocutrice comme si elle venait de prononcer une monstruosité. Marjolaine s'empressa de ramasser son ordinateur et ses paperasses et affirma qu'elle s'apprêtait justement à monter dans ses appartements pour le reste de la journée, la chaleur se faisant trop accablante dans le jardin.

— Si tu veux t'installer à ma place, ne te gêne pas, Agnès. Moi, je vais continuer à l'intérieur.

— Non, merci, je vais rentrer, moi aussi. Mais auparavant, puis-je te demander un service ? J'aimerais bien connaître ton opinion sur le texte que j'ai l'intention de présenter lors de la lecture publique. Je n'ose soumettre un scénario, la lecture d'un dialogue par une seule personne m'apparaît plutôt ardue. J'ai donc décidé d'apporter un extrait de mon livre de philosophie, publié il y a quelques années. Comme le français est ta langue maternelle, j'aimerais savoir ce que tu en penses.

— Avec plaisir. Tu pourras me le remettre ce soir, au moment du souper. Bon après-midi, donc !

Il n'était pas question pour Marjolaine d'inviter cette femme, qui lui faisait un peu peur, à venir lui porter le texte dans sa chambre. Oh ! que non ! En traversant le hall, à l'entrée du salon, elle aperçut le téléphone public enfermé dans une minuscule cabine située derrière le mur du corridor, le seul appareil de tout le château mis à la disposition des invités. Le contraste la fit sourire : on avait branché les tables de jardin sur Internet tandis que les appareils téléphoniques étaient inexistants à l'intérieur… Madame Berthe lui avait fortement recommandé d'utiliser une carte d'appel pour téléphoner à l'étranger. Marjolaine pouvait se la procurer au petit magasin général, à l'autre bout du village, sinon elle se trouverait dans l'obligation d'appeler à frais virés et cela risquait d'augmenter passablement le coût.

Comme elle n'avait pas envie d'aller se procurer la fameuse carte en ce début de journée, elle choisit la deuxième option. Tant pis pour la dépense ! « Pour aujourd'hui, seulement, se promit-elle, demain, je me rendrai au village. » Avec le décalage horaire, il était autour de neuf heures au Québec. En ce samedi matin, Alain devait flâner, le nez dans son journal. Rémi, à cette heure, devait assurément dormir sur ses deux oreilles. Quant à François, elle ne se rappelait plus, déjà, à quel moment il devait repartir pour les chantiers de la Côte-Nord.

Plus que jamais, elle avait envie de téléphoner chez elle, d'entendre concrètement la voix de l'un des siens, de s'assurer qu'elle ne rêvait pas, que la terre continuait de tourner, qu'elle s'appelait bien Marjolaine Danserot, qu'elle avait un mari, des enfants, une maison, un éditeur, une vie ailleurs qu'ici, dans ce fameux château.

Alain se montra content de recevoir des nouvelles de sa femme. Tout allait bien à la maison, rien de spécial à signaler. Les deux frères dormaient encore à cette heure-ci, mais ils avaient projeté de jouer au tennis ensemble au cours de la journée. Oui, François s'en retournait demain, et oui, Rémi semblait de bonne humeur. Et non, non, les policiers n'étaient pas revenus. Et pour ce premier samedi soir en solo, il avait lui-même accepté une invitation à souper chez sa sœur, au centre-ville.

De son côté, Marjolaine s'attarda davantage sur son voyage et la description du château lui-même que sur les autres pensionnaires, les connaissant trop peu, en ce moment, pour en tracer un portrait précis. Elle se garda surtout d'évoquer la présence possible de fantômes, de peur de tomber dans le ridicule aux yeux de son mari. Elle n'y croyait guère, de toute façon!

Ils décidèrent, d'un commun accord, qu'Alain se chargerait lui-même d'effectuer quotidiennement les appels d'outre-mer à sa femme vers sept heures du matin, heure du Québec, quelques minutes avant son départ pour le travail. Marjolaine, elle, pourrait attendre la sonnerie du téléphone sur son temps du dîner, bien assise au fond d'un grand fauteuil du salon ou pianotant sur le piano à queue trônant dans un coin. Compte tenu des impondérables d'un côté comme de l'autre, il fut convenu que ni lui ni elle ne s'inquiéteraient outre mesure si, occasionnellement, le téléphone ne sonnait pas ou s'il ne se trouvait personne pour y répondre. On remettrait tout simplement la communication au lendemain sans se tourmenter inutilement.

Ce soir-là, quand Marjolaine s'étendit sur les draps de la chambre des maîtres, elle se demanda de quel côté du lit se couchait l'écrivain italien Manuello da Conti, celui qui avait eu l'étonnante et géniale idée de léguer son château aux auteurs de l'univers. Dormait-il à gauche ou à droite ? Elle se tassa vers le milieu en frissonnant légèrement. Quant à la mère de Manuella, ayant vécu là plus d'une centaine d'années auparavant, elle préféra ne pas y songer, sachant bien qu'elle avait dû dormir dans cette chambre, elle aussi, avec le premier propriétaire, le Français nommé Manuel de la Cannebière. Et qui sait si sa pauvre petite Manuella n'y était pas née ?

CHAPITRE 7

Les premiers jours s'écoulèrent de façon remarquable. Les cinq écrivains ne mirent pas de temps à établir des liens de bonne entente et de complicité autour d'une table généreuse et succulente, abondamment arrosée chaque soir d'excellents vins locaux. Il n'était pas rare de voir les soirées s'étirer au-delà de minuit. Si, les premiers soirs, on se quittait avec une poignée de main polie à l'européenne pour se souhaiter une bonne nuit, on en vint à s'embrasser au pied du grand escalier, grâce à l'initiative de Marjolaine qui ne résista pas, un soir, à déposer un baiser amical sur la joue de ses nouveaux amis Paolo et Mustapha.

Au début, après avoir échangé d'abord sur tout et sur rien, chacun se mit naturellement à partager avec les autres ses expériences personnelles et fort variées selon son pays d'origine, concernant son métier d'auteur. Finalement, les confidences sur la vie privée ne tardèrent pas à jaillir et à agrémenter les conversations. On soulignait les points communs, on suscitait les sympathies, on émettait de vagues conseils ou on déclenchait des fous rires, les soirs où on ne réglait pas ensemble tous les problèmes de l'univers. Discussions, non seulement sur la littérature, mais aussi sur l'actualité, l'histoire, la politique, la religion, les arts, tout y passait, tout comme les relations sociales ou interpersonnelles, les amours, la vie de couple ou familiale de chacun. Bref, une solide et profonde amitié était en train de naître.

Cho Hee, la Coréenne, se montrait la moins volubile du groupe, peut-être bien à cause d'une déformation professionnelle, son travail de journaliste l'obligeant à écouter et à observer davantage qu'à s'exprimer elle-même. Exilée en Allemagne au cours de son adolescence, elle avait épousé un Berlinois et lui avait donné deux filles. Si elle publiait ses articles documentaires ou encyclopédiques dans un quotidien allemand, elle écrivait par contre ses romans dans sa langue maternelle et ils étaient très populaires dans toute la Corée du Sud, en plus de faire la une en Allemagne, une fois traduits dans la langue germanique.

Aux yeux de Marjolaine, Paolo paraissait le plus humain et le plus chaleureux des quatre, quoique plutôt discret sur sa vie privée. Jeune et athlétique, beau à faire rêver, l'Argentin enseignait à la faculté des lettres de l'université de Buenos Aires. Non seulement écrivait-il des poèmes, des chansons et des romans pour la jeunesse, mais ses pièces de théâtre accumulaient les prix et étaient jouées partout dans le monde. Chaque matin, du haut de sa fenêtre, Marjolaine le regardait enfourcher l'un des vélos mis à la disposition des invités du château et partir à toute vitesse dans l'une ou l'autre direction de la région.

Un jour, il avait bien demandé à Marjolaine de l'accompagner pour aller visiter une demeure fortifiée dans un village voisin, mais elle avait refusé, convaincue de ne pas posséder une forme physique suffisante pour arriver à le suivre dans les virages abrupts et sur les côtes vertigineuses parsemant les routes en lacets autour de Manuello. Elle se serait alors attendue à une autre proposition, celle d'une promenade à pied jusqu'au lac, par exemple, mais elle ne vint pas.

Quant au Marocain, Mustapha, il donnait l'image d'un homme arrivé à maturité et sûr de lui, en pleine possession de ses moyens. Dans son existence d'homme d'affaires ayant à se déplacer d'un pays à l'autre, l'écriture de polars constituait pour lui un passe-temps plutôt qu'un travail à plein temps. Par contre, ses romans avaient acquis une grande notoriété et se vendaient très bien, semblait-il, surtout dans les pays arabes francophones.

L'un des premiers matins après son arrivée, Marjolaine s'aperçut que son ordinateur portable, pourtant branché au mur de la petite salle de travail attenante à sa chambre, refusait de démarrer. Perplexe, elle se demandait qui pourrait lui venir en aide. En passant devant la bibliothèque, accessible à heures fixes seulement, elle se rappela qu'il fallait obligatoirement traverser les lieux pour accéder à la chambre du Marocain. Exceptionnellement, ce matin-là, la porte ne se trouvait pas fermée à clé. Elle décida donc de s'y introduire et de traverser les allées bordées de livres pour se rendre jusque chez Mustapha.

Puisqu'il passait onze heures, elle osa frapper quelques coups discrets. Elle faillit éclater de rire en voyant la porte s'ouvrir sur un homme en bobettes jaunes imprimées de larges fleurs rouges, torse nu et cheveux en bataille. De toute évidence, il sortait du lit et ne s'attendait pas à recevoir une visite. Mal à l'aise, Marjolaine tenta de sauver la face en le taquinant gentiment.

— Ah, c'est comme ça que tu travailles ? Désolée de te prendre en flagrant « du-lit », mon cher ! Je voulais te demander de venir à mon secours, mais il n'y a rien d'urgent.

Mustapha se mit à rigoler et réclama quelques minutes avant de monter à l'étage pour se présenter à la chambre de Marjolaine, vêtu plus convenablement. Une fois sur place, il ne mit pas trente secondes avant de diagnostiquer le problème. Elle avait certes branché l'ordinateur à la prise, mais elle avait négligé d'appuyer sur l'interrupteur placé à l'entrée, sur le haut du mur adjacent, afin d'établir le courant électrique dans cette section de la pièce. Comme ce bouton n'allumait aucune lampe, Marjolaine n'en avait jamais vu la nécessité.

— Je ne comprends pas. Mon ordinateur se mettait tout de même en marche, les premiers jours, sans que j'actionne ce fichu bouton.

— Évidemment, tu avais l'impression qu'il fonctionnait avec le courant électrique de la prise, mais c'est sa pile qui l'alimentait. Elle vient de tomber à plat, ta pauvre pile, complètement vidée. Voilà d'où provient la panne.

Humiliée, Marjolaine craignit de passer pour une femme plutôt bébête aux yeux du Marocain.

— Ah bon. Dans ma maison, il n'est nullement nécessaire d'actionner un bouton sur le mur pour pouvoir utiliser une prise de courant. Les dispositifs de branchement électrique restent automatiquement fonctionnels en tout temps et partout dans toutes les pièces. C'est ainsi chez moi, en tout cas.

Devinant le trouble de Marjolaine, l'homme se montra charmant et manifesta sa compréhension.

— Hé! Hé! À mon tour de te prendre en flagrant… euh… de te trouver débranchée! Ne t'en fais pas, Marjolaine. Chaque lieu est différent et il s'agit d'un détail de rien du tout. Il m'est déjà arrivé la même chose dans une chambre d'hôtel où il fallait insérer dans le mur la carte servant de clé afin d'obtenir de l'électricité. Bon, je me sauve. Il est plus que temps de me mettre au travail «pour de vrai»!

— À part dormir, qu'écris-tu, par les temps qui courent?

— Un *thriller* pour les jeunes. Je pense que ça devrait marcher. Une histoire de prise d'otage dans une école.

Marjolaine s'empressa de le remercier chaleureusement. Elle s'attendait à le voir repartir aussitôt, mais il sembla préférer s'attarder encore un peu.

— Quelle jolie chambre que la tienne ! Oh là là ! Si ma femme voyait ça…

— Ne te gêne pas pour la lui faire visiter, Mustapha, si jamais elle vient te rendre visite au château.

— Oh non ! Elle est repartie pour le Maroc après m'avoir déposé ici et… Bien voilà, je suis redevenu célibataire pour trois semaines, ha ! ha !

Marjolaine se demanda si la seconde d'hésitation et le regard quelque peu insistant ne constituaient pas la vague manifestation d'un espoir d'aventure. Elle préféra continuer de jouer les naïves et s'empressa de changer de sujet. S'il avait envie d'une aventure, le mec n'avait qu'à séduire la chère Agnès, de toute évidence plus ouverte à ce genre de batifolage.

Fidèle à elle-même, la Belge affichait invariablement sa disponibilité chaque soir, vêtue de façon aguichante, provocante même, racontant sur un ton mièvre à quel point, la pauvre, elle en avait assez de vivre à Bruxelles avec « un vieux mari flamand démodé ». Entre elle et Marjolaine, il n'avait plus été question de la présence de fantômes dans les murs du château. Aucun autre invité n'en avait fait mention, d'ailleurs, ni ne semblait au courant de la fameuse légende. Marjolaine avait finalement tiré un trait sur « cette histoire de fous » et était en passe de l'oublier.

Quant à la langue française, elle n'érigea pas vraiment de barrière entre les auteurs malgré les appréhensions de Marjolaine. Au contraire, durant leurs longues conversations, si l'un ne trouvait pas le mot juste ou arrivait mal à exprimer son idée, on se ralliait pour l'aider. Il n'était pas rare que l'on se regroupe devant l'ordinateur de la bibliothèque, à la recherche de la définition d'un mot ou du choix d'un terme plus approprié ou pertinent. Marjolaine s'émouvait de ce genre de complicité qui la rendait solidaire d'autres écrivains, ailleurs dans le monde.

Infailliblement, son accent québécois et surtout ses expressions étonnaient, particulièrement les Suisses, autant madame Berthe et les autres bénévoles qui assuraient les services que les rares commerçants du village.

— Comment cela ? Au Québec, vous allez magasiner et non faire du shopping ? Et vous ne possédez pas des parkings mais des stationnements ? Et un *plaster,* vous appelez ça un diachylon ? Oh là là !

Ces conversations déridaient toujours le groupe d'auteurs autour de la table. Marjolaine avait beau s'efforcer désespérément de châtier son langage, de choisir ses mots et de parler une langue pointue, articulée à l'internationale et conforme à l'accent de France, rien n'y faisait. Au bout de quelques minutes, elle ressortait sans s'en rendre compte une autre expression typiquement québécoise, et cela déclenchait automatiquement les rires, souvent même l'admiration.

Ainsi, un jour, elle avait affirmé haut et fort aux deux femmes venues faire le ménage de la cuisine :

— Oui, oui, je barre toujours la porte du château avant d'aller prendre ma marche, le matin. Ne vous inquiétez pas.

Les deux femmes s'étaient pâmées de rire.

— Regarde comment elle a dit ça, Alice! N'est-ce pas mignon?

Marjolaine s'était rendu compte de sa gaffe seulement à ce moment-là. Évidemment, pour les deux femmes, « barrer une porte » constituait un archaïsme et signifiait bloquer une porte à l'aide d'une barre, à la manière d'autrefois. L'autre expression relevait, de toute évidence, de l'anglais : *to take a walk* et n'exprimait nullement le fait de prendre une marche d'escalier. Déconcertée, Marjolaine les regarda se marrer et feignit de rigoler avec elles. Elle n'allait tout de même pas se scandaliser parce qu'on analysait sans cesse le choix de ses mots et sa façon de les prononcer, hein!

Toutefois, ce jour-là, elle reprit la lecture du début de son manuscrit afin d'y retrouver le chapitre où des Canadiens français, tout juste émigrés dans une petite ville de la Nouvelle-Angleterre, célébraient le jour de l'An entre eux, quelques années avant le tournant du vingtième siècle. Les Suisses aimaient le langage des Québécois? Eh bien, elle allait leur en servir lors de la lecture publique! Tant pis pour son beau texte poétique traitant de musique, choisi dans l'un de ses premiers romans!

Elle prit la décision de ne pas le présenter comme prévu. Non! Elle allait plutôt leur lire, en amplifiant l'accent, les pages bien particulières où les fêtards canadiens-français de l'époque ne ménageaient pas leurs expressions locales et salées, dansaient sur les gigues d'un violoneux et chantaient à tue-tête de vieilles chansons folkloriques françaises. Les Suisses allaient en avoir pour leur argent! Fière de son idée, elle s'en fut dans la bibliothèque du château pour imprimer le nouveau texte inédit, composé à peine quelques semaines auparavant.

L'extrait qu'avait l'intention de lire Agnès Lacasse déclencha une tout autre histoire. Même sans diplôme en la matière, Marjolaine avait toujours été attirée par les dissertations philosophiques et elle ne dédaignait pas non plus les essais et autres lectures sérieuses.

Mais cette fois, en parcourant les ruminations métaphysiques du texte confié par la Belge, elle eut beau lire et relire les longues phrases et les interminables paragraphes, elle ne comprit strictement rien à ce fouillis de termes savants exprimant des idées confuses et pour le moins obscures. De toute évidence, le public qui se présenterait à la rencontre, si friand de littérature soit-il, se sentirait secrètement content si cette lecture ne dépassait pas les dix minutes réglementaires!

Marjolaine fit néanmoins un acte d'humilité et usa de franchise. Elle remit le document à Agnès en s'accusant d'une incompréhension due à un manque impardonnable de connaissances en la matière.

— Tu m'épates, ma chère! Les spécialistes s'y retrouveront probablement plus facilement que moi! Pour le public en général, par contre, je doute qu'on apprécie ce texte, car on n'y comprendra pas grand-chose, j'en ai bien peur!

Elle se limita à ce seul commentaire, et il ne sembla pas choquer l'auteure, car celle-ci lui remit aussitôt le premier et unique chapitre de son éventuel roman, la priant de le lire et de lui en faire la critique.

— Je veux t'entendre me dire franchement si ce texte mérite ou non que je lui invente une suite.

Il s'agissait d'une histoire d'amour salée, bien sûr, où une torride scène érotique fort bien décrite ne manquait pas de se produire. L'écriture coulait avec fluidité dans une langue riche et bien maîtrisée, sans longueurs ni éléments de confusion. Marjolaine se dit qu'entre la fiction et le discours hermétique de philosophie, le premier chapitre du roman serait assurément mieux reçu par l'auditoire. À tout le moins, les gens en saisiraient le sens, apprécieraient l'écriture et, pourquoi pas, le sujet! Elle se proposa de suggérer à Agnès de changer de texte, comme elle-même venait de le faire, et de présenter plutôt le début de son roman lors de la fameuse soirée de présentation.

Le lendemain, elle partit donc à la recherche d'Agnès pour lui rapporter son chapitre et lui faire part de son opinion. Comme la Belge demeurait introuvable dans le château et aux alentours et que sa voiture se trouvait toujours dans le stationnement – ou plutôt dans le parking! –, Marjolaine décida de se présenter à sa chambre. Curieusement, elle entendit à travers la porte une voix féminine éraillée moduler des sons étranges et inquiétants. Non sans hésitation, elle décida de frapper quelques petits coups discrets. Elle allait s'en retourner après plusieurs tentatives quand la voix interrompit son chant et la pria d'entrer.

En entrouvrant la porte, une forte odeur surprit Marjolaine. Agnès, vêtue d'une longue robe semi-transparente, circulait autour d'une table surmontée d'un chandelier sur lequel brûlaient sept bougies. Elle tenait dans sa main droite un bâton de sauge allumé et une plume de corbeau dans sa main gauche.

— Agnès? Que fais-tu là, pour l'amour du ciel?

— Je tente d'entrer en communication avec les esprits de la petite Manuella et de sa mère. Tu ne les as pas entendues pleurer, la nuit passée? Elles ont secoué mes rideaux pendant des heures. J'aimerais qu'elles me répondent plus clairement, tu comprends? Je voudrais les entendre me raconter leur histoire et celle de ceux qui sont venus dormir dans leur chambre pendant près d'un siècle et demi. Peut-être pourraient-elles réaliser mon rêve et faire de moi une sorcière.

— Une sorcière! Mais voyons, Agnès, il faisait un vent à écorner les bœufs la nuit dernière. C'est lui qui secouait tes rideaux. Je n'arrive pas à croire que tu t'énerves avec ça!

Marjolaine se garda bien de mentionner qu'elle aussi avait vu le miroir s'agiter un peu au-dessus de sa commode, mais elle ne s'en était nullement préoccupée. Imputant de telles vibrations aux violentes bourrasques qui secouaient les murs du château, elle avait enfoui sa tête sous l'oreiller et avait réussi à s'endormir tout simplement.

Afin de maintenir son état de transe extrême, Agnès préféra ne pas poursuivre la conversation.

— Retourne chez toi, Marjolaine, tu me déranges dans mes incantations. On se reparlera plus tard, tu veux bien ?

Passablement confuse, Marjolaine revint dans ses appartements avec le manuscrit d'Agnès sous le bras. Elle le lança sur son bureau d'un geste brusque. Cette femme lui paraissait complètement folle. Elle n'allait tout de même pas se laisser troubler par une fêlée. Elle s'empressa de chausser ses espadrilles et de sortir du château pour s'emparer de l'un des vélos alignés dans la cour. Tant pis pour les côtes et autres aspérités de la chaussée, elle sentait le besoin aigu de respirer l'air d'ailleurs ! Pendant près de deux heures, elle roula tranquille-ment sur les routes de montagne, fascinée par la beauté du paysage et le chant des oiseaux. La vraie vie se trouvait là, dans toute sa magnificence. La vraie vie… Marjolaine respirait à pleins poumons, envoyant tout le reste au diable !

Le même jour, à six heures, Agnès, vêtue différemment, vint prendre l'apéritif sur la terrasse comme si rien ne s'était passé. Incapable de se contenir, Marjolaine ne cessait de lui envoyer des regards interrogateurs. Mais rien n'y fit, l'autre faisait mine de ne s'apercevoir de rien.

Au cours du souper, toujours sans signe de connivence de la part d'Agnès, Marjolaine tenta d'oublier ses émotions de l'après-midi avec quelques verres de vin de surplus. Dieu merci, les trois autres auteurs se montrèrent particulièrement joyeux, et la soirée se termina devant l'ordinateur de la bibliothèque où l'on écouta et turluta tous ensemble, grâce à Internet, de vieilles chansons françaises. Agnès chanta plus fort que les autres, et dansa même lascivement, en solo, sur *Le tango des amoureux*. La prononciation tordue de Cho Hee, qui s'obstinait à vouloir apprendre *La valse à mille temps* de Brel, déclencha des éclats de rire qui retentirent dans toutes les pièces désertes du château. Quant à Marjolaine, elle fit secrètement un doigt d'honneur aux fantômes en entonnant *Les copains d'abord*.

Cette nuit-là, par contre, elle eut du mal à dormir en dépit du calme et du vent plus modéré que la veille. À un moment donné, elle se leva pour jeter un coup d'œil à la fenêtre. Avec effroi, elle découvrit une forme étrange au-dessus de l'emplacement où elle allait travailler chaque jour, au fond du jardin. On aurait dit une vieille femme debout sur la table, portant une longue mante avec un capuchon serré au niveau du cou. Quand elle vit la mante s'agiter légèrement, Marjolaine, le cœur battant, s'empressa de fermer les volets d'une main tremblante. Elle fit de même pour toutes les autres fenêtres. Non, non, elle devait rêver, ce n'était pas possible… Il ne pouvait s'agir de la mère de Manuella, voyons! Cela n'avait aucun sens. Comment aurait-elle pu devenir une vieille femme alors que la mort l'avait emportée au lendemain de la naissance de son premier enfant? Et puis, les fantômes, ça n'existait pas!

Néanmoins, Marjolaine mit un certain temps, le lendemain matin, avant de se décider à ouvrir les persiennes afin de jeter un coup d'œil sur le jardin. Elle ne vit rien de particulier au-dessus de sa table de travail, mais, auprès des rosiers, une dame aux cheveux gris déambulait lentement. À côté d'elle, une petite fille aux longues tresses blondes, vêtue de façon moderne, jouait au ballon. Marjolaine ne les avait jamais vues auparavant. Ah?

CHAPITRE 8

Au cours de la deuxième semaine du séjour, la conversation à table avec les autres invités s'aiguilla, un soir, sur les phénomènes supranormaux. Personne ne remarqua la pâleur de Marjolaine, surtout quand Mustapha raconta que son père avait déjà vu le fantôme de son oncle descendre l'escalier chez eux et que Paolo affirma bien haut, avec son terrible accent espagnol :

— *Yo sé* qué lés fantômes, ils éxistent, mais *yo* n'y cré pas dou tout !

Bien sûr, l'illogisme de cette affirmation déclencha quelques taquineries sans grande malice.

— Peut-être existent-ils uniquement dans ton pays, mon cher Paolo…

Confus, l'Argentin répliqua en tournant vers Mustapha un œil inquiet.

— Mé non ! Il y en a au Maroc *tambien,* il vient jouste dé lé dire !

Quand Agnès se mit à parler de la légende occulte du château avec force détails, tous admirent ne pas être au courant. La scénariste crut bon de renchérir en affirmant haut et fort que des bibelots se déplaçaient mystérieusement dans l'armoire vitrée du coin de sa chambre. Marjolaine, s'accrochant désespérément à sa conviction de l'inexistence des spectres, lui lança un regard assassin.

— Et la femme de ménage qui vient épousseter tous les trois jours, tu ne penses pas qu'elle pourrait bien changer les poupées de place dans ton armoire ?

C'était justement ce jour-là, tôt le matin, que Marjolaine avait aperçu de nouveau, du haut de sa fenêtre, la même vieille dame intrigante errer dans le jardin. Mais cette fois, au lieu de se pencher sur les fleurs, elle s'affairait à ouvrir tout grand les parasols au-dessus des tables de travail. Ah, Seigneur ! Ce n'était que ça ! Marjolaine, dans un éclair de génie, venait de comprendre l'énigme. La femme qu'elle avait prise pour une apparition spectrale n'était rien d'autre qu'une vieille employée du château venant quotidiennement ouvrir les parasols à une heure fort matinale, au moment où les invités dormaient encore. Quant à la silhouette étrange vêtue d'une longue cape enveloppante aperçue l'autre nuit, elle correspondait à une illusion d'optique. Il s'agissait tout simplement de la silhouette d'un parasol fermé et entouré d'une ganse près du sommet, donnant l'impression d'un capuchon enserré autour du cou. Le vent avait bêtement agité le tissu, créant un effet de mouvement.

Se méfiant dorénavant de son imagination trop fertile et désirant surtout mettre un véritable terme à ces folles hallucinations cultivées par Agnès, Marjolaine était aussitôt descendue dans le jardin afin de rencontrer la dame en question. Elle ne s'y trouvait plus, ayant pénétré dans la cuisine pour ranger des croissants dans un panier.

— Bonjour, madame, vous travaillez ici ?

La femme l'avait regardée d'un air surpris.

— En effet, je suis la bénévole qui s'occupe du petit-déjeuner. Chaque matin, je viens à l'aube pour porter du pain et des confitures. Depuis quelques jours, cependant, je me présente un peu plus tard, car je dois soigner ma fille malade avant de partir de la maison.

— Euh… Et les parasols, c'est vous qui les ouvrez tous les jours ?

— Oui, madame Berthe m'a demandé de faire le tour du jardin en arrivant, au cas où l'un des auteurs descendrait très tôt pour venir y travailler.

Sur ces entrefaites, la petite fille blonde était entrée en courant, sans se rendre compte de la présence de Marjolaine.

— Grand-maman, as-tu terminé ?

Marjolaine avait failli lancer un grand « ouf ! » de soulagement. L'enfant n'avait rien à voir avec Manuella. À cause de sa mère malade, elle accompagnait tout simplement sa grand-mère avant de se rendre au camp de jour dans un parc situé derrière l'école du village. Marjolaine en avait voulu à Agnès d'avoir semé autant de trouble dans son esprit.

C'est pourquoi, au cours du repas du soir, à la suite des hasardeuses prétentions d'Agnès en présence des autres auteurs, elle en profita pour raconter l'anecdote de la vieille dame et de la fillette, afin de rassurer les plus sceptiques. Tout cela n'était que balivernes, les fantômes, ça n'existait pas ! Cependant, personne ne daigna entériner les prétentions d'Agnès pas plus que de contredire les conclusions de la Québécoise, et le sujet tomba tout bonnement à plat.

À partir de ce jour, Marjolaine évita Agnès et se garda bien, malgré tout, de se lever la nuit et surtout d'ouvrir les persiennes à la pénombre. S'il lui restait encore l'ombre d'un doute, il ne manquait pas, cependant, de ressurgir quotidiennement devant le portrait du fondateur de la Fondation Manuello accroché dans le salon du château.

Chaque jour, à l'heure du dîner, Marjolaine s'asseyait sur l'un des fauteuils un peu raides du salon, en face de la grande porte donnant sur le corridor, pour attendre l'appel d'Alain. Le fameux écrivain Manuello da Conti lui souriait, du haut de son immense portrait peint à la main, suspendu au mur juste à côté, avec l'air de dire : « Je le savais bien, ma chère Marjolaine, que vous adoreriez votre séjour dans mon château et… dans mon lit ! » Et chaque jour, elle lui lançait des œillades en lui répondant mentalement : « Oui, vous avez raison, monsieur Manuello, je vous dois mille mercis, car je vis du bon temps ici, tant sur le plan humain que professionnel. Mais, de grâce, que votre fantôme ne me joue pas le vilain tour de venir tirer mes draps au cours de la nuit, car je vais mourir de peur ! »

En réagissant de la sorte, elle avait l'impression de se rassurer en se moquant un peu d'elle-même. À vrai dire, en le saluant amicalement, elle s'imaginait s'être fait un ami spirituel en la personne de ce Manuello. De toute manière, la sonnerie du téléphone ne tardait jamais très longtemps à venir interrompre ses pensées. À part quelques exceptions, Alain se montrait relativement fidèle à sa promesse de l'appeler pour lui donner de vagues nouvelles des siens.

Ce jour-là, selon lui, tout semblait bien aller à la maison, quoique Rémi, une fois de plus, n'était pas rentré depuis deux jours. Le père ne paraissait pas s'en faire outre mesure.

— Bof, il est assez grand, maintenant, pour gérer sa vie. On ne va pas jouer à la police continuellement pour savoir ce qu'il fait, où il se trouve et qui il fréquente. Il a atteint l'âge adulte, il lui incombe de prendre lui-même ses responsabilités. Il va falloir t'habituer à ça, Marjo.

— S'il reste dans la bonne voie, je n'y vois aucun inconvénient, Alain, mais notre fils a abandonné l'école, ne l'oublie pas! Toujours pas de nouvelles de la police?

— Non, non, c'est une histoire finie, cette affaire-là. Rémi n'a jamais frappé personne avec ta voiture, arrête donc de t'en faire pour rien! Ça fait dix fois que je te dis d'oublier ça!

— Plus facile à dire qu'à faire! Ce n'est pas toi qui as dû mentir à un policier. Je suis une mère pour la vie, moi, peu importe l'âge de mes enfants! Comment va François?

— Pas de nouvelles. Il est allé passer son dernier congé à Québec avec des amis, je crois.

— Et toi, Alain, que deviens-tu?

— Rien de spécial. Ne t'inquiète pas, cette fin de semaine, si je ne t'appelle pas. Des collègues de bureau m'ont invité à aller camper avec eux. Je vais enfin pouvoir étrenner ma nouvelle canne à pêche.

— Des collègues de bureau? Je les connais? Et où irez-vous?

— Non, tu ne les connais pas. Nous irons je ne sais trop où, quelque part dans le Nord. Comme je ne rentrerai que tard, dimanche soir, je ne pourrai donc pas t'appeler avant lundi.

— Eh bien, passe une belle fin de semaine! As-tu autre chose à me dire?

— Euh… non. Je te salue. Bonne fin de semaine à toi aussi!

Marjolaine déposa le combiné et serra les dents en prononçant à mi-voix et pour elle-même les mots qu'elle aurait voulu entendre à l'autre bout du fil: «Et toi, ma chérie, comment vas-tu? Ton roman avance-t-il? Comment ça se passe avec les tiens, tes collègues? As-tu des projets pour la fin de semaine? Tâche d'oublier tout le reste et de te reposer un peu… Je t'aime et tu me manques. J'ai hâte à ton retour. »

Rien ! Alain Legendre n'avait rien dit, rien demandé, rien prononcé de la sorte. À croire qu'il se fichait complètement d'elle tant qu'elle restait en vie. Jamais il ne l'avait questionnée sur ses compagnons et ses compagnes de séjour, ni ne s'était informé sur ses activités, encore moins sur son travail d'écriture. Elle aurait dû se réjouir de ces appels téléphoniques quotidiens par-dessus l'Atlantique, alors que les autres écrivains ne semblaient pas en lien aussi étroit avec les leurs. À tout le moins, ils n'en parlaient guère. Au contraire, elle éprouvait de la frustration à cause du désintérêt manifeste de son mari envers elle-même, auquel elle se confrontait chaque midi. Il l'appelait, certes, mais… pour lui parler de rien ! De rien du tout !

Parfois, avec le recul, elle avait l'impression de voir son mariage s'en aller à la dérive, marqué du sceau de l'incompréhension et de l'indifférence de son mari. Indifférence glaciale et choquante. Indifférence inacceptable. Au retour, elle allait exiger une sérieuse conversation afin de mettre les choses au point. L'habitude et la routine sclérosantes, comme chez un vieux couple, avaient sans doute embrigadé Alain dans son carcan de rationalité et son petit monde bien à lui. Il ne se rendait pas compte que sa femme en souffrait. Depuis son départ, elle ne cessait de prendre des résolutions pour une sérieuse remise en question dès qu'elle remettrait les pieds chez elle.

Ce jour-là, après avoir raccroché, Marjolaine aurait pu se défouler sur le piano, mais, pas une seule fois, même en attendant l'appel d'Alain, elle n'avait osé y toucher, sans doute à cause d'un excès de gêne ou d'un manque inavoué d'audace. Elle aimait bien s'amuser à pianoter dans l'intimité de sa maison, certes, mais elle se savait fort malhabile. De là à s'exécuter sur cet instrument susceptible de résonner dans tout le château, il y avait un pas qu'elle n'arrivait pas à franchir. Ce piano trop gros et trop imposant l'intimidait. En l'entendant, tous descendraient indubitablement pour venir l'écouter et ils porteraient assurément des jugements sur ses piètres performances. Après tout, se produire en public n'était pas son métier et elle ne possédait qu'un talent restreint en la matière. Elle se consolait en écoutant de temps à autre les disques de Solveye. Lui, au moins, savait jouer merveilleusement bien.

Elle reprit rageusement son manuscrit et se dirigeait vers le jardin quand elle croisa Mustapha en grande conversation avec le jardinier. Sur son passage, il délaissa l'employé pour venir la saluer.

— Bonjour, mon écrivaine préférée ! Toujours au travail ? Et l'ordinateur, ça va ?

— Eh oui !

« Mon écrivaine préférée » ! Il en avait de bonnes, lui qui n'avait jamais lu un seul des écrits de Marjolaine ! Quel charmeur, tout de même ! Elle lui sourit cordialement. Au moins, quelqu'un s'informait d'elle.

— Tu sais quoi ? J'achève le roman que tu as laissé à la bibliothèque du château, comme on nous l'avait demandé, le premier tome des *Exilés*. Quelle belle écriture, Marjolaine !

Il lui aurait annoncé avoir gagné le prix Nobel des chanteurs de pomme qu'elle n'aurait pas été plus surprise. Ainsi, Mustapha avait lu son avant-dernier roman… La dernière chose à laquelle elle se serait attendue !

— C'est vrai, Mustapha ? Dire que je ne suis même pas descendue à la bibliothèque pour prendre connaissance des livres apportés par les autres auteurs, Paolo, Cho Hee, toi… Hum, pas brillant, ça !

— Il faut dire qu'à part le soir, quand nous nous trouvons tous ensemble, la bibliothèque n'est pas facilement accessible aux invités à cause de ma chambre située à l'arrière. Il faut prendre rendez-vous pour y venir. Madame Berthe a dû t'en informer. Voilà la raison pour laquelle les auteurs s'y présentent si peu souvent, toi y compris.

— Non, Berthe a oublié de le mentionner. Mais je savais au sujet de la porte fermée à clé. Tu te rappelles ma visite impromptue de l'autre jour…

— Que veux-tu, il faut bien protéger mon intimité. Pas envie de me faire violer, moi ! Ha ! Ha ! Ha !

Mustapha accompagna son rire d'un clin d'œil taquin, mais devant l'air ahuri de Marjolaine, il crut bon de renchérir :

— Ne t'en fais pas, ma chère. Je garde un excellent souvenir de ta visite, en dépit de ma petite tenue. Sache que pour toi, je vais faire un spécial : tu peux venir à toute heure du jour ou… de la nuit ! Tu n'auras qu'à frapper un grand coup, deux petits et un autre grand coup sur la porte de la bibliothèque. Je saurai qu'il s'agit de toi et je viendrai t'ouvrir en courant.

Marjolaine aurait dû rire, elle aussi. Mais, à l'inverse, elle se sentit rougir et ne sut que répondre. Charmeur et… flirt en plus ! Et tricheur ! N'était-il pas marié, cet homme qu'elle avait aperçu, du haut de sa fenêtre, en train de faire de langoureux adieux à sa femme, le premier soir ? Mustapha ne lui donna pas le temps de formuler une réponse et il osa plutôt insister.

— Puisque tu ne crains pas de faire sauter le mur des interdits à tes personnages, Marjolaine, n'as-tu pas envie d'expérimenter de manière tangible ce que tu leur fais vivre dans tes livres ?

— À ce que je sache, dans le premier tome de ma trilogie, même si elle en a rudement envie, la fille du bûcheron reste sage.

— Oui, mais pas le bûcheron ! Quant au petit curé, il me semble pas mal fringant, celui-là ! Je gagerais ma chemise que, dans les tomes suivants, certains de tes personnages vont sauter la clôture, hé ! hé !

— Ça, cher ami, ça reste à voir. Pour l'instant, cela fait partie des secrets de l'auteure. Je te souhaite un bon après-midi, Mustapha. N'oublie pas que ce soir, exceptionnellement, le souper sera servi dans un vignoble, à l'autre bout du village. On s'y rend tous ensemble dans deux voitures conduites par des bénévoles, à six heures, paraît-il. À plus tard, donc !

Elle pivota sur ses talons sous le regard amusé du jardinier et se dirigea vers sa table de jardin surmontée du plus beau parasol bleu de la terre.

Un vin blanc sec, légèrement fruité et délicieux, coulait à flot, ce soir-là. On avait dressé une grande table au milieu de la terrasse située derrière la somptueuse résidence du vigneron et de sa femme. Après avoir circulé sur deux tracteurs parmi les vignes et visité les lieux de fabrication du vin, on était passé à table où des membres du personnel s'employaient à servir les cinq auteurs comme s'ils avaient été les invités les plus importants au monde.

On s'amusait ferme. On riait, discutait, se taquinait, en même temps qu'on se délectait de la fondue savoyarde et savourait le charme de l'instant présent. La chaleur de l'amitié, le temps doux et clair, la vue superbe sur les montagnes, le vent bruissant dans les feuilles du grand chêne, tout concourait à l'enchantement.

Marjolaine avait l'impression de s'être sincèrement attachée à tous ses compagnons, chacun et chacune avec sa personnalité, son caractère, sa façon de voir les choses. L'espace d'un moment, elle se retira de la conversation et examina sous cape chacun des écrivains. La caractéristique générale qui en ressortait, en plus de la gentillesse, était certainement la grande sensibilité de tous. Et aussi l'intensité. Ah oui, l'intensité et la profondeur! Des gens vrais… Oui, les écrivains étaient des gens vrais et ils étaient devenus ses amis!

Même Agnès, qui la laissait maintenant tranquille avec ses histoires nébuleuses, lui devenait de plus en plus sympathique. La veille, la Belge lui avait demandé si elle accepterait de l'accompagner dans sa voiture jusqu'à un musée de Genève. Marjolaine avait consenti sans trop d'hésitation. «Si elle revient à la charge avec ses spectres, je protesterai avec véhémence, s'était-elle promis. La coquine comprendra que je ne veux plus en entendre parler. D'ailleurs, elle l'a déjà compris, j'en suis certaine!» En effet, l'aspirante sorcière respecta l'entente tacite, car il n'en fut nullement question. Tout s'était bien passé, et Marjolaine avait pris plaisir à cette visite, sidérée par les hautes connaissances en arts visuels de sa consœur.

La soirée allait bon train chez le vigneron. Mustapha, en grande forme, déclencha l'hilarité de tous en racontant, avec force détails, ses aventures et mésaventures vécues dans différentes maisons de commerce à travers le monde. Et Paolo se tordait de rire, ce grand bonhomme tellement avenant, tellement cultivé aussi. Il avait tout vu, tout lu, et il semblait connaître chacun des pays évoqués par le Marocain. Marjolaine admirait secrètement ce sage poète qui mordait dans la vie à belles dents. En fait, si elle avait été plus jeune et du genre à vivre une idylle, c'est avec lui qu'elle aurait perdu la tête. Mais, bien sûr, il n'en était pas question!

Quant à Cho Hee, la jeune Coréenne plutôt réservée mais fort attachante, elle s'était assise dans un fauteuil du salon, l'autre jour, pendant que Marjolaine parlait au téléphone. Finalement, quand elle avait refermé le combiné, elles avaient engagé la conversation et y avaient passé une bonne partie de l'après-midi. Cho Hee lui avait raconté sa vie, ses difficultés d'adaptation en Allemagne à l'époque de son adolescence, ce pays tellement différent du sien, puis son amour pour un homme extraordinaire qui avait ramené le bonheur dans son existence. Marjolaine entrevit là une formidable idée de roman. Quand la jeune femme lui avait confié l'objet du manuscrit sur lequel elle travaillait, l'histoire de la fille d'une grande pianiste, Marjolaine avait sursauté.

— Dois-je en conclure que tu aimes la musique classique, Cho Hee?

— *Of course! I am* en amour *with* Bœthoven. C'est triste que *nobody touches* ce magnifique piano.

Marjolaine s'était mordu les lèvres, se gardant bien d'affirmer savoir en jouer un peu et posséder quelques partitions glissées dans ses bagages.

Au moment du départ, le vigneron remit une bouteille de vin, en souvenir, à chacun des auteurs. Marjolaine pensa aussitôt à Alain. Un soir, ils boiraient ce vin ensemble et, cette fois, son mari écouterait attentivement le récit de son voyage. Elle se le jura.

Au lieu de téléphoner à madame Berthe pour lui demander d'envoyer les deux voitures pour le retour, comme il avait été entendu à l'avance, Paolo proposa à tous de rentrer à pied.

— Et *por qué no nos volveríamos a pie en los* champs dé vignes, au lieu dé *marchar* sur la routa qué traversa *el* village? Aprés tout, la *distancia* n'est qué dé *tres* kilométros *y* démi.

— D'accord, on te suit, Paolo!

Hélas, l'Argentin n'avait pas prévu qu'ils devraient avancer dans l'obscurité presque totale, à travers l'immensité des champs, dans les allées recouvertes de hauts plants de vigne. Ni le reflet de la lune ni les lumières du village, trop éloignées, ne suffisaient pour éclairer adéquatement le sol où ils posaient les pieds.

D'instinct, les cinq auteurs se resserrèrent en se tenant par le bras pour former un bloc homogène. Ils marchèrent ainsi, de front et en silence, lentement, posément, jusqu'au château. Personne n'ouvrit la bouche et on ne se lâcha pas une seule seconde. Moment de grâce, moment de communion extrême, moment de partage hors du commun, même si pas un seul mot ne fut prononcé durant les cinquante minutes que dura la marche. Ces hommes et ces femmes, citoyens du monde, avançaient pressés les uns contre les autres dans la nuit, unis par leurs bras, mais encore plus par leur âme. Parce que ces hommes et ces femmes savaient parler en silence… Eux, ces écrivains, savaient à leur manière parler aux hommes. Eux, ces créateurs…

N'était-ce pas en silence que, chaque jour, penchés sur leurs pages blanches, ils traçaient chacun de leurs mots? N'était-ce pas en silence qu'ils atteignaient le cœur de milliers d'êtres humains quand ceux-ci lisaient ces mots, plongés dans le mutisme sous la lampe ou à l'abri du soleil et du vent? Combien de lecteurs, quelque part sur la planète, étaient en train de lire leurs écrits, à cette minute précise de la nuit? Les auteurs ne pouvaient pas le savoir et ils ne le sauraient jamais. Le silence était leur lot et, en cette nuit bénie de tous les dieux, ils le partageaient. Un silence unique au monde, un silence de cathédrale, un silence d'Absolu…

Une fois arrivés au château, toujours muets, ils se jetèrent spontanément dans les bras l'un de l'autre. Marjolaine vit briller des larmes au coin des yeux de chacun. Elle se dit que jamais elle ne pourrait oublier ce moment-là.

CHAPITRE 9

La veille de la lecture publique, madame Berthe interrogea chacun des invités du château, au moment de l'apéritif, afin de connaître leur heure de départ, prévu deux jours plus tard, soit le 23 juillet selon l'entente préalable. Il s'agissait pour elle d'organiser la logistique du retour de « ses auteurs », comme elle se plaisait à les appeler. Qui s'en retournait en voiture, qui prenait le train, l'avion, l'autocar, et à quelle heure ?

La surprise fut générale quand on apprit les plans de chacun. Cho Hee annonça la première que son mari et ses deux filles avaient prévu venir la chercher durant la matinée du 22. De leur côté, Mustapha et Paolo prenaient l'avion, eux aussi, le 22 au cours de l'avant-midi. Quant à Agnès, elle filerait vers la Belgique avec sa voiture cette journée-là aussi et peut-être même avant, car son mari ne se sentait pas très bien et il l'attendait impatiemment.

Avec effarement, Marjolaine vérifia l'heure et la date de son billet d'avion deux fois plutôt qu'une. Elle ne se trompait pas. Son vol pour le Canada partait de Genève à treize heures quinze, le samedi 23 juillet. Ça alors ! Elle devrait donc passer sa dernière soirée toute seule au château. Il n'en fallut pas plus pour réveiller les fantômes et déclencher les plaisanteries.

Le Marocain réagit le premier.

— Tu parles, Marjolaine ! Voilà une chance inouïe de te dénicher un super fantôme dans un recoin de la bibliothèque ! Si tu veux commencer tes recherches tout de suite, il n'y a pas de problème, tu sais ! Il te reste trois bonnes journées pour visiter les lieux à fond. Et après le crépuscule, évidemment ! Tu pourras compter sur moi pour t'aider, hein !

La blague de Mustapha déclencha l'hilarité générale. Si Cho Hee ne semblait pas croire aux phénomènes surnaturels, Paolo, lui, décida de rassurer Marjolaine.

— Né t'en fais pas, lés fantômas, ils né sont jamais méchants… *Yo lé sé,* moi, même si *yo no* y cré.

Tous riaient de bon cœur. Seule Agnès restait sans réaction, à part un œil torve jeté sous cape à Marjolaine qui fit mine de ne rien voir. À croire que l'auteure dramatique considérait la Québécoise comme une adversaire de taille, susceptible de réveiller les spectres qu'elle-même n'avait probablement pas réussi à contacter durant toutes ces nuits, en dépit de ses efforts acharnés.

Madame Berthe prit le parti d'intervenir afin de rassurer Marjolaine.

— Allons, allons, ma chère enfant, je ne vais pas vous laisser toute seule dans le château pour la dernière nuit, voyons ! Si votre trouillomètre reste à zéro[2], vous viendrez dormir chez moi et je

---

2. Avoir très peur.

vous mènerai moi-même directement à l'aéroport le lendemain matin, voilà tout !

— Pour l'aéroport, je veux bien, mais pour le reste, madame Berthe, je ne vois pas la nécessité de déménager chez vous. Je saurai bien m'occuper et profiter de cette dernière soirée, ne vous inquiétez pas. D'ailleurs, je ne crois pas du tout aux revenants, moi ! Ce sont des absurdités !

En prononçant cette dernière phrase, Marjolaine rendit à Agnès son regard de mépris. « Et vlan ! ma chère, pour ta Manuella et sa mère ! Voilà ce que j'en pense, de ces âneries créées de toutes pièces par des philosophes manqués qui ne savent pas maîtriser leur folle imagination ! »

Madame Berthe en profita pour organiser la séance de lecture publique du lendemain. Les auditeurs arriveraient aux alentours de cinq heures, et des bénévoles s'occuperaient de les installer dans le grand salon transformé pour la circonstance. Dix minutes plus tard, les auteurs devraient s'avancer sur la scène avec, à la main, leur extrait en français, et madame Berthe se chargerait elle-même de les présenter officiellement. La lecture ne devait pas dépasser une heure, une dizaine de minutes tout au plus étant donc allouée à chacun des écrivains. Si le temps le permettait, on servirait ensuite un vin d'honneur sur la terrasse, sinon sur la véranda.

On organisa alors un tirage au sort pour établir l'ordre dans lequel on lirait les textes. Par un pur hasard, on tira le nom de Marjolaine en tout dernier. Elle se mit à badiner en arborant un sourire condescendant.

— Dernière à lire et dernière à quitter le château... Hum! Toute une responsabilité! Pas grave, ce sera la cerise sur le *sundae*[3] pour les fantômes, hé! hé!

Piquée au vif, Agnès rétorqua méchamment.

— Pas seulement pour les fantômes! Comme les auditeurs restent, en général, sur leurs dernières impressions, ton texte devra exceller.

Et vlan sur la petite Canadienne! Voilà que la scénariste-dramaturge-philosophe désirait semer le doute, maintenant. Marjolaine faillit répliquer que son extrait de roman *Les exilés* s'avérerait sans conteste meilleur que les insanités dogmatiques insaisissables et nébuleuses que la Belge projetait de débiter devant l'assistance, mais elle préféra se taire. Il n'était pas question d'engendrer la dispute à la fin du séjour alors qu'elles avaient réussi à sauvegarder la bonne entente la plupart du temps depuis bientôt trois semaines. De toute manière, Marjolaine ne s'inquiétait pas trop au sujet de sa lecture, convaincue que l'auditoire se limiterait à quelques personnes seulement, car aucun des cinq auteurs ne publiait en Suisse et nul n'était lu dans ce pays.

Le moment fatidique du cinq à sept arriva enfin et le temps se prêta de bonne grâce à l'événement. On pouvait palper la nervosité au sein des auteurs réunis dans la bibliothèque. Dans quelques minutes, on viendrait les chercher. Tous avaient revêtu leurs plus beaux atours, et Marjolaine portait une fort jolie robe de soie rose achetée spécialement pour la circonstance. Paolo lui parut particulièrement séduisant dans sa chemise orangée mettant en valeur son teint ambré. Évidemment, l'audacieux décolleté d'Agnès ne manquerait pas d'attirer les regards. À la surprise de

---

3. Petit détail qui dépasse l'œuvre.

tous et sans s'être concertés, Mustapha avait revêtu un burnous maghrébin, tandis que Cho Hee portait le costume national coréen.

On se souhaita mutuellement bonne chance et tous pénétrèrent enfin dans le salon ensoleillé, sous un tonnerre d'applaudissements. On resta bouche bée devant la nombreuse assistance. Au moins soixante-quinze personnes les attendaient, entassées sur des chaises pliantes disposées au fond de la pièce. Les vedettes prirent place sur les deux divans de chaque côté de la scène, avant de se présenter à tour de rôle au micro installé au centre, appelés par madame Berthe qui n'en finissait plus de faire leur éloge.

Marjolaine sentait son cœur battre la chamade. Elle ne se doutait pas qu'elle manquerait de défaillir pendant l'écoute des écrits de ses compagnons tellement ils l'impressionnèrent. Plus le temps avançait, plus elle se sentait convaincue de la piètre qualité de son propre texte. Elle n'aurait jamais dû changer d'idée, son extrait poétique sur la musique de Beethoven aurait sans contredit mieux convenu.

Mustapha vint tout d'abord lire ses cinq pages relatant, dans un style fluide aux dimensions épiques, le vol d'un piano dans lequel quelqu'un avait dissimulé des papiers de prime importance. Il tint l'auditoire en haleine pendant exactement neuf minutes et quarante-cinq secondes. Indéniablement, il méritait l'ovation monstre que lui réserva la foule.

Agnès s'avança ensuite avec une démarche lascive. À la grande surprise de Marjolaine, elle lut le premier chapitre de son futur roman au lieu de l'exposé philosophique prévu. Parce qu'elle avait présenté son texte à l'assemblée comme le premier jalon d'un grand projet de roman fantastique, elle reçut des applaudissements chaleureux de la foule en guise d'encouragement.

Les deux textes suivants furent à la mesure du talent de leurs auteurs. Ils parurent tellement inspirés et poétiques à Marjolaine qu'elle faillit remonter à l'étage devant toute l'assemblée pour aller chercher son extrait initial.

Les pages de Cho Hee traduisaient à la fois l'exaltation et l'abattement d'une adolescente à l'écoute d'une interprétation au piano de sa mère, grande artiste qui négligeait trop souvent sa fille pour l'amour de l'art. La Coréenne se mérita de chauds applaudissements, de même que Paolo, qui fut le meilleur aux yeux de Marjolaine. Dans son poème, il traduisait les gestes simples de la vie quotidienne d'un couple, mais il y mettait tant de profondeur et de romantisme qu'elle en eut les larmes aux yeux. Jamais elle n'aurait imaginé chez l'Argentin autant de sensibilité et de grandeur d'âme. Elle se demanda même quelle femme pouvait avoir inspiré une telle poésie.

Elle se mit à trembler. Qu'allaient penser les gens de son texte à elle, farci d'expressions typiques du parler québécois dans lequel les personnages s'exprimaient non seulement en joual, mais évoquaient des choses fort banales et sans intérêt ? Trop tard, maintenant ! Elle ne pouvait tout de même pas se lever devant tout le monde, s'excuser et monter à l'étage pour aller chercher l'autre texte demeuré au fond de sa valise !

Elle aurait voulu se voir ailleurs, chez elle, dans son bureau ou dans sa chambre avec Alain, tiens ! en train de vivre concrètement ce que Paolo avait raconté dans son magnifique poème. Quelle idée saugrenue avait-elle eue d'éliminer un extrait brillant plein de musique et de poésie qui aurait fait sa fierté ? D'autant plus que, par une pure coïncidence, chacune des lectures avait évoqué un piano. Même Paolo en avait placé un dans l'environnement du couple dont il était question. Et elle, Marjolaine Danserot, allait présenter une scène sans musique ? Oh ! que non !

Elle prit rapidement une folle décision, trois secondes avant de s'avancer vers le micro. La première page du chapitre qu'elle avait au préalable décidé d'éliminer, elle allait la leur présenter « drette-là ! » puisqu'elle l'avait déjà en main. Le hasard faisait bien les choses, Marjolaine Danserot aussi aurait un piano dans son texte.

Elle se racla la gorge et fit une annonce audacieuse à la foule.

— Mesdames et messieurs, vous avez l'honneur d'assister au tout début de ma seconde carrière, en cet instant présent, précis et solennel.

D'une voix flûtée, elle se mit à débiter le premier couplet de *Sur le pont d'Avignon,* chanté par des Québécois autour d'un piano, une nuit du jour de l'An, à la toute fin du dix-neuvième siècle. Elle n'avait pas terminé que, déjà, les Suisses battaient des mains, prenant soudain conscience que les chansons folkloriques québécoises remontaient aux mêmes origines que les leurs, non seulement en France mais dans toute la francophonie. Cette appréciation donna des ailes à la chanteuse. Marjolaine se lança alors allègrement dans la lecture du reste de son texte en appuyant volontairement sur son accent québécois.

— La fête battait son plein. Tout l'monde avait un fun vert en faisant swigner la baquaise dans l'fond d'la boîte à bois avec le pianiste pis l'violoneux qui se faisaient aller le pompon. Tout d'in coup, on entendit cogner à porte. C'tait le mononcle Arthur avec sa femme pis toute la marmaille. « Ah ben ! Ça parle au yâble ! Ben, rentrez, woyons ! Vous allez woir comme on a du fun icitte ! »

Quelques minutes plus tard, n'en croyant pas ses yeux, Marjolaine reçut une ovation debout. Elle pensa d'abord que les bravos s'adressaient aux cinq auteurs en même temps, mais dut se rendre à l'évidence : l'hommage lui était bien destiné. Elle en éprouva une fierté sans pareille pour avoir gagné son pari et fait connaître un peu mieux son Québec. Dans un geste magnanime, elle invita les autres écrivains à se joindre à elle, à l'avant, pour recevoir la salve d'applaudissements de la foule.

Le vin blanc, servi par la suite sur la grande table de fer forgé de la terrasse, parut à Marjolaine le plus délicieux qu'elle ait jamais bu. D'autant plus que de nombreuses personnes se pressaient autour d'elle pour la féliciter.

— Ce fut charmant, madame !

— Quel accent ! Le plus coloré jamais entendu !

— Un grand succès ! J'aurais bien envie de vous lire, ma chère dame. Publiez-vous en numérique ?

Marjolaine, rayonnante, acquiesçait, saluait, remerciait. Elle ne vit pas venir un grand bonhomme aux traits fins et à la chevelure abondante qui s'adressa à elle dans un français dont elle ne reconnut pas l'accent.

— Bravo, madame Danserot. J'étais venu pour vous entendre parler de Beethoven, mais votre changement de programme ne m'a pas déçu. Vous m'avez littéralement enchanté.

Marjolaine répondit à l'inconnu par un sourire timide, le cœur ravi, puis fut accaparée par un autre admirateur.

CHAPITRE 10

Agnès Lacasse fut la dernière à quitter Manuello, au début de l'après-midi du 22 juillet. Elle prit son temps pour remonter la vitre de sa portière d'automobile et pour rouler jusqu'à la sortie après avoir salué Marjolaine plutôt froidement.

— Désolée, ma chère, de devoir t'abandonner seule dans le château. Profites-en pour babeler[4] avec Manuella et sa mère. Elles vont se montrer ravies de faire enfin ta connaissance.

— Eh bien, pas moi! Au revoir, Agnès, et au plaisir de te retrouver, un de ces jours.

— C'est cela! À un de ces jours!

Le soir précédent, la scénariste avait été la seule à refuser de signer les petits billets que s'étaient échangés les autres auteurs, envahis de tristesse à la pensée de la séparation du lendemain. Au moment de se quitter, à la fin du repas, ils s'étaient engagés, sur de simples bouts de papier découpés dans une feuille prélevée dans

—
4. Bavarder.

l'imprimante de la bibliothèque, à se rencontrer, le 22 juillet, dans exactement cinq ans, à Genève, à la porte de l'édifice principal du complexe de l'Office des Nations Unies, à cinq heures pile.

Agnès avait protesté avec véhémence.

— Honnêtement, je ne peux pas signer cette promesse. Comment garantir de poser un geste dans cinq ans quand on ignore ce que nous réserve l'avenir ? Je verrai en temps et lieu. À vrai dire, je ne vous comprends pas.

Agacé, Mustapha n'avait pas hésité une seconde à répliquer vertement.

— Dans ce cas, Agnès, n'avise pas ton mari de l'heure à laquelle tu prévois arriver à Bruxelles demain ou après-demain. D'après moi, tu ne peux pas davantage répondre du lendemain que du 22 juillet dans cinq ans. Un peu d'optimisme, que diable, madame Lacasse !

La dramaturge avait hoché la tête, lèvres pincées, et s'était contentée de faire la moue en repoussant son assiette d'une main rageuse. Marjolaine avait failli lui faire une grimace. Comment cette femme pouvait-elle croire aux revenants du passé mais pas aux projets réels et tangibles des vivants ? Quel numéro, tout de même !

Quand, le lendemain, la Peugeot dotée d'une plaque d'immatriculation belge franchit la muraille de Manuello, Marjolaine la regarda tourner le coin sans l'ombre d'un regret. Elle ressentit même un certain soulagement. Écouler la dernière soirée et la dernière nuit, seule à seule, dans le château en compagnie d'Agnès Lacasse aurait pu virer à la catastrophe, à tout le moins à une prise de bec hors du commun. Qui sait si, à la recherche de ses deux fantômes, la Belge n'aurait pas décidé d'effectuer au milieu du salon les incantations qu'elle réservait pour sa chambre, ou encore d'allumer des bougies dans toutes les pièces du château en passant de l'une à l'autre pour y débiter ses lamentations, son chant rauque, sans oublier ses cris et ses rires à caractère satanique...

Ah non! Pour Marjolaine, mieux valait rester seule et tranquille pour son ultime soirée de princesse. Une fois tout le monde parti, elle monta à sa chambre et commença à ramasser ses affaires. Dans sa grande valise, elle déposa à gauche la pile de vêtements propres, lavés dernièrement dans la lessiveuse du château, et à droite tout le reste. Et puis non! L'idée lui vint de faire une brassée de lavage avec le paquet de linge souillé. « Ça va passer le temps et me tenir occupée, tiens! Et ça m'évitera de devoir le faire une fois rendue chez nous. »

Elle avait l'impression d'avoir quitté sa vie, sa routine, sa maison, son mari et ses enfants surtout, depuis une éternité. À bien y songer, elle n'avait pas vraiment envie de retourner au Québec et de retrouver sa solitude d'écrivaine alors qu'elle venait de goûter à tellement de partage et d'empressement. Elle appréhendait de devoir se confronter de nouveau aux écarts de conduite de Rémi, de subir l'éloignement de François et surtout, surtout, l'indifférence d'Alain... Elle savait bien, au fond, que le beau poème de Paolo ne se concrétiserait pas dans son existence, une fois de retour au bercail.

Ce séjour en Suisse, pratiquement hors du temps et de l'espace, lui avait permis de prendre du recul et de remettre bien des choses en question. D'établir ses priorités, surtout. Certes, elle ne renoncerait pas à ses responsabilités de mère, mais ses deux fils avaient maintenant atteint l'âge adulte. Une mère constamment présente dans leur quotidien ne s'avérait plus nécessaire. Bien sûr, elle pouvait rester disponible pour eux à distance et à long terme pour le reste de leurs jours s'ils en avaient besoin! Elle les aimerait toujours et leur offrirait toujours tendresse et assistance. Mais ils ne devaient plus représenter son unique raison de vivre comme au temps de leur enfance. Quoique Rémi, immature et désorienté, désespérément embourbé dans l'insouciance et la rébellion de l'adolescence, avait encore un net besoin de sa mère, elle n'en doutait pas un instant.

La curiosité intellectuelle et son travail d'écrivaine constitueraient dorénavant les principaux moteurs de sa nouvelle vie, et Marjolaine avait l'intention de s'y consacrer corps et âme. Si quelqu'un lui demandait de résumer les effets bénéfiques de son séjour à Manuello en une seule phrase, elle affirmerait avoir pris conscience non seulement de l'importance de son métier d'auteur, mais aussi de sa capacité de l'exercer envers et contre tout, envers et contre tous. Même de sa famille !

Quant à Alain… Elle ne savait plus trop où elle en était dans sa vie de couple. L'aimait-elle encore ? Certes, il lui avait quelque peu manqué au cours de ces trois semaines, mais pas autant qu'elle s'y attendait. Ses appels quotidiens avaient suffi à combler ce vide, l'espace de quelques minutes, sans plus. Peut-être ne lui restait-elle attachée que par habitude et convention ? Ou pire, par principe ? En ce soir de bilan, elle se demandait si ces trois semaines ne constituaient pas pour elle un pas de géant sur le chemin de l'indépendance affective…

Lui restait sa passion pour l'écriture, plus grande et plus forte que tout, imperméable à n'importe quel assaut de l'existence, à la condition de demeurer inspirée, évidemment, et en bonne santé ! Pour l'instant, les projets ne manquaient pas et à la série *Les exilés* s'ajouteraient sans doute plusieurs autres ouvrages.

En traversant la cuisine pour se rendre à la laverie du château, Marjolaine entrevit une silhouette par la fenêtre. Elle s'obligea à poursuivre son chemin et s'empressa d'aller déposer, d'une main tremblante, les vêtements dans la machine à laver. « J'ai l'imagination trop fertile, se dit-elle, je suis en train de virer folle ! » Elle bénit le vieil appareil de mener un bruit d'enfer et décida de s'installer tout près avec son manuscrit. Ainsi, elle ne pourrait entendre rien d'autre.

Elle se trompait. À peine s'était-elle installée sur le coin de la table que quelqu'un frappait avec insistance à la porte de la cuisine donnant sur la cour. Oh, mon Dieu ! Elle s'imagina Manuella et sa mère, vêtues en sorcières, lui tendant leurs mains blanches et osseuses aux longs ongles pointus. Des mains de mortes.

Marjolaine ne retrouva sa respiration qu'en reconnaissant la voix de la femme essayant désespérément d'ouvrir à l'aide de sa clé, malgré ses bras remplis de victuailles. Madame Berthe ! Elle l'avait complètement oubliée, celle-là, convaincue de devoir se bricoler un souper avec les restants du réfrigérateur. La responsable lui avait pourtant promis de venir lui porter son repas.

— Excusez-moi, Marjolaine, je ne voulais pas vous apeurer, et j'ai longuement frappé à la porte au lieu d'entrer sans vous avertir. Mais vous ne m'avez pas entendue, je suppose ?

— Euh… c'est ça, je ne vous ai pas entendue. La machine à laver fait un bruit infernal, vous savez.

— Pardonnez mon retard, j'ai reçu des visiteurs et… Tenez, je vous apporte un bœuf bourguignon et un plat de légumes. Vous n'aurez qu'à réchauffer le tout au four à micro-ondes. Et voici une excellente bouteille de vin, celui qui a remporté le grand prix du vin suisse l'an dernier, gracieuseté de la Fondation Manuello pour vous qui devrez servir vous-même votre repas, contrairement aux autres soirs.

— Grand merci, madame Berthe !

— Oh! J'oubliais… Au cours de la soirée, je vais m'absenter un certain temps en compagnie de ma famille. Il n'y aura donc personne, chez moi, pour répondre à vos appels si jamais vous manquez de quelque chose. Mais j'apporte mon téléphone portable, ne vous gênez surtout pas pour m'appeler en cas de besoin.

— Ne vous en faites pas, madame Berthe, je saurai très bien me débrouiller. Et cette bouteille, puis-je me permettre de vous l'offrir personnellement? J'aimerais vous remercier pour votre zèle, votre gentillesse et vos bons services. Il reste du vin de table dans le réfrigérateur, ça me suffira amplement. Ne vous en faites pas.

— Quelle générosité de votre part, Marjolaine! D'ailleurs, je voulais vous dire… Dès demain, j'entreprendrai la lecture du livre que vous avez laissé à la bibliothèque. Mustapha me l'a fortement recommandé.

— Ah bon? Je promets de vous envoyer le deuxième tome par la poste, ainsi que le troisième, présentement en rédaction, dès sa publication. Pour ce dernier, par contre, ça prendra plusieurs mois.

— Ah, là, vous me touchez beaucoup! Alors, demain matin, je viendrai vous chercher à neuf heures trente dans la cour du château, et je vous conduirai à l'aéroport. Cela vous convient-il?

— Parfaitement! Je me tiendrai prête.

— Je vous attendrai à l'extérieur, dans ma voiture, pour ne pas vous apeurer comme je viens de le faire. Bonne soirée, donc, ma chère!

Les deux femmes s'embrassèrent chaleureusement et Marjolaine, peu affamée, se remit à l'écriture de son roman qui lui tenait tant à cœur, après s'être servi une copieuse ration de vin blanc.

Cette fois, elle n'éprouva aucune hésitation et se laissa aller dans la description précise et détaillée d'une longue scène d'amour entre le prêtre Émile non encore défroqué et la jeune fille qu'il venait d'épouser dans des conditions pas très orthodoxes. Tant pis si les lecteurs se scandalisaient du sujet et de l'audace des détails. Sans doute cela en ferait-il fantasmer plus d'un. Ou plus d'une… Après tout, pourquoi pas ? Le public n'avait-il pas chaudement applaudi la hardiesse fort sensuelle du chapitre d'Agnès lors de sa lecture ? Marjolaine elle-même se sentait soudain emportée par l'érotisme qu'elle décrivait, mais n'avait à peu près pas connu avec Alain, amant plutôt tiède et peu entreprenant. Ah… quel homme que cet Émile ! Elle en tombait amoureuse, à l'instar d'Antoinette, son personnage féminin, chaque fois qu'elle parlait de lui dans son roman.

À un moment donné, l'idée que madame Berthe, ne fût-ce que dans un avenir éloigné, elle et des centaines, voire des milliers d'autres dames plus pudibondes les unes que les autres allaient lire ces lignes et se sentiraient scandalisées, refréna ses élans. « Allons, ma vieille, un peu de pudeur et de retenue, quand même ! Donne plutôt place à l'imagination de tes lecteurs, ils adorent ça, se représenter eux-mêmes les scènes de romans. Surtout les scènes d'amour ! Et laisse donc les descriptions détaillées de rapports sexuels à Agnès Lacasse ! »

Une heure plus tard, elle déposa sa plume et s'en fut prendre son souper sur la véranda comme à l'accoutumée. Hum… ces plats lui parurent plutôt fades et ennuyeux. Les places désertes autour de la table lui donnaient l'impression d'un vide immense. Elle installa tout de même deux chandelles sur la table et se servit un autre verre de vin, puis un autre, et encore un autre.

Comme l'obscurité totale avait gagné le château, elle décida d'allumer les plafonniers de l'escalier central et du corridor. Et pourquoi pas les lampes du salon ? Au moins celles-là ! Elle aperçut soudain le piano. Il semblait l'attendre, déjà grand ouvert. Elle grimpa aussitôt à l'étage pour chercher ses partitions demeurées dans sa valise tout au long du séjour. Oh oui ! Quelle bonne idée ! Elle allait s'amuser ferme et, cette fois, personne ne pourrait la juger.

« À nous deux, Jean-Sébastien Bach, à nous deux, Beethoven, à nous deux, Chopin ! » Si jamais quelques fantômes décidaient de se pointer ici, ce soir, elle ne laisserait entrer que ceux de ses compositeurs de musique préférés, hé ! hé ! Après tout, jouer du piano sur un instrument d'époque, perdue toute seule au fond d'un château situé dans un petit village au cœur de l'Europe, constituait un événement bien particulier. Il fallait fêter ça ! Pour se mettre dans l'atmosphère, elle alla chercher les bougies de la véranda et les installa de chaque côté du piano. Puis, elle versa le reste de la bouteille de vin dans son verre.

Les mains plutôt hésitantes, elle commença par un nocturne assez facile qu'elle affectionnait particulièrement. Hélas, son rythme s'emballait et les fausses notes se multipliaient. « Excusez-moi, monsieur Chopin, j'ai un peu trop bu, je crois. » Même le *Für Elise*♪ qu'elle jouait par cœur depuis l'âge de treize ans se reconnaissait à peine. Mais elle tint bon, bien décidée à faire résonner la musique de Beethoven, son compositeur favori, dans tout le château de Manuello en guise de grande finale pour ces trois merveilleuses semaines. « Et ça consolera la petite Manuella et sa mère ! » se dit-elle en riant d'elle-même. En vérité, elle n'y avait jamais vraiment cru, à ces deux-là.

C'est à ce moment précis qu'elle entendit des coups frappés à la porte de l'entrée principale du château. Elle s'arrêta net de jouer.

♪   Pour entendre ce morceau, visitez le www.quebec-amerique.com/coupsurcoup et sélectionnez l'extrait musical n° 3 : *Für Elise*, de Beethoven.

Cette fois, elle n'irait pas répondre. Oh! que non! Il ne pouvait s'agir de madame Berthe puisqu'elle lui avait annoncé sortir ce soir-là. Quant aux autres auteurs, tous se trouvaient déjà à des centaines de kilomètres de Manuello. Et n'importe quel bénévole aurait certainement téléphoné pour la prévenir de sa visite. Alors?

Marjolaine ne savait si elle ferait mieux de continuer à faire du tapage sur le piano pour indiquer à un voleur ou, qui sait, à un violeur éventuel, que quelqu'un se trouvait dans la résidence, ou bien s'il était préférable de se cacher dans quelque recoin afin d'éviter toute rencontre dangereuse. Elle se décida pour la première option et reprit son *Für Elise* à tue-tête. Les coups cessèrent momentanément, mais recommencèrent de plus belle, quelques minutes plus tard, cette fois dans l'une des portes-fenêtres du salon donnant sur le jardin.

Elle entendit alors une voix retentir.

— Marjolaine! Madame Danserot, ouvrez-moi! Vous n'avez rien à craindre, ce n'est que moi!

Bien plus que la voix, elle reconnut l'accent particulier qui l'avait frappée lors d'une entrevue à la radio. Elle accourut aussitôt et aperçut la longue silhouette à travers les rideaux de dentelle. C'était lui! C'était lui, elle en était certaine. Comment et pourquoi était-il ici?

Elle ouvrit la porte-fenêtre et gratifia l'homme d'un grand sourire, aussi curieux qu'accueillant.

CHAPITRE 11

— Accepteriez-vous la visite d'un ami pour quelques heures, madame Danserot?

— Mais oui, bien sûr!

D'un ami? Comment cela, un ami? Ivan Solveye se tenait devant Marjolaine, immobile, grand et beau avec ses cheveux en bataille et ses yeux gris comme elle les avait imaginés, un certain soir de récital à la Place des Arts. Et comme ceux dont elle avait doté Émile, le héros de son roman! Des yeux gris d'une transparence presque liquide, des yeux d'une grande douceur qui la regardaient tout de même avec une certaine réserve.

— Pardonnez mon effronterie, madame. Je ne voulais nullement vous effrayer avec mon intrusion au château sans invitation, sans même vous avoir prévenue. C'est que, voyez-vous, lors de la lecture publique d'avant-hier, au moment où je suis venu vous féliciter, je vous ai entendue affirmer à une personne près de vous devoir passer la dernière soirée seule au château avant votre retour au

Québec. Vous l'avez annoncé en riant, bien sûr, mais j'ai cru déceler une trace d'angoisse dans votre regard. Me suis-je trompé?

— N...on, pas vraiment!

— Cela m'a donné une idée. À vrai dire, je me baladais dans la région sans but très précis et je ne rentrerai sans doute à Paris que dans quelques jours. J'ai alors pris la décision de prolonger mon séjour en Suisse pour venir vous retrouver ici, ce soir, pendant quelques heures afin de faire plus ample connaissance. Peut-être n'aurais-je pas dû.

— Euh...

Ainsi, elle ne s'était pas trompée, le fameux soir de la lecture publique. Solveye y avait réellement assisté. Le bel homme qui l'avait approchée pour lui rendre hommage, l'espace de quelques secondes, c'était bel et bien lui, le grand pianiste croate. Wow! Sur le coup, elle n'avait pu l'identifier, car il avait aussitôt disparu dans la foule, et elle ne l'avait pas revu. Entourée de trop de monde, elle n'avait pu le suivre des yeux qu'un seul instant. Ce soir-là, elle s'était tournée et retournée dans son lit, incapable de trouver le sommeil et ne cessant de ressasser tous les événements de la cérémonie, dont l'apparition de cet inconnu. L'homme avait mentionné s'attendre à l'écouter lire un texte relatant la présence de Beethoven, et cela l'avait intriguée et lui avait mis la puce à l'oreille. Très peu de personnes connaissaient ses intentions de lecture et on ne les avait annoncées nulle part. De plus, ce visage-là lui disait quelque chose. Qui était donc cet invité?

Elle s'était alors rappelé sa lettre postée juste avant son départ pour la Suisse. Ivan Solveye! Ça ne pouvait être que lui! Cependant, elle s'était refusé de conclure qu'il s'agissait bien du pianiste et elle avait qualifié son imagination de trop débordante, ce que n'aurait pas manqué d'affirmer Alain. Allons donc, l'illustre musicien avait certainement d'autres chats à fouetter que d'aller assister à une heure de lecture de textes d'écrivains étrangers dans un lieu situé à des centaines de kilomètres de son domicile en France ! Convaincue de faire erreur, elle avait finalement oublié le mystérieux visiteur, l'un parmi les soixante-quinze autres invités trinquant avec elle sur la terrasse.

Mais en ce moment, déroutée par cette visite impromptue, Marjolaine ne savait comment réagir. Elle offrit poliment à l'homme d'entrer, s'expliquant mal pour quelle raison le pianiste venait, ou plutôt revenait la visiter.

Elle essaya de se montrer aimable, tout en demeurant mal à l'aise et un peu sur la défensive, en dépit de l'admiration sans bornes qu'elle lui vouait depuis le fameux concert. Dans son autobiographie, Solveye confiait avoir fréquenté quelques femmes à l'occasion sans jamais s'être sérieusement attaché à aucune. Que lui voulait donc cet homme ? Sans doute ne cherchait-il qu'à ajouter une autre aventure à sa collection.

— J'ai beaucoup apprécié votre lettre, Marjolaine. Je l'ai mise de côté et la relirai certains soirs d'interrogation où je me sentirai trop seul, même si je suis plutôt du genre solitaire. J'ai aussi commandé deux de vos premiers romans à la Librairie du Québec à Paris, mais je n'ai pu les recevoir avant mon départ.

— Ah bon. Vous habitez toujours Paris ?

— Mais oui ! Comment le savez-vous ?

— Votre autobiographie, monsieur Solveye ! Je vous ai lu avant que vous ne me lisiez ! Je venais tout juste d'en terminer la lecture quand je vous ai écrit ma lettre. Votre histoire m'a tellement remuée...

— Moi, c'est votre lettre qui m'a remué, madame… Quelle écriture sublime et impressionnante, où vous m'ouvrez votre cœur ! Moi qui aime tant les écrivains, voilà que, de son pays lointain, une auteure populaire et mystérieuse m'offrait son amitié. Comment résister à me rendre jusqu'ici pour vous découvrir et vous remercier de vive voix ? Paris n'est pas si loin, après tout. De toute manière, en ce moment, je me trouve ni plus ni moins en vacances dans cette région, comme je le fais habituellement pour me détendre pendant quelques jours avant de subir la pression d'un prochain concert.

— Vous me voyez confuse et… fort heureuse de vous rencontrer, monsieur Solveye. J'apprécie infiniment votre façon d'interpréter les œuvres musicales. Vous y mettez tant d'âme, tant de…

Elle s'arrêta net. Mieux valait garder une certaine distance. Après tout, elle ne le connaissait pas vraiment, cet homme. Mais… quel homme ! Quel charme et quelle beauté !

— Appelez-moi Ivan, je vous en prie. Peut-être allez-vous me juger impertinent, mais me permettriez-vous, avant de continuer, de vous faire une demande bien spéciale à laquelle je viens tout juste de songer ?

Marjolaine frissonna légèrement, n'osant croire qu'il passait déjà à l'attaque. Dans quelle histoire était-elle en train de s'embarquer ? Si le bonhomme, si merveilleux artiste soit-il, s'imaginait qu'elle allait le laisser monter allègrement dans son lit, elle l'attendait de pied ferme et saurait lui montrer la sortie. Elle répondit en se tenant sur la défensive.

— Eh bien, monsieur Ivan, allez-y, faites votre demande. Après, on verra bien !

— Lorsque je me trouvais dans le jardin, tantôt, je vous ai entendue jouer une bagatelle de Beethoven au piano. Rien ne me ferait plus plaisir que de vous écouter l'exécuter au complet seulement pour moi. Pour moi tout seul, comme l'offrande d'une amie.

— Désolée de vous décevoir ! Vous êtes la dernière personne au monde devant qui j'oserais m'exécuter, monsieur Solveye ! Au contraire, c'est à vous l'honneur, maestro ! Vous le ferez mille fois mieux que moi ! Et puis, chacun son métier. Je vous ai écrit une lettre, vous me jouez une pièce de piano !

Solveye ne se fit pas prier et s'installa aussitôt sur le banc pour interpréter *Für Elise* de la façon la plus gracieuse et la plus sublime qui soit. Puis, sans laisser le temps à Marjolaine d'exprimer son enthousiasme, il entama le *Clair de lune*♪ de Debussy en y mettant toute son âme.

Assise à ses côtés, elle l'écouta religieusement. Le cadeau provenait du ciel et il s'adressait à elle. Elle n'arrivait pas à croire que Solveye se trouvait là, juste à côté et bien vivant, et qu'il jouait uniquement pour elle, comme dans un rêve. Elle se laissa emporter sur les thèmes inspirés par le chatoiement de la lune sur les eaux calmes ou tumultueuses et le bruissement des feuilles dans la brise, qui l'emmenèrent dans une autre dimension. Il n'existait plus que la nuit, la nuit dans ce château, la nuit et son mystère, la nuit et son silence soudain meublé par cette mélopée s'élevant comme une prière. La nuit et le *Clair de lune* de Debussy, à la lueur des bougies…

Quand il eut terminé le mouvement, lui-même emporté par la nostalgie de cette musique, Solveye ne broncha plus. Le silence avait le dernier mot. Ni lui ni elle n'osaient bouger ni même respirer. Seul un criquet chantait, près de la fenêtre, sa propre sonate à la joie de

---

♪ Pour entendre ce morceau, visitez le www.quebec-amerique.com/coupsurcoup et sélectionnez l'extrait musical n° 4 : « Clair de lune », *suite Bergamasque*, de Debussy.

vivre. L'idée effleura Marjolaine que non seulement le vol d'un papillon blanc, mais aussi le chant envoûtant d'un criquet au milieu d'une nuit remplie de mystère pouvaient conduire jusqu'au surnaturel et au sacré. Jusqu'à l'impénétrable…

— Dites donc, Marjolaine, si on allait retrouver ce criquet dans le jardin pour vérifier si Debussy a eu raison de présenter la lune aussi bellement ? On pourrait même faire une promenade aux alentours. Ça sent si bon !

Marjolaine ne s'attendait pas à aller de sitôt déambuler entre les vignes au pied du château. Y retourner ne risquait-il pas d'effacer de sa mémoire la prodigieuse fascination de sa promenade précédente, vécue en silence quelques jours auparavant en compagnie des autres auteurs, donnant le bras tantôt à Mustapha, tantôt à Paolo ? Mais le grand Solveye était là, tout souriant, et elle ne put refuser. Après tout, ce n'était pas la première fois qu'elle allait s'aventurer dans l'obscurité de ces lieux…

Ils marchèrent tranquillement côte à côte sans prononcer une parole pendant plusieurs minutes. Cette fois, la lune était au rendez-vous et leurs ombres les suivaient, projetées sur les hautes vignes des allées.

Soudain, Marjolaine, sans doute sous l'effet de la grande quantité de vin ingurgité au cours de la soirée, buta contre un caillou et perdit pied. Ivan s'empressa de l'aider à se relever et garda sa main dans la sienne pour le reste du long parcours, sans tenter d'autre rapprochement. Marjolaine sourcilla au début, mal à l'aise de sentir dans sa main droite la chaleur et la rondeur d'une main étrangère aussi précieuse, une main d'artiste, une main créatrice, une main qui savait parler au monde entier à sa manière… Une main magique. Mais Ivan, devenu loquace, ne mit pas de temps à lui changer les idées. Ils parlèrent de tout et de rien, de l'autobiographie du pianiste, des romans de Marjolaine, de son séjour à Manuello, de l'origine du château. Elle osa même lui en raconter la légende dont la tournure supranaturelle avait sans doute été forgée de toutes pièces par Agnès. Ivan rit beaucoup, accordant lui aussi peu de crédibilité aux fantômes.

— Vous n'aurez pas peur, cette nuit, j'espère, ma chère romancière ?

— Oh non ! Pas du tout, mon cher musicien !

— Parce que…

Il ne termina pas sa phrase, et elle préféra ne pas imaginer la suite. Au moment du retour, Ivan expliqua avoir déniché une petite auberge à proximité, où il avait élu domicile depuis quelques jours en attendant de venir la rencontrer ce soir-là.

— Je vous connais maintenant, ma chère Marjolaine, et j'en suis fort content. Dommage que vous habitiez dans un pays lointain. Mais je sais que j'aurai dorénavant une amie outre-mer, avec qui je souhaite garder contact. On va s'écrire, n'est-ce pas ?

— Oui, je vous le promets !

— Bon, je vais devoir repartir, vous avez sûrement des choses à préparer. Dommage que vous deviez plier bagage demain matin, car j'ai découvert une très jolie plage sur le bord du Léman. Nous aurions pu y passer la journée, comme de bons amis.

« De bons amis »… Cette fois, Marjolaine apprécia l'expression. Avant le départ du musicien, elle ne put résister à l'envie de lui demander de jouer ses différentes versions de *Jésus, que ma joie demeure* de Bach. Visiblement heureux de cette requête, il s'installa aussitôt au piano, et elle se laissa emporter par les variations dont elle avait déjà pu se délecter quand il les avait jouées en rappel à la

Place des Arts. Elle n'arrivait pas à y croire : le célèbre pianiste, reconnu mondialement, était en train de jouer pour elle seule, dans un château. Elle tenta de se ressaisir. « Allons, ma vieille, calme-toi, pour l'amour du ciel ! Pense que demain, tu retournes chez toi, dans ta vraie vie ! »

Même de dos, elle le trouvait irrésistible, cet homme, avec ses larges épaules, sa chevelure aux boucles soyeuses, ses longs bras et ses mains balayant le clavier avec la souplesse d'un danseur de ballet. Mais encore plus séduisante, plus attachante, était la ferveur qui métamorphosait son visage, ses yeux gris mi-clos, ses lèvres serrées exprimant le recueillement d'un ange. Sa façon de relever la tête dans les passages doux et suspendus, comme si son âme s'élevait, ou bien son abaissement tout près du clavier, quand la partition le ramenait dans la dure réalité et exigeait de marteler brutalement les touches avec une intensité rageuse, rien de tout cela n'échappa à Marjolaine et ne manqua de la sidérer. Cette ferveur touchante, autant que la fureur et la souffrance qui la nourrissaient, elle la comprenait tellement ! Au fond, sa vie n'était pas toujours jojo, elle non plus. Combien de fois n'avait-elle pas elle-même eu envie de frapper avec force les notes de son propre piano, comme le pianiste le faisait en ce moment… Ah oui ! Ivan Solveye était à n'en pas douter un homme sensible et tendre. Un homme à la fois fort et doux qui avait réussi à se sortir des ténèbres dans lesquelles le destin l'avait plongé. Un grand homme.

Quand il se releva, elle remarqua des larmes perler au coin de ses yeux. Elle se sentit fondre.

— Dans cette musique, Marjolaine, se trouve l'histoire de ma vie.

— Oui, je le sais. Je l'ai compris en lisant votre livre. Et je viens de le sentir en vous écoutant jouer. C'est tellement, tellement émouvant…

Sans même s'en rendre compte, elle le tutoya ensuite en posant sur son épaule une main amicale.

— Je te comprends. Je sais ce que tu as vécu d'effroyable et comment ces sons divins t'ont tiré du désespoir. Je ne réussis pas à jouer aussi bien que toi, mais je partage ta passion. Moi aussi, il m'arrive de me consoler ou de réparer mes désillusions sur le piano, mais encore davantage sur le papier. Là, je me sens réellement dans mon élément.

Elle n'en dit pas davantage, préférant se réfugier dans le silence.

Combien de temps se regardèrent-ils ainsi, complices à travers le brouillard des larmes, habités par l'éloquence de ce silence ? Une minute ? Dix minutes ? Une heure ? Marjolaine n'allait pas se le rappeler. Elle ne se souviendrait que de deux bras à la peau chaude et douce, l'enveloppant et l'emportant lentement jusqu'en un lieu de délices et de partage. Un lieu de libération, sous un baldaquin de soie bleue, où elle ne refusa pas de perdre la tête pour s'envoler jusqu'au nirvana.

Quand, le lendemain matin, Marjolaine ouvrit les yeux, elle éprouva aussitôt des remords. Si elle avait trompé son mari, c'était la faute de ce maudit vin dont elle avait abusé. Elle n'aurait pas dû, elle la sage et la fidèle…

Un soleil radieux miroitait et traçait des traits lumineux sur la soie des rideaux. Un autre jour se levait. Comment allait-elle le dessiner, le remplir, ce jour qui pourrait bien, si elle le voulait, devenir un tournant de sa vie ? Tout lui était-il permis ? Hier, l'épouse soi-disant honnête et transparente avait triché. Pour la première fois en vingt-trois ans de mariage, elle avait enfreint les règles du jeu. Et facilement en plus ! Sans se poser de questions, sans même hésiter une seconde. Aussi facilement qu'elle avait menti, sans remords et sans regret, au policier qui la questionnait, le mois dernier, au sujet de sa voiture cabossée.

Mais cette fois ? Elle n'avait donc plus de sens moral ? Marjolaine Danserot, en ce petit matin d'été ensoleillé, ne valait guère mieux que le prêtre de son roman, étouffant sa conscience pour se permettre de tricher au nom de l'amour. Elle le comprenait et l'excusait, pourtant, son personnage. Et alors ? Elle, était-ce vraiment par amour pour Ivan Solveye qu'elle avait triché, hier, comme elle avait menti l'autre jour, par amour, pour sauver « son coquin de Rémi » ?

L'amour, l'amour… Comment peut-on parler d'amour quand on connaît quelqu'un depuis à peine quelques heures ? Quelle folie, cela n'avait aucun sens ! Non, elle n'aurait pas dû. Et si ce coup de foudre ne s'avérait qu'un simple feu de paille, hein ? Le flirt d'un soir ? Un batifolage, quoi !

C'était si bon, pourtant. C'était trop bon ! Et plus que le plaisir physique, ce sont le rapprochement, la compréhension, la complicité entre eux, la fusion de leurs âmes autant que celle de leurs corps qui les avaient emportés. Jamais elle ne s'était sentie aussi proche de quelqu'un, jamais elle n'avait pénétré aussi profondément dans le jardin secret d'un être humain. En un court intervalle de temps, Ivan s'était livré à elle autant qu'elle s'était donnée à lui. Totalement. Radicalement. À tout le moins, elle l'avait cru.

Mais… si elle se trompait ? Si tout cela résultait uniquement de son imagination ? Cette fusion n'en constituait peut-être pas une, après tout. Il pouvait s'agir d'une vulgaire et banale aventure d'un soir comme en vivaient des millions d'hommes et de femmes sur la planète. Quelle naïve elle faisait !

Elle se retourna tranquillement entre les draps et tendit le bras pour toucher, du bout du doigt, l'homme nu endormi à ses côtés. Cette chevelure d'ébène, cet épiderme lisse et ambré, cette poitrine velue, comme elle avait envie de s'y blottir de nouveau ! Quoiqu'il arrive, elle comprit alors que sa vie ne serait plus jamais la même. Pourtant, dans moins de deux heures, elle l'aurait quitté, cet homme, et elle ne le reverrait probablement plus jamais. La réalité les rattraperait bientôt, tous les deux, ils n'avaient pas le choix.

Ce choix, Ivan le lui offrit quelques minutes plus tard, après l'avoir embrassée tendrement, aussitôt réveillé.

— Dis donc, Marjolaine, si tu restais en Europe une semaine de plus ? On pourrait se balader ici et là en Suisse, et se rendre ensuite à Dubrovnik où je dois jouer en récital, la semaine prochaine. Tu pourrais alors m'accompagner là-bas. La présence d'une amie me donnerait peut-être la force de passer à travers cette épreuve, car je retournerai en Croatie pour la première fois depuis mon exil, il y a tant et tant d'années. Tout cela m'énerve beaucoup, je t'avoue. De te sentir près de moi m'aiderait sans contredit.

— Tu réclames une maîtresse pour t'accompagner, si je comprends bien ! Tu oublies, mon pauvre Ivan, que je suis une femme mariée. Une femme fidèle, en plus ! Jamais je n'ai trompé mon mari sauf... la nuit dernière ! Mon monde à moi se trouve là-bas, au Québec. Ma famille, mes enfants, mes amis, mon travail. Tout mon univers, quoi !

— Tu te trompes, Marjolaine. Je ne vois en toi ni une maîtresse ni une amante, pas même une amoureuse, en dépit de ce qui s'est passé la nuit dernière. Pour l'instant, tu es simplement devenue pour moi une amie adorable avec qui j'ai envie de partager certaines choses. Rien de plus. Je vais te faire une confidence : jamais, depuis mes vingt ans, je n'ai réussi à aimer sérieusement et définitivement une femme. Crois-moi, j'ai consulté des psychologues et suivi de nombreuses thérapies, mais rien n'a jamais été réglé. Je n'arrive pas à m'attacher de peur de trop souffrir advenant le cas d'une rupture. La perte brutale de tous les miens, en Croatie, a laissé en moi d'affreuses cicatrices qui n'ont jamais guéri. Oui, j'ai peur de l'amour… Voilà pourquoi j'ai été interpellé quand, dans ta lettre, tu m'as parlé de simple amitié. Je ne sais pas ce qui m'a pris, hier soir, de monter à ta chambre… Je n'avais rien projeté de tout ça, crois-moi.

— Oh! mon pauvre Ivan…

— Tu sais, Marjolaine, pour rien au monde je ne voudrais détruire ce qui t'est cher et précieux. Alors, dis-moi de m'en aller, ordonne-le-moi et je vais partir. Tout de suite. Et le plus tôt sera le mieux! Et je vais déchirer ta lettre, et je ne lirai pas tes livres, et je ne jouerai plus *Jésus, que ma joie demeure.* Et je vais prier Dieu pour arriver à tout oublier. À t'oublier. Mais si tu as envie d'une semaine de congé, d'une semaine un peu folle, d'une semaine de totale liberté qui n'appartient qu'à toi-même, d'une semaine de plaisir sans songer au lendemain, je t'emmène.

Marjolaine ne savait comment réagir, submergée par le sentiment de se trouver dans une impasse. Elle disposait de si peu de temps pour réfléchir! Ivan lui paraissait sincère, mais sa proposition semblait tout de même étrange. Peut-être avait-il raison. Après tout, dans la réalité, ils habitaient aux antipodes l'un de l'autre. De toute évidence, leur histoire n'irait pas loin. Et ce matin, elle n'avait pas envie de le voir partir à jamais. Par contre, elle n'avait pas envie, non plus, de risquer de perdre sa famille au nom d'une simple aventure qui ne tournerait probablement à rien. Comment savoir? Et comment prendre, en l'espace d'une heure, une décision qui risquait de faire basculer la vie de tous les siens? Si jamais Alain apprenait cela…

Au cours de sa jeunesse, Marjolaine avait maintes fois entendu sa mère prononcer une certaine phrase : « Tu n'as qu'une vie à vivre… Profite de ce qui passe ! » L'heure avait-elle sonné de mettre cette consigne en pratique ? À bien y songer, pour « profiter de ce qui passe », risquait-elle vraiment la casse et le grabuge dans sa famille ou bien se payerait-elle simplement du bon temps sans conséquence durant quelques jours ? Ivan vivait en Europe et il n'existait aucune possibilité d'avenir pour eux deux, aucun doute là-dessus ! Ah ! si au moins sa mère se trouvait là pour la conseiller… Hélas, la mort l'avait attrapée prématurément, et c'est convaincue « qu'elle avait au moins pu profiter un peu de ce qui avait passé » que Marjolaine, au seuil de la vingtaine, s'était consolée de cette lourde perte.

Et maintenant, comment accepter cette proposition d'une semaine d'aventure quand elle connaissait à peine Ivan, même si elle voyait en lui un homme adorable ? Adorable musicalement, oui, adorable socialement, oui, adorable au lit, oui, mais ensuite ? La vie quotidienne, les ambitions, les intérêts, les obligations, les projets, les décisions à prendre, l'équilibre, le sens des responsabilités, les contraintes, sans oublier les manies, les défauts, les migraines, les sautes d'humeur, les malentendus, comment gérait-il tout cela ? Au fond, qui était vraiment Ivan Solveye ?

« Allons, ma vieille, il ne s'agit pas de prendre ce matin une décision définitive pour les prochaines années de ta vie, que diable ! Pour le moment, Ivan te propose seulement quelques jours de voyage, pourquoi ne pas accepter ? Ces jours-là te permettront de te retrouver toi-même loin de tes devoirs matrimoniaux et maternels, et même professionnels. "Une semaine de congé", a-t-il dit. Grâce à l'éloignement, tu pourras même réfléchir sur ton existence, déterminer certaines choses, évaluer, analyser, doser, anticiper. Comparer même ! Tu n'as qu'une vie à vivre, Marjolaine Danserot.

Une semaine de plus ou de moins hors de chez toi ne déclenchera pas la fin du monde. Ni pour toi ni pour les tiens. Tes trois hommes ne vont pas mourir pour ça, hein ? Tu as bien fait sauter la clôture au vicaire Émile de ton roman, pourquoi ne le ferais-tu pas toi-même ? À ton tour de profiter de ce qui passe, tu verras bien après ! Sinon, tu risques de le regretter pendant le reste de ta vie ! »

— À quoi songes-tu ? La décision te paraît-elle si difficile à prendre ?

— Non, Ivan, elle est presque prise. Ne bouge pas, je reviens dans cinq minutes.

Sans en ajouter davantage, elle enfila sa robe de chambre et descendit au rez-de-chaussée pour composer un numéro de téléphone inscrit dans son carnet.

— Vous n'aurez pas à me conduire à l'aéroport ce matin, madame Berthe. Une de mes amies m'a fait la surprise, hier, de venir me rejoindre ici avec sa voiture.

— Ah… voilà qui explique tout ! J'ai bien remarqué la présence d'une voiture dans le parking lors de mon retour, hier soir. Mais il se faisait très tard et le château baignait dans l'obscurité, alors je n'ai pas osé vous téléphoner.

— Cette amie va s'occuper de moi. Au revoir, et merci encore, madame Berthe. Et comptez sur moi pour vous envoyer le deuxième tome de ma trilogie dès mon retour au Québec.

Il n'était que huit heures du matin. À cause du décalage horaire, Marjolaine décida d'attendre avant d'appeler Alain pour l'informer qu'elle ne serait pas sur le vol de Swiss Airlines en provenance de Genève aujourd'hui. Des amis l'invitaient à prolonger son séjour.

Elle rentrerait la semaine prochaine et l'aviserait ultérieurement de la date et de l'heure.

De retour à sa chambre, elle se jeta dans les bras d'Ivan et enfouit sa tête contre son épaule en espérant qu'il ne remarquerait pas ses yeux humides.

— Il ne nous reste plus beaucoup de temps pour quitter Manuello, Ivan, en souhaitant qu'il ne vienne pas à l'idée de madame Berthe de surveiller notre passage devant sa maison afin de voir de quoi a l'air la copine dont je viens de lui parler ! Elle ne doit pas découvrir qu'un homme m'emmène en cavale vers… Où disais-tu, donc ? Une petite plage agréable sur le bord du lac Léman ? Pourquoi pas ?

CHAPITRE 12

La nature, comme si elle avait voulu participer à l'enchantement de ce samedi, avait paré la bordure du lac Léman de mille fleurs sauvages s'agitant dans la brise légère. Sur les eaux bleues légèrement ridées s'éclataient de chauds rayons de soleil. De l'autre côté, on pouvait apercevoir la cime des Alpes festonnant l'horizon sur un fond d'azur transparent. Plus près, tout juste devant la petite plage, un magnifique cygne blanc glissait gracieusement.

— Oh! Regarde le cygne qui s'approche. Viens!

Ivan s'empara de la main de Marjolaine et l'entraîna vers le lac.

— Non, il ne faut pas! Nous allons l'effrayer et il va s'éloigner.

— Si on avance doucement, il ne va pas s'enfuir, tu vas voir!

Ils nagèrent côte à côte sans faire trop d'éclaboussures et sans prononcer une parole. Effectivement, le majestueux oiseau, à peine méfiant, se laissa approcher par les deux baigneurs comme s'il acceptait volontiers de les saluer. Marjolaine en eut le souffle coupé.

Tant de beauté, tant de pureté… Et Ivan qui lui souriait tendrement… Le paradis, s'il existait, devait ressembler à cela!

Toutefois, elle ne se trouvait pas au paradis. D'ici moins d'une heure, elle serait dans l'obligation de dénicher une cabine téléphonique pour aviser son mari de ne pas l'attendre à l'aéroport de Montréal, en fin d'après-midi. Comment allait-il réagir? Cette seule pensée la ramena sur terre dans tous les sens du terme. Elle pivota pour se diriger vers la rive, au grand étonnement de son compagnon.

Tant qu'elle n'aurait pas parlé à Alain, elle ne se sentirait pas vraiment libre, paradis ou non! Elle jeta un œil sur le cygne comme si elle voulait enregistrer dans sa mémoire l'image du magnifique oiseau blanc à l'arrière-scène et, émergeant de l'eau dans le même cadre, le visage d'un homme extraordinaire. Elle se promit de conserver ce tableau en elle comme le symbole du nirvana.

— Hé! Que fais-tu, Marjolaine? Tu n'aimes pas nager en compagnie d'un pianiste et d'un cygne?

— Au contraire, Ivan, j'aime trop cela! Mais je dois appeler au Québec, et je me sens un peu nerveuse. Peux-tu comprendre ça?

— Évidemment que je te comprends! Viens, je connais un petit bistrot pas très loin d'ici, sur la plage. Ils doivent sûrement posséder un téléphone public. Et on en profitera pour prendre une bouchée, qu'en penses-tu, mon amour?

Pour la première fois, il l'appelait «mon amour» et, pour le moment, cela chatouillait la conscience de Marjolaine. Ne lui avait-il pas parlé d'amitié, ce matin même? Elle se rassura en se disant qu'Ivan avait probablement l'habitude d'interpeller ainsi, sans arrière-pensée, toutes les femmes avec lesquelles il partageait momentanément les gestes d'amour charnel. N'empêche, elle aurait préféré ne pas l'entendre utiliser ce genre de mots même s'ils avaient réservé une chambre, pour la nuit suivante, à l'auberge dont avait parlé Ivan.

— Ça nous permettra d'explorer les alentours pendant un jour ou deux. Après, on verra.

Il avait raison. Après, Marjolaine verrait bien si le feu de paille flambait toujours. Toute cette histoire lui paraissait trop impressionnante pour être vraie. Il ne fallait pas sauter les étapes. Tout d'abord, appeler Alain et l'évincer, en quelque sorte, pour la semaine lui permettrait sans l'ombre d'un doute de se rendre plus disponible psychologiquement envers son prétendant. Puis, connaître davantage Ivan primait plus que n'importe quoi. La suite s'imposerait bien d'elle-même plus tard.

Cependant, elle ne mit pas de temps à se raviser. Pourquoi tant rationaliser et établir des étapes ? Pourquoi, surtout, songer déjà à « l'après » ? Existait-il des étapes dans les belles histoires d'amour ? Les coups de foudre, ça arrivait à d'autres, non ? Et était-ce si important d'y apporter une suite ? Elle ferait mieux de considérer cette liaison, tel que semblait le vouloir Ivan, comme une vague amourette de quelques jours, sans plus. Une éclaircie dans son existence, un coup de soleil bien plus qu'un coup de foudre. Un moment pour « profiter de ce qui passe », rien de plus ! « N'est-ce pas, maman ? » Un moment sans suite…

Quelques instants plus tard, assise sur la terrasse devant un pichet de bière glacée, Marjolaine biglait la cabine téléphonique située sur le côté du bistrot. Treize heures, donc sept heures du matin au Québec. Si elle ne voulait pas manquer son mari, elle ferait mieux d'appeler très tôt.

— Tiens, tu peux utiliser ma carte d'appel si tu veux, Marjo.

Elle remercia Ivan d'un simple signe de tête. En plus d'être sensible, le pianiste se montrait empressé et plein d'attentions. Quel homme, tout de même! Sauf qu'il venait de l'appeler à la manière d'Alain : Marjo. Ouf!

— Je vais faire le plus vite possible, ne t'inquiète pas, ça ne coûtera pas trop cher.

— Prends tout le temps nécessaire et oublie l'argent. Ça ne représente absolument pas un problème pour moi. Mes disques se vendent au-delà de mes attentes et de mes besoins.

Elle composa le numéro d'une main tremblante en se trompant par deux fois. Finalement, elle reconnut sa propre voix sur le répondeur. Convaincue qu'Alain dormait encore, elle recommença à plusieurs reprises, fit d'inutiles tentatives sur le téléphone cellulaire de son mari, se réessaya à la maison, mais dut, au bout du compte, se contenter de laisser un message sur le répondeur.

— Désolée et bien déçue de ne pouvoir te parler, Alain. J'appelle pour te dire de ne pas aller me chercher à l'aéroport aujourd'hui, comme prévu. Ne t'inquiète pas, il ne m'arrive rien de grave. Au contraire, un voyage s'organise à la dernière minute pour visiter la Suisse, et j'ai décidé d'y aller. Je reviendrai dans quelques jours seulement et je t'aviserai de mon retour à un moment donné, car mon billet d'avion n'est pas encore réservé. Je vais essayer de te joindre plus tard, mais j'ignore à quelle heure. Je t'embrasse et... à bientôt! Salue et embrasse bien Rémi et François pour moi.

Elle ne s'attendait pas à cette éventualité et se sentit dépitée. Alain avait le sommeil léger, il aurait dû répondre. Sinon, où donc se trouvait-il, un samedi matin, à cette heure? Aurait-il dormi ailleurs? Mais alors, à quel endroit? Chez sa mère? Chez sa sœur? Allons donc! Ça ne lui était jamais arrivé en vingt-trois ans de mariage! Peut-être prenait-il tout simplement une longue douche comme il aimait tant. Ah, c'était ça! Alain n'avait pas entendu la sonnerie parce qu'il se trouvait dans la salle de bain. Elle poussa un soupir de soulagement. Ce n'était que cela, elle aurait dû y penser avant.

Hélas, non, ce n'était pas que cela puisque la voix ensommeillée de Rémi répondit enfin, une heure plus tard, après de nombreuses autres tentatives d'appel.

— Allo, m'man. C'est toi qui fais sonner le téléphone comme ça à tour de bras? Papa? Je sais pas, moi! Il doit dormir en haut. Attends une minute.

Elle l'entendit déposer le combiné et monter hâtivement les marches de l'escalier jusqu'à la chambre des parents.

— Maman? Papa est pas là. Il n'a pas dû coucher ici, hier soir, parce que le lit n'est pas défait. M'en suis pas aperçu en revenant, cette nuit.

— As-tu une idée où il se trouve?

— Non, pas du tout. Qu'est-ce qui se passe?

— Je ne reviendrai pas de Suisse aujourd'hui, Rémi. Seulement la semaine prochaine. Un petit voyage s'est organisé à la dernière minute avec des amis, et j'ai accepté de suivre. Pourrais-tu en aviser ton père, s'il te plaît?

— OK. Si je le vois…

— Et toi, mon amour, comment vas-tu? Tu ne prends donc pas tes courriels? Tu n'as pas répondu une seule fois à mes messages depuis mon départ.

— Oh… ça va pas pire…

— Tu travailles toujours?

— Euh… non, je vais plus au garage. Mais le père d'une fille que je connais va peut-être me prendre sur son chantier de construction à partir de la semaine prochaine.

— Tu ne vas plus à la station-service! Mais… pourquoi?

— Ben… c'était plate et…

— RÉMI, DIS-MOI LA VÉRITÉ!

— Ben… Le patron m'a mis à la porte, c'est tout!

— Je veux et j'exige de savoir la vraie raison, Rémi!

— C'est pas de ma faute. J'étais en train de fumer, euh… de fumer un joint avec deux amis à l'intérieur de la station, à trois heures du matin, quand un client est arrivé, le premier depuis plusieurs heures, il faut dire. Le type a porté plainte au patron parce que j'avais mon joint allumé en lui servant de l'essence. Un vrai fou, je te dis!

— Ah, Seigneur! Je ne suis pas encore revenue que les problèmes me rejoignent déjà de l'autre côté de l'Atlantique! Mais à quoi as-tu pensé, Rémi Legendre, pour l'amour du ciel? Tu aurais pu causer une grave explosion. Quant à la maudite drogue… Quand donc vas-tu…? Et puis non! Je n'ai pas envie de parler de ça en ce moment.

— …

— Bon. Tu n'oublies pas de faire la commission à ton père ou de lui laisser un message sur la table si tu quittes la maison, hein? Je t'embrasse, mon grand. Et de grâce, reste sage! On se revoit la semaine prochaine, d'accord?

D'heure en heure, Marjolaine multiplia ses appels sur le portable d'Alain et, d'heure en heure, l'euphorie de l'avant-midi se dégonfla pour se transformer petit à petit en angoisse. Que se passait-il donc ? Rémi avait cessé de prendre les appels à la maison et Alain ne répondait nulle part.

Ivan avait beau se montrer empathique et de belle humeur, rien n'y faisait. Même le cygne du lac et les canards apprivoisés que le pianiste prenait plaisir à attirer sur la plage avec des bouchées de pain ne suffisaient pas à lui changer les idées. À peine si Marjolaine ébaucha un vague sourire d'amusement quand il se demanda, à haute voix, si les canards suisses cancanaient en français, en allemand ou en italien.

Elle ne s'expliquait pas cette difficulté à prendre contact avec son mari le jour même de son retour à Montréal, d'autant plus qu'ils ne s'étaient pas parlé depuis plus de deux jours. Elle en déduisit que quelque chose d'anormal se passait, de toute évidence.

L'heure du souper approchait à grands pas quand Alain répondit enfin sur son portable. Ouf ! son mari vivait encore ! Marjolaine fit rapidement le calcul : selon l'horaire prévu, son avion devait avoir atterri depuis environ une heure s'il avait respecté le programme. Alain devait donc se trouver présentement dans la salle des arrivées internationales de l'aéroport Pierre-Elliott-Trudeau.

— Alain ? Enfin, ce n'est pas trop tôt ! J'ai essayé de te joindre durant toute la journée.

— Allo, Marjo. Où te trouves-tu donc ? Des passagers de la Swiss Airlines ont commencé à sortir du service des douanes, mais je ne te vois nulle part. En as-tu encore pour longtemps ?

— Pour au moins une semaine, Alain. Rémi ne t'a rien dit ?

— Rémi ? Non, je ne l'ai pas vu aujourd'hui. Tu me niaises ou quoi ?

— Non, je ne te niaise pas, je te parle du bord du lac Léman, en Suisse. J'ai essayé de t'appeler au moins dix fois, depuis ce matin, mais tu n'as jamais répondu.

— La pile de mon cellulaire était morte, et je ne me trouvais pas à la maison. Alors… tu as manqué ton avion ?

— Oui, volontairement. Une petite tournée d'une semaine s'est organisée, et j'ai accepté d'y aller. Pourquoi pas ? Tant qu'à avoir déjà les pieds sur le continent européen… Il faut prendre ce qui passe, n'est-ce pas ? Mais toi, Alain, où étais-tu aujourd'hui ? Je n'ai pas eu de nouvelles de toi depuis jeudi. Tu vas bien ?

— Ça va… Je suis allé passer la journée d'hier chez Bernard pour organiser nos plans de chasse de l'automne prochain.

— Bernard ?

— Tu sais, le cultivateur propriétaire de nombreuses terres en Montérégie, chez qui je vais chasser avec mes amis depuis plusieurs années ?

— Tu m'en as souvent parlé, mais je ne l'ai jamais rencontré.

— Il m'a offert de dormir chez lui après le souper. On avait passablement bu et… Je suis parti de là, cet après-midi, pour me rendre directement te chercher à l'aéroport.

— Eh bien, mon cher, tu vas devoir revenir à Trudeau la semaine prochaine. Je vais réserver mon billet au plus vite, et je t'aviserai par courriel dès que je connaîtrai le numéro de vol et mon heure d'arrivée, car ce sera difficile de nous parler au téléphone durant les prochains jours.

— D'accord.

— Je compte sur toi pour t'occuper de Rémi, hein ? Il ne m'a pas donné de très bonnes nouvelles, ce matin. Il a perdu son emploi.

— Ah oui ? Je ne le savais pas. T'en fais pas, je vais y voir. Passe une belle semaine. Salut !

La ligne se referma aussitôt et le clic brutal eut l'effet d'une gifle au visage de Marjolaine. C'était donc tout ce qu'il avait à lui dire, le scélérat ? Des « Où vas-tu aller cette semaine, ma chérie ? », des « Je suis si content pour toi. Amuse-toi bien ! » et des « Tu me manques énormément, je t'aime… », elle pouvait mettre une croix là-dessus. L'idée de ne plus former qu'un vieux couple indifférent avec Alain explosa dans sa tête comme une véritable bombe.

À bien y songer, si un puissant coup s'était produit depuis la veille, c'était bien davantage celui-là que le coup de foudre avec Ivan Solveye ! Un coup assommant, un coup destructeur. Si le manque d'intérêt n'avait fonctionné qu'à sens unique, ces dernières années, le contexte actuel, lui, venait à cette minute précise de prendre un virage drastique et de niveler les enjeux. Ah, Alain se fichait d'elle ? Après tout, elle aussi le pouvait ! Et royalement !

Quand elle revint s'asseoir auprès d'Ivan, au restaurant de l'auberge, elle glissa doucement sa main dans la sienne.

— Je viens de tout régler. Je peux maintenant passer quelques jours en paix avec toi.

CHAPITRE 13

— Eh bien, Marjolaine, as-tu des envies, des désirs, des idées, des préférences pour occuper les prochains jours ?

— Euh… je n'ai pas eu le temps d'y penser vraiment, mais j'aimerais bien connaître la Suisse davantage.

— Parfait ! Cependant, il me faut d'abord t'informer de mon obligation d'arriver en Croatie au moins trois jours avant mon récital, question de me reconnecter avec le piano et de me remettre en forme. Un jour sans répéter ne laisse pas de traces ; après deux jours, le pianiste s'aperçoit lui-même de l'effet pervers de son inertie ; au bout de trois jours, un public avisé peut facilement s'en rendre compte ! Il nous reste donc trois ou quatre jours pour partir à la conquête de l'Helvétie.

— De l'Helvétie ?

— Mais oui, c'est l'ancien nom de la Suisse.

— Ah bon. Et tu veux vraiment m'emmener à Dubrovnik avec toi ?

— Certainement! Tu pourras faire du tourisme ou aller à la plage pendant que je m'entraînerai à l'Académie de musique où je recevais mes leçons de piano durant ma jeunesse. J'y ai réservé un studio pour ces jours-là. Je... je ne sais pas comment te dire cela, Marjolaine, mais ta présence à mes côtés en Croatie m'aidera sûrement à renouer avec mon pays. Que je le veuille ou non, de pénibles souvenirs ressurgiront et réveilleront forcément des souffrances anciennes. Si tu es là, à me tenir la main, je me sentirai moins seul, puisqu'une grande amie m'accompagnera.

Tiens, tiens. Ivan, le soi-disant solitaire, parlait de nouveau d'amitié et ne l'appelait plus « mon amour » comme il l'avait fait quelques heures auparavant. Elle ne s'était pas trompée : il avait probablement la fâcheuse manie d'user sans prétention de cette expression avec ses partenaires de lit. Perplexe, Marjolaine soupira. Dans quoi avait-elle donc accepté de s'embarquer? Il proposa d'effectuer une virée en automobile pour visiter la Suisse et de se rendre par la suite à Dubrovnik en avion à partir de Genève. Ils pourraient laisser la voiture à l'aéroport et la récupérer au retour, le lendemain du récital. Marjolaine renchérit en précisant que, déjà sur place, elle pourrait s'envoler directement vers Montréal le même jour, si cela s'avérait possible, tandis qu'Ivan, lui, reprendrait la route vers Paris.

Ils décidèrent donc de réserver aussitôt, par Internet, tous leurs sièges à l'avance : deux allers-retours Genève-Dubrovnik et un départ pour le Canada le jour du retour de Croatie. Ivan insista pour assumer tous les frais, malgré les protestations de Marjolaine.

— Je te répète que l'argent ne pose pas de problème pour moi. Laisse-moi donc te dorloter.

Aussitôt dit, aussitôt fait! Une heure après la fin du souper, un courriel partait, adressé à Alain Legendre :

De retour le 1er août, quatorze heures dix, vol Swiss Airlines, numéro 552 en provenance de Genève. Bonne semaine !
Marjolaine.

Point final. Elle se répéta « point final » plusieurs fois en se mordant les lèvres. À partir de ce moment précis, elle se sentit libre, libre comme le vent. Elle venait enfin de renaître. Comme s'il saisissait l'état d'âme de sa compagne, Ivan s'approcha et passa ses bras autour d'elle par-derrière, pendant qu'elle pianotait encore sur le clavier de son ordinateur portable déposé sur le bureau de leur chambre. Il commença alors à la bécoter dans le cou et à lui caresser doucement les seins.

— Viens, Marjo, nous allons célébrer cela. Que la fête commence !

Marjo ! Il l'avait encore appelée Marjo ! Elle serra les dents, mais ne put s'empêcher de sourire quand elle le vit se redresser et commencer à chanter d'une voix de stentor, avec emphase et main sur le cœur, « Una furtiva lagrima » de l'opéra italien *L'élixir d'amour* de Donizetti. C'est dans un grand fou rire qu'ils se jetèrent sur le lit pour une torride nuit d'amour.

Comme ils ne devaient pas trop s'éloigner de Genève, les tourtereaux prirent le parti d'aller fouiner au sud du pays, à la suggestion de Marjolaine. Bien sûr, Ivan ne connaissait pas le terme « fouiner », pas plus que bien d'autres d'ailleurs. À l'instar des bénévoles de Manuello, il s'amusait de ses expressions québécoises, mais, contrairement à ces femmes, il s'appliquait à les retenir et même à les glisser parfois dans la conversation. L'écrivaine, ravie, se mit à lui enseigner les vieilles chansons classiques du répertoire québécois.

Le premier jour du voyage, en voiture durant des heures sur les corniches vertigineuses ou dans les tunnels traversant les montagnes, des chansons de Leclerc, Vigneault, Ferland aussi bien que des chansons plus actuelles retentirent à l'intérieur de la Citroën rouge dont les passagers heureux et joyeux s'en donnaient à cœur joie. Ivan, lui, chantait des airs d'opéra qu'il connaissait davantage que les chansons de son ancienne patrie.

D'un trait, ils se rendirent d'abord à Lucerne, où ils firent un pique-nique sur le bord du lac des Quatre-Cantons. Baguette de pain, pâté de campagne, saucisson, fromage, salade, le tout arrosé d'un excellent vin blanc sec. Et pour dessert? Du chocolat, évidemment! D'un commun accord, on décida d'éviter les musées et autres sites touristiques, et d'en rester plutôt à la nature, grandiose dans cet admirable pays de lacs et de montagnes.

Ils firent donc une longue promenade en bordure du lac et s'attardèrent sur le *Kapellbrücke*[5], vieux pont couvert, orné des plus jolies boîtes à fleurs du monde et sous lequel voguaient des dizaines de cygnes gracieux. Marjolaine ne cessait de tout photographier, voulant fixer à jamais ces précieux moments de bonheur pour ne pas les oublier. Un passant aimable offrit de prendre le couple en photo. Ils se rapprochèrent donc l'un de l'autre, et elle posa spontanément sa tête contre l'épaule du pianiste en souriant de toutes ses dents.

Toutefois, une pensée amère surgit soudain dans son esprit, jetant un pavé dans la mare : « Surtout ne pas oublier de faire un sérieux tri dans mes photos avant de les montrer à la famille ! » Elle repoussa bien vite cette idée comme on chasse un maringouin emmerdeur.

———
5. Pont de la Chapelle.

Le lendemain, après un court arrêt à Interlaken, ils traversèrent, toujours en chantant, une magnifique vallée dans laquelle ils prirent d'abord un premier téléphérique, puis un train, et encore une autre cabine suspendue à un câble aérien qui les fit grimper jusqu'au mont Schilthorn, à près de trois mille mètres d'altitude, vers l'un des plus hauts toits de l'Europe. Malgré un léger essoufflement dû à l'altitude, Marjolaine s'enthousiasma devant le panorama fantastique ouvert sur les massifs de la Jungfrau, du Jura et du Mont-Blanc. L'immensité silencieuse, l'immobilité des blocs rocheux et la force prodigieuse qui s'en dégageait, la beauté des neiges éternelles brillant au soleil, tout cela la remuait jusqu'au fond de l'âme. Elle se sentait emportée dans une autre dimension, vers un ailleurs hors de la vie ordinaire, un univers où n'existaient que la beauté à l'état pur et l'amour naissant, aussi ardent qu'insensé, de celui qui partageait son exaltation et son ravissement.

— Je capote!

Bien sûr, l'expression fit rire le pianiste.

— Moi aussi, ça me fait kiffer!

— Kiffer, hein? Dois-je en conclure que tu tripes?

— D'accord, madame la Québécoise, tu gagnes la partie. Tu tripes et tu capotes alors que moi, je ne fais que kiffer. Mais rira bien qui rira le dernier. Attends que nous arrivions à Zermatt. Là, non seulement tu vas kiffer, ma belle, mais tu risques d'être mordue de la tarentule[6]!

— Quoi! Il y a des tarentules en Suisse?

— Mais non, je badine! Je galèje, quoi!

---

6. Être agité en parlant d'une personne.

Il avait raison. Ils traversèrent de nombreux cols pour se rendre à Visp sur une route en lacets qui arracha des cris de frayeur à la passagère de la voiture. Elle préféra le train, unique moyen de transport pour les conduire à Zermatt, petite ville isolée dans les montagnes vers laquelle aucune route ne mène. De là, ils prirent un train à crémaillère jusqu'en haut du Gornergrat avec le Matterhorn[7] comme toile de fond.

— Pince-moi encore, Ivan, je dois rêver. C'est trop beau, plus que je peux en absorber.

— Je te l'avais dit que tu carporterais…

— Capoterais, Ivan, ca-po-te-rais. Pas carporterais !

Ils décidèrent alors de partir sur un sentier à la recherche d'edelweiss, ces petites fleurs blanches cotonneuses qui poussent dans les Alpes à une altitude de plus de mille mètres. Ils marchèrent quelques heures, en silence, avec le sentiment de se trouver tous les deux seuls au monde. S'ils découvrirent une multitude d'autres petites fleurs, ils ne repérèrent aucun edelweiss.

— Ce n'est probablement pas la saison. Il faudra revenir, crut bon d'ajouter Ivan en guise de consolation.

Un peu fatigués, ils s'assirent un moment sur une énorme roche plate pour contempler le décor. Le spectaculaire Matterhorn pointait sa crête enneigée en forme de triangle vers le ciel d'un bleu intense.

— On dirait une flèche indiquant le chemin du ciel. Si le paradis existe vraiment quelque part, il doit ressembler à ce lieu, tu ne crois pas, Ivan ?

---

7. Le mont Cervin, côté français.

L'homme s'arrêta net et regarda longuement Marjolaine au fond des yeux. Puis, il devint tout à coup sérieux et lui posa la dernière question à laquelle elle s'attendait.

— Es-tu croyante, Marjo ?

Elle hésita un instant avant de répondre, peu habituée à livrer ce genre de confidences.

— Je ne sais pas trop, ça dépend des jours. Chose certaine, j'envie ceux qui ont la foi, une foi solide et inébranlable. La vie doit leur paraître plus facile. Plus acceptable, en tout cas. Parfois, je sais, je sens l'existence de Dieu, mais d'autres fois, non ! Je deviens la plus athée des athées ! D'ailleurs, qui sur la planète terre peut se vanter d'avoir jamais vu et entendu Dieu concrètement ? Par contre, il arrive que je perçoive vraiment sa présence, à tout le moins sa réalité. Cela me vient comme ça, comme une évidence, et je ne peux y résister.

— Comment cela ?

— Cette soif d'Absolu, cette recherche instinctive de la Beauté parfaite, du Bonheur parfait, de la Justice parfaite, de la Vie qui ne meurt pas, cette quête de la Perfection poursuivie désespérément et souvent inconsciemment par chaque être humain depuis qu'il y a des hommes sur la terre… Tout cela m'impressionne. Hélas, aucun n'arrive jamais à atteindre cette harmonie parfaite à laquelle nous aspirons tous, chacun à notre manière, chacun selon nos croyances et nos religions. Cet Absolu doit bien résider quelque part, puisque nous le cherchons tous viscéralement. Où le trouver, sinon en Dieu ?

— Très juste ! Et que dire de cette conscience que nous avons d'exister, de vivre et de mourir ? Comment expliquer la lutte éternelle entre le bien et le mal ? Et pourquoi la souffrance ? Et la mort ?

Pourquoi la haine, les guerres, les luttes fratricides ? Pourquoi la maladie ? Pour quelle raison le lion doit-il tuer cruellement l'innocente antilope pour survivre ? N'a-t-elle pas le droit de vivre dans une Paix totale et éternelle, elle aussi ?

— Mon pauvre Ivan, ce n'est pas aujourd'hui, malgré cette rencontre avec la Beauté, que nous allons trouver la réponse à nos questions existentielles. Il m'arrive parfois, je l'avoue, devant certaines situations de ma vie ou même de la vie des autres, de me dire qu'un Dieu prétendument infiniment bon et tout-puissant ne pourrait permettre de telles aberrations.

— Tu as raison.

— Par contre... euh... Laisse-moi te raconter une anecdote. L'autre jour, dans le jardin de Manuello, je me sentais tellement bien, tellement heureuse. Mon travail d'écriture avançait merveilleusement, à tel point que j'ai senti mon âme s'élever et atteindre un niveau supérieur de conscience. J'avais l'impression de le vivre soudain, cet Absolu. Dieu se trouvait là, présent à côté de moi, et même en moi à cet instant précis, j'en ai été convaincue. Ne dit-on pas que l'homme, quand il devient créateur, ressemble à Dieu ? J'étais créatrice plus que jamais, à ce moment-là. Tout à coup, un papillon blanc, superbe et plein d'énergie, s'est mis à batifoler autour de moi. C'est fou, j'ai interprété cette apparition comme un signe de Dieu me disant, à sa manière : « Oui, je suis là ! » Ne ressens-tu pas cela, toi, Ivan, quand t'adonnes à la musique ?

— Marjolaine, tu as tout dit ! Moi aussi, je sens mon âme s'élever quand je joue du piano. Je la sens même rejoindre l'âme des compositeurs pourtant disparus depuis fort longtemps, quelques siècles pour certains. Pour moi et en moi, ces hommes vivent encore, et non seulement je traduis les émotions qu'ils ont intégrées dans leurs compositions, mais je les vis moi-même avant de les offrir aux auditeurs. J'ai l'impression étrange de recréer leurs œuvres.

Après un long moment de silence, ils s'allongèrent derrière un massif rocheux et firent l'amour avec la certitude que leurs gestes contribuaient à la part d'Absolu de cette merveilleuse journée. La naissance d'un amour presque parfait les inspirait… Ils remontèrent ensuite au chalet d'accueil du train à crémaillère, pour découvrir, juste à côté de l'édifice, une minuscule chapelle de rondins d'une centaine de mètres carrés de surface.

— Regarde, Marjolaine, tout près de la porte d'entrée de la chapelle, un papillon blanc virevolte dans tous les sens. Si on entrait ?

Ils pénétrèrent dans le petit espace imprégné d'une odeur d'encens et, sans même se concerter, allumèrent un lampion. Puis, ils restèrent debout pendant un long moment, muets et recueillis. À la sortie, Ivan manifesta son contentement.

— Après tout, si Dieu est là, il faut lui dire merci ! En regardant l'humble petite flamme que nous venons d'allumer, il pensera à nous.

Malheureusement, une sombre réflexion de Marjolaine les ramena bien vite à la réalité.

— Moi, je lui ai demandé pardon au lieu de lui dire merci. Moi, la femme infidèle…

— T'en fais pas, Marjo. Si ce n'est pas Dieu qui conclut notre histoire, ce sera le diable, voilà tout !

Ivan partit alors d'un grand rire et Marjolaine put retrouver sa sérénité.

De l'autre côté du chalet, un homme fit aussitôt diversion en les interpellant. Vêtu d'un costume folklorique, il tenait en laisse deux énormes chiens saint-bernards et sollicitait les touristes dans le but de leur vendre des photos.

— *Hey, sir! How about a nice picture of both of you with my dogs*[8] *?*

Ivan ne se le fit pas dire deux fois et entraîna sur-le-champ Marjolaine vers les chiens.

— Je suis allergique, mais qu'importe, si on se dépêche, je n'aurai pas de problème.

Quand elle l'entendit commander deux photos, ou plutôt deux copies de la même photo, elle se dit que le bonheur parfait n'existait pas effectivement, même en ce jour unique. Tout comme eux, avant longtemps, l'une des photos prendrait la route de Paris et l'autre, celle de Montréal.

Ce soir-là, le pianiste insista pour lire le manuscrit du troisième tome des *Exilés,* terminé aux deux tiers. Par mesure de sécurité, avant de quitter Manuello, Marjolaine l'avait justement imprimé pour en rapporter une copie papier, au cas où son ordinateur portable lui jouerait un vilain tour ou se perdrait en cours de route. Toutefois, les deux romans commandés à Paris par Ivan et choisis parmi ses premières œuvres n'avaient rien à voir avec la trilogie. Elle crut bon de le préciser.

— Si tu tiens absolument à le lire avant les deux premiers tomes, Ivan, j'aimerais bien avoir ton opinion sur l'histoire de mon personnage Émile, à la suite de notre conversation de cet après-midi.

Le pianiste lut les trois cents pages durant une bonne partie de la nuit. À quatre heures du matin, il se pencha au-dessus du lit et couvrit l'écrivaine à moitié réveillée de baisers passionnés.

---

8. Hé, monsieur! Que diriez-vous d'une belle photo de vous deux avec mes chiens?

— Dis donc, tu écris admirablement bien, ma chère ! Chacune de tes lignes est musicale, fluide et parfaitement rythmée. Quant à l'histoire et aux émotions qui en découlent, tu m'as arraché quelques larmes à plusieurs reprises, je l'avoue !

— Et… les aventures d'Émile ?

Elle appréhendait la réponse. Le Croate allait-il condamner l'union amoureuse et maritale inacceptable du prêtre, ou trouverait-il une solution, à tout le moins une excuse à son comportement ?

— Raconte-moi d'abord comment va se terminer le récit.

— Membre du clergé catholique, Émile va abandonner la prêtrise et se convertir à l'Église baptiste. Il pourra donc vivre sa vie avec son Antoinette puisque les pasteurs protestants ont le droit de se marier.

— Ah, je vois ! L'honneur est sauf.

— Pas autant l'honneur que la conscience d'Émile ! L'ancien prêtre ne portera plus sur ses épaules le fardeau de la tricherie et du manquement à ses engagements. Et il pourra rester fidèle à sa foi en même temps qu'à son amour…

— Génial ! Tu sauvegardes la morale, et ça finit bien ! Je n'avais lu de toi que ta lettre, mais j'ai hâte de lire tes autres romans, en tout cas, les deux premiers tomes de cette trilogie.

— Oui, certaines histoires finissent bien…

Elle faillit ajouter : « Et comment se terminera la nôtre ? », mais elle préféra se taire.

CHAPITRE 14

Quelques jours plus tard, dès leur arrivée à l'aéroport de Genève, Marjolaine remarqua un changement drastique dans l'attitude d'Ivan. Le gai luron était devenu taciturne et paraissait tendu comme un arc.

— Ce récital t'énerve-t-il à ce point, Ivan ?

— Le récital comme tel, pas du tout ! Mais de retourner dans mon pays me préoccupe énormément.

Elle avait beau tenter de le faire rire, le taquiner, multiplier les expressions québécoises qui l'amusaient habituellement, rien n'y faisait. Elle comprit que son amant était en train de se métamorphoser en jeune homme de vingt ans devenu orphelin et sur le point de rentrer à la maison après une longue escapade. Pour la première fois depuis toutes ces années, il allait non seulement revoir Dubrovnik, sa ville natale maintenant patrimoine de l'UNESCO, mais il rencontrerait des citoyens de Croatie, il reverrait aussi sa rue, sa maison, son école, l'académie où il avait étudié le piano, le parc près de la mer où il avait joué au ballon avec sa grande sœur.

Tout cela réveillerait en lui, bien sûr, de bons souvenirs de sa petite enfance, mais il risquait tout autant de revivre en pensée d'autres événements plus dramatiques et malheureux. Qui sait si les fantômes de ses parents et de sa sœur ne viendraient pas le hanter, certaines nuits sans étoiles… Marjolaine se secoua les épaules. De grâce, pas de fantômes encore!

Ce matin-là, une fois dans les airs, alors qu'ils étaient bien installés à l'arrière du petit avion à moitié rempli de passagers plutôt quiets, elle tenta de désamorcer la bombe qu'elle sentait sur le point d'exploser. Elle se creusa la tête pour poser des questions pertinentes dont les réponses auraient sans doute pour effet d'évacuer les tensions.

— Parle-moi, Ivan. Je t'en prie, vide-toi le cœur. Existe-t-il des chances de retrouver un membre de ta famille ou quelqu'un de ta connaissance à Dubrovnik? Je ne sais pas, moi, un copain ou une jolie conquête d'autrefois?

— Pas vraiment. À l'époque, je possédais une famille passablement réduite, limitée à mon père, ma mère, ma sœur et ma grand-mère. Tous les autres, mes oncles et tantes, cousins et cousines, habitaient la capitale, Zagreb. Comme nous disposions de peu de moyens de transport en ce temps-là, nous ne les fréquentions pas. Quant à mes deux professeurs de musique, lorsque j'ai téléphoné à l'académie pour réserver un studio afin de m'exercer durant les prochains jours, on m'a appris le décès de l'un d'eux. L'autre a émigré il y a une quinzaine d'années, paraît-il. Les amis qui m'ont hébergé lors de l'enlèvement de mes parents ont aussi quitté le pays et émigré je ne sais trop où. Quant à ma sœur et ma grand-mère, je te l'ai déjà dit: je n'ai jamais réussi à les retrouver. Non, Marjolaine, je n'ai personne. Plus personne…

Elle posa sa main sur son bras dans un geste de réconfort.

— Pauvre toi… Heureusement, rien ne t'empêche de t'y faire de nouveaux amis.

— Bof… Si on a invité Ivan Solveye, c'est seulement à titre de pianiste d'origine croate. Rien de plus. Personne ne peut deviner qui je suis réellement.

— Mais voyons! Tu oublies la publication toute récente de ton autobiographie! Et on l'a traduite en croate, m'as-tu dit. Tout le monde doit savoir maintenant qui tu es, allons donc!

— Marjolaine, je vais te confier un secret. En réalité, je m'appelle Franjo Penkala. À partir de la fameuse nuit de malheur où j'ai tout perdu, je n'ai jamais, au grand jamais, repris ce nom. Franjo Penkala est soi-disant mort en même temps que sa famille, comprends-tu ce que je te dis? J'ai quitté le pays avec un faux passeport au nom d'Ivan Solveye et, depuis ce jour, je m'en suis strictement tenu à ce pseudonyme. Et j'ai l'intention de continuer pour le reste de mes jours. À la longue, seuls des proches auraient pu reconnaître les traits de mon visage identifié sous cette fausse identité, mais ils sont tous morts ou disparus. À vrai dire, personne au monde ne connaît la vérité et ne sait que Franjo Penkala existe encore. De toute façon, j'ai beaucoup vieilli et, dans les médias, on ne montre que très rarement des gros plans du visage des pianistes. J'ai à peu près fait le tour de la planète, et nul n'a jamais découvert le subterfuge, à savoir que Solveye est en réalité le jeune Penkala disparu en 1991 et que tous ont cru mort. Et le destin a voulu que je ne revienne jamais ici pour me produire en concert.

— Pourquoi continuer à te cacher? La guerre est finie depuis longtemps, non?

— À vrai dire, j'ignore pourquoi, mais… c'est comme ça! Et ça doit rester comme ça, j'y tiens absolument.

— J'ai l'impression qu'en ce moment même, le jeune Franjo, euh… comment dis-tu ? Franjo Penkala risque de ressusciter et cela te fait peur. Est-ce que je fais erreur ?

— Non, tu ne te trompes pas. Mais toi seule au monde, Marjolaine, connais maintenant ma véritable identité. Pas une fois je n'ai confié mon secret à qui que ce soit depuis tout ce temps. Pas une seule fois… Si je t'en fais part, c'est parce que tu m'inspires confiance et surtout parce que… parce que je t'aime ! Je t'en supplie, ne me trahis jamais.

— Je t'en fais le serment solennel. Mais, Ivan, tu me connais seulement depuis quelques jours ! Tu m'aimes donc à ce point ? Ta confiance en moi me fascine, je n'en reviens pas.

— Je pense que oui, je t'aime à ce point. Pour la première fois de ma vie, j'aime une femme. Toi ! Mais… n'est-ce pas réciproque ?

— …

Confuse, Marjolaine ne savait que répondre. En effet, la confiance aveugle du Croate l'impressionnait. Oui, elle aimait cet homme, oui, elle se fiait à lui, mais elle ignorait jusqu'à quel point. Contrairement à lui, elle ne disposait pas d'une liberté totale et inconditionnelle, elle était habitée par d'autres amours, elle avait des engagements, des responsabilités, elle jouait un rôle important ailleurs, dans un autre univers, un autre pays. Comment se donner comme lui, sans retenue ?

Ivan se doutait de ses hésitations et ne lui laissa pas le temps de dire un mot.

— Je sais, je sais, Marjolaine, c'est fou, notre histoire d'amour ! Moi-même, je ne m'explique pas trop cela. La raison en est sans doute que l'on se ressemble et se comprend tellement bien, toi et moi. Et puis, tu as accepté si gentiment de m'accompagner ici. Je me rappellerai toujours notre première nuit d'amour sous le baldaquin et, ensuite, ce fantastique voyage dans les montagnes.

— Moi non plus, Ivan, je n'oublierai jamais.

— On se disait deux amis… Mais ce que je ressens pour toi représente bien davantage. Comment ne pas t'aimer? Ah, mon amour, mon amour, tout cela a provoqué en moi une explosion de lumière, comme si tu avais réussi à me parachuter dans une autre sphère de l'existence. Et il ne s'agit pas d'une question de couchette, tu peux me croire! J'apprécie tellement ta grandeur d'âme, Marjolaine, ton cœur généreux, ta transparence, ton écoute, ta façon de percevoir les choses de la vie, la confiance que tu m'as donnée sans trop me connaître. Pourquoi ne te rendrais-je pas la pareille?

Au comble de l'émotion, Marjolaine ne soufflait mot. Ivan poursuivit son discours d'une voix chevrotante.

— Rien ne t'oblige à me faire des aveux, mon amour. Je peux très bien comprendre tes scrupules. Ne t'en fais pas, le temps, ou plutôt le destin arrangera les choses. Juste ta présence à côté de moi en ce moment même, sur ce siège d'avion, me prouve tes sentiments à mon égard. Tu as vu l'homme en moi, et non le Croate au passé ténébreux, pas plus que l'exilé tapi derrière un nom d'emprunt ni même le grand pianiste adulé par tout le monde seulement à cause de son talent musical. L'homme derrière le musicien, on s'en fiche! Depuis mon départ, à vingt ans, de Dubrovnik vers l'Amérique et, ensuite, vers la France, j'ai vécu de crainte et de méfiance bien malgré moi, je te le jure! Méfiance inutile et sans fondement, je le sais, au fond.

— Tu venais de perdre tes parents et on avait brisé complètement ton existence. Qui ne deviendrait pas méfiant après une telle épreuve ? Cela peut facilement se comprendre !

— Vois-tu, Marjolaine, sans le savoir, tu m'aides à décanter cette peur. Une peur irraisonnable qui, à la longue, m'a pratiquement tué. Tu n'as pas idée de l'immensité de ma solitude, en dépit de ma popularité. J'ignore pour quelle raison cette frayeur me tenaille encore. Quand bien même on découvrirait mon identité, aujourd'hui, cela ne changerait absolument rien à ma présence dans le monde et au rôle artistique que j'y joue. J'en reste bien conscient ! La guerre est terminée depuis belle lurette dans mon pays, et les Serbes ne vont tout de même pas revenir pour m'assassiner parce que je leur ai échappé, une certaine nuit de 1991. C'est ridicule, tout ça, je devrais retourner chez un psy. Mais le fait de te savoir là, auprès de moi, mon amour, me sécurise pour mon passage dans ma ville natale. Cela change même tout le contexte de mon existence, croirais-tu ça ?

Marjolaine faillit répondre : « Mais je vais repartir, moi ! Que vas-tu devenir ? » Déroutée, elle avalait les paroles du pianiste comme un grand bol de bouillon sur le point de l'étouffer. Un bouillon bienfaisant qui aurait pu s'avérer apaisant et réconfortant. Pourtant, il lui semblait trop chaud. Dangereusement brûlant. Bouillant, même ! Et Dieu sait s'il ne s'agissait pas d'un bouillon empoisonné. Ivan paraissait la considérer de plus en plus comme une femme libre et disponible, et elle ne l'était pas.

Cependant, de se savoir estimée à ce point par cet homme admirable la troublait, lui qui avait d'abord et avant tout suscité simplement sa fascination comme artiste. Si tant d'amour et de confiance la réjouissaient momentanément, cela l'inquiétait tout à la fois. À l'évidence, le feu de paille du début avait allumé d'autres bûches et devenait un brasier. Mais de vivre des choses aussi profondes en si peu de temps l'intriguait, l'alarmait même. Si le feu de paille devenait un incendie de forêt, hein ? Et si ce feu se mettait à brûler tous les éléments importants de sa propre vie ? De la vie de la famille Legendre ? Et même de celle d'Ivan ? Y avait-elle seulement songé ? En ce moment précis, elle venait de prendre une conscience aiguë de jouer, justement, imprudemment, follement avec le feu !

Quand Ivan porta la main de Marjolaine à ses lèvres avec ferveur, elle sentit son cœur bondir. Une larme perlait au coin de l'œil gris légèrement plissé de l'homme.

La voix de l'hôtesse de l'air vint interrompre ce moment intense.

— Mesdames et messieurs, nous allons maintenant amorcer notre atterrissage vers l'aéroport Pleso de Zagreb. Veuillez redresser votre siège et attacher votre ceinture. Les passagers se rendant à Dubrovnik doivent demeurer à leur place pour le départ prévu dans moins de trente minutes.

L'hôtel Kompas de Dubrovnik de même que l'école de musique se situaient légèrement au nord de la vieille ville. Sans en aviser sa compagne, Ivan s'adressa en croate au chauffeur du taxi pris à l'aéroport afin de lui donner l'adresse de l'ancienne résidence de sa famille où avait eu lieu le drame. À ce stade-ci, la patience lui faisait totalement défaut, et il ne pouvait résister à l'envie de revoir d'abord et avant tout sa maison, là, dans les plus brefs délais. Marjolaine eut beau lui montrer du doigt les murailles qui encerclaient au loin la vieille ville, sur le bord de la mer, il resta sans réaction. Autre chose le tourmentait jusqu'à l'obsession.

Assis tous les deux à l'arrière de la vieille voiture, ils se resserrèrent l'un contre l'autre. Elle glissa son bras sous le sien en essayant vaguement de le rassurer.

— Tout va bien se passer, Ivan, tu vas voir.

Hélas, les premiers moments ne se passèrent pas bien du tout. Une fois dans la rue Getaldica, la voiture s'arrêta devant le numéro 296, un minuscule bungalow aux murs de stuc et au toit de tuiles rouges. Le pianiste lança alors un cri effrayant, à glacer le sang de Marjolaine et du conducteur du taxi.

— Ce n'est pas ici! Nous ne sommes pas sur la rue Getaldica!

Le chauffeur eut beau protester, rien n'y fit. Il finit par reculer la voiture jusqu'au coin de la rue et désigna la pancarte en vociférant. L'homme avait raison: ils se trouvaient bel et bien au bon endroit. Marjolaine en conclut qu'on avait bombardé la rue où habitait Ivan et qu'on y avait reconstruit cette série de maisons unifamiliales toutes semblables les unes aux autres.

Ivan se mit à sangloter à fendre l'âme, au grand étonnement du chauffeur. Étrangement, il prononçait inlassablement le même mot, comme s'il appelait, dans l'au-delà, l'être qu'il avait le plus chéri au monde.

— *Mama, mama…*

Marjolaine s'empressa de donner, en anglais, l'ordre au chauffeur de les conduire au plus vite à l'hôtel Kompas, où on les accueillit chaleureusement. Les membres du personnel de la réception affichaient une fierté évidente d'avoir l'honneur de recevoir chez eux le célèbre pianiste Solveye, dont on avait placardé la photo sur plusieurs murs de la ville pour annoncer son récital à la chandelle prévu dans une chapelle pour le samedi suivant.

Mais c'est son accompagnatrice qui signa les papiers d'enregistrement de la chambre, l'artiste ayant déjà disparu dans le jardin de l'hôtel, affalé sur un banc derrière un massif de fleurs. L'un des plus grands pianistes virtuoses du monde entier pleurait silencieusement son chagrin, comme un tout petit enfant.

Marjolaine se demanda longtemps si c'était elle-même ou la musique qui réconciliait Ivan avec la vie. D'un jour à l'autre, il semblait retrouver petit à petit sa sérénité et sa bonne humeur. Le matin, s'il partait vers l'académie de musique avec un air morose, en tenant ses partitions bien serrées sur son cœur, il revenait le soir assurément plus content.

De véritables gestes d'amour tendre et affectueux avaient remplacé les ébats torrides des amoureux lors de leurs nuits en Suisse. Bien entendu, chaque jour, ils se donnaient rendez-vous à un endroit précis pour y prendre l'apéritif et se sustenter par la suite dans l'un des multiples restaurants pittoresques de la vieille ville. Marjolaine retrouvait alors l'homme joyeux qu'elle avait connu.

Entre-temps, après avoir profité de la plage tout près de l'hôtel durant l'avant-midi, elle partait à la découverte de Dubrovnik et de sa région. Même seule, elle fut royalement conquise par les vieilles pierres et les petites rues étroites. Elle visita la tour de l'horloge, principal symbole de la ville, admira la grande fontaine d'Onofrio à seize faces, se recueillit dans la cathédrale devant les reliques de saint Blaise, patron de Dubrovnik, visita quelques musées, dont le palais Sponza aux portes et fenêtres en arcade, pénétra dans quelques monastères et cloîtres, marcha sur les mille neuf cents mètres de remparts entourant la partie historique de la ville et prit des centaines de photos. Elle se rendit même en bateau jusqu'à l'île de Lokrum, située en face, et se laissa impressionner par sa beauté et la couleur turquoise des eaux qui l'entouraient.

En fin d'après-midi, Ivan l'écoutait religieusement raconter les péripéties de la journée, le regard parfois embué par l'éveil d'un souvenir précis. Néanmoins, Marjolaine remarquait une solide transformation de son état d'esprit. Sans l'ombre d'un doute, de reprendre contact avec le piano lui faisait le plus grand bien.

Un soir, alors qu'ils étaient attablés à l'un des restaurants du vieux port très fréquenté par les touristes, il lui fit un aveu.

— J'ai retrouvé mes repères, Marjolaine. Ils existent et existeront toujours où que j'aille sur la planète. Je viens de comprendre cela, ces jours-ci.

Elle ravala sa salive en se demandant si elle-même faisait partie des repères, mais se retint de formuler sa question à voix haute.

Même s'il n'avait pu entendre cette requête silencieuse, Ivan passa son bras autour des épaules de Marjolaine et ajouta, en souriant :

— Toi, mon amour, tu fais partie de ces repères encore plus que Bach et Beethoven, et plus que mon pays. Une fois encore, merci d'être là.

CHAPITRE 15

Quand arriva le jour précédant le récital, Marjolaine trouva Ivan moins nerveux qu'à son arrivée à Dubrovnik.

— Aujourd'hui, Marjolaine, je vais t'accompagner dans tes visites, question de me détendre et de me changer les idées. Je me sens tout à fait prêt, musicalement parlant. Bien sûr, je retournerai me réchauffer quelques heures avant le concert, demain. Toutefois, mentalement, c'est une autre histoire. Je vais jouer pour les gens de mon pays, tu comprends, et cela m'impressionne beaucoup. Non seulement s'agit-il pour moi d'une sorte de vengeance personnelle sur mon cruel destin, mais j'éprouve aussi le sentiment d'une résurrection.

— D'une résurrection ?

— Oui, et ça prend des nerfs solides pour revenir au monde à quarante-trois ans, je t'assure ! Pourtant, demain soir, je vais devoir surmonter toutes ces tracasseries et me concentrer uniquement, entièrement sur ma musique. Cette musique, je l'ai d'abord apprise ici, dans ce pays. Dieu merci, elle s'est emparée de moi, a grandi en moi et m'a gardé en vie. Le soir du concert dans la chapelle, quand je vais m'asseoir au piano, je voudrais pouvoir en faire cadeau à tous les miens, les gens de mon peuple, pour leur dire merci d'avoir survécu et de se trouver encore là, alors que moi…

— Alors que toi quoi ? Tu n'es pas mort, que je sache ! Loin de là, et du sang croate coule encore dans tes veines ! Toi aussi, tu as survécu et tu as fait de ta vie quelque chose de beau et de grand, voyons ! Tu devrais t'en sentir fier, Ivan. Vas-tu leur jouer *Jésus, que ma joie demeure* ?

— Ah non, jamais de la vie ! Il n'en est nullement question ! Je n'y arriverais pas, de toute façon. L'émotion me submergerait, me paralyserait, je n'en doute pas un instant. Je me connais bien, tu sais, avec ma sensibilité exacerbée. L'interprétation des œuvres d'autres compositeurs me suffira amplement au cours de cette soirée.

— Je te comprends.

En fin de matinée, après un copieux déjeuner dans un joli restaurant à ciel ouvert du port, ils prirent le bateau pour l'île de Lopud, la plus touristique de l'archipel des Élaphites, situé à une douzaine de kilomètres de Dubrovnik. Après un court arrêt sur deux autres petites îles fort jolies, ils débarquèrent à Lopud pour visiter d'abord l'attrayant village ayant réussi à conserver les traditions et les cultures d'autrefois. À cause de la chaleur, ils profitèrent quelque peu de la plage et déambulèrent ensuite sur les nombreux sentiers pédestres afin d'admirer la riche végétation tropicale et méditerranéenne. Avant de reprendre le bateau, ils se délectèrent d'une bière froide dans l'un des petits bars sympathiques situés sur les quais de l'île.

— Sais-tu quoi ? lança Marjolaine à brûle-pourpoint. On dirait que le paradis des montagnes de Suisse s'est déplacé jusqu'ici.

Ivan ne répondit pas, et elle crut déceler une ombre de tristesse sur son beau visage. Elle se garda bien d'insister sur le sujet.

De retour au port de Dubrovnik, ils dégustèrent des plats traditionnels d'huîtres et de poisson frit. Puis, Ivan ayant manifesté le désir de se coucher tôt, ils se dirigèrent lentement vers la sortie de la vieille ville en traversant les multiples ruelles étroites où s'enchaînent escaliers et terrasses.

Ils allaient franchir la porte Pile quand le son d'une contrebasse, tout près de la fontaine, attira leur attention. En effet, un homme vêtu d'un habit noir pinçait les cordes de son instrument, comme s'il accompagnait d'autres musiciens invisibles. Quelqu'un avait placé par terre, à ses pieds, un chapeau dans lequel un enfant lança deux *kunas*.

Ivan s'arrêta aussitôt en se frottant le menton.

— Attends une minute, Marjolaine! Ces accords me disent quelque chose, mais je n'arrive pas à les identifier. Hum…

Deux minutes plus tard, un violoncelliste vint rejoindre le contrebassiste et se mit à jouer le thème de l'*Hymne à la joie*♪ de Beethoven.

— Ah, c'est ça! J'aurais dû m'en souvenir : le dernier mouvement de la neuvième symphonie de Beethov. Écoute comme c'est beau, mon amour.

Ils restèrent sur place et dévisagèrent les deux musiciens comme s'il s'agissait d'une apparition provenant d'une autre planète. À côté d'eux, un rassemblement commençait à se former. Les gens

---

♪　Pour entendre ce morceau, visitez le www.quebec-amerique.com/coupsurcoup et sélectionnez l'extrait musical n° 5 : « Hymne à la joie », dernier mouvement de la *Neuvième Symphonie* de Beethoven.

s'arrêtaient, surpris mais attentifs, des enfants s'assoyaient sur le trottoir, plusieurs personnes sortaient même leur caméra.

Deux minutes plus tard, comme sortis de nulle part, survinrent un bassoniste et deux violonistes qui s'approprièrent le thème, tous vêtus comme de simples passants. À peine quelques minutes s'étaient de nouveau écoulées que l'on vit apparaître un grand nombre d'hommes et de femmes qui transportaient des flûtes, des cuivres et des instruments de percussion et se joignirent aux autres membres de l'orchestre. Un jeune homme à l'air sympathique fit alors son entrée, habillé d'un bermuda à la bordure effilochée au-dessus du genou et d'un simple chandail de coton. Il s'installa devant les musiciens et entreprit de les diriger en battant la mesure simplement de ses deux mains, sans la baguette traditionnelle utilisée habituellement par les chefs d'orchestre.

Saisie d'étonnement, la foule écoutait religieusement, en silence. Marjolaine sentit tout à coup la main d'Ivan trembler dans la sienne, au moment de la reprise du thème. Il se raidit alors et, relevant la tête bien haut, il commença à turluter l'air de plus en plus fort. Ne connaissant pas les mots allemands du poème de Schiller, il lança dans l'air des lalala sonores et bien appuyés.

L'auditoire ne mit pas de temps à l'imiter. En quelques secondes, une foule de plusieurs centaines de personnes fredonnait avec cœur l'*Hymne à la joie* sur des lalala. Certains pleuraient, d'autres souriaient, d'autres encore restaient figés par la solennité du moment. Même les petits enfants chantaient en battant des mains.

À la fin, les applaudissements et les cris de joie retentirent à des kilomètres à la ronde. Ivan tourna vers Marjolaine un visage transfiguré.

— Le plus beau chant du monde, exécuté par la plus extraordinaire chorale du monde… Pour moi, c'est cela, l'Absolu !

L'image du papillon blanc batifolant au-dessus des roses à Manuello et, quelques jours plus tard, devant la petite chapelle au sommet de la montagne effleura l'esprit de Marjolaine. Évidemment, à cette heure-ci de la soirée, au milieu de cette grande place de ciment et de pierres anciennes envahie par les spectateurs, il n'était pas question de chercher la présence d'un papillon blanc. Ni celle d'un criquet. Ici, il y avait la foule. Une foule d'humains, unis par le cœur dans leur quête de la joie. Par leur soif de joie. Marjolaine se dit que rien de plus beau au monde ne pouvait se produire, et elle avait la chance et l'honneur d'y participer.

Aussi, quand, quelques minutes plus tard à la sortie de la ville, elle aperçut chemin faisant sur le petit pont de pierre, entre deux arches gothiques, une fillette sautant de joie dans une jolie robe rose sur laquelle des papillons blancs étaient imprimés, elle n'arriva pas à en croire ses yeux.

Le lendemain soir, le concert aux chandelles donné par le grand pianiste Ivan Solveye avait lieu à huit heures dans l'église Saint-Ignace. Pour s'y rendre, il fallait grimper un imposant et large escalier de style baroque sur lequel on avait dressé de multiples flambeaux. À ses pieds, une femme installée derrière un comptoir annonçait les CD d'Ivan Solveye, qui se vendaient comme des petits pains chauds avant même le début du récital.

À l'intérieur de la chapelle, à part un éclairage direct au-dessus du piano, la présence de centaines de lampions allumés et répartis un peu partout intensifiait l'atmosphère de recueillement et de méditation qui s'y trouvait déjà.

Vêtue de sa plus jolie robe, celle qu'elle avait portée lors de la lecture publique à Manuello, Marjolaine, maquillée, coiffée, parfumée, s'était installée à l'avant, dans le premier banc de l'église. À vrai dire, elle ne tenait pas en place, plus énervée que le pianiste lui-même, qui semblait mieux contrôler son système nerveux. Ils s'étaient séparés après un long baiser vers la fin de l'après-midi, Ivan désirant apprivoiser le piano à queue de la chapelle et en vérifier l'accordage quelques heures avant le concert.

— T'inquiète pas, mon amour. Je vais très bien m'en tirer. Je connais ce programme par cœur depuis des années. D'ailleurs, il s'agit du même programme présenté à Montréal, au printemps dernier. En attendant huit heures, va fourener dans les boutiques, ça te changera les idées.

— Fouiner, Ivan, fouiner! Pas fourener!

Ils se quittèrent dans un fou rire. Effectivement, elle alla fouiner sur la Placa, principale artère de la cité médiévale, entièrement piétonne, à la recherche d'un souvenir qu'elle pourrait laisser à Ivan. Elle hésita longtemps entre un porte-document de cuir marqué Dubrovnik en lettres d'or sur le côté et un petit tableau de la vieille ville. Elle opta finalement pour le tableau. Une fois Ivan rentré à Paris, cette peinture à l'huile évoquerait pour lui non seulement des souvenirs de jeunesse, mais aussi leur lune de miel en cette semaine estivale bien particulière.

Leur lune de miel… À la vérité, il ne s'agissait pas d'une lune de miel. Les lunes de miel s'inscrivent dans une continuité, les premiers temps du mariage. Elles assurent en général le prolongement d'une histoire d'amour, le renouvellement d'un espoir tandis que pour elle et Ivan… Où résidait cet espoir? Quand elle les imaginait, elle et lui, se faisant leurs adieux à l'aéroport, un nœud venait impitoyablement lui serrer la gorge. Et cela allait se produire très bientôt. Le fait de voir passer le temps avec effarement prouvait son attachement réel.

Sans s'être consultés, ils avaient relégué au silence – ou était-ce au déni? – les questions douloureuses de l'inévitable séparation, préférant vivre intensément le moment présent. Marjolaine y songeait de plus en plus, au fur et à mesure que le terme arrivait. Toutefois, elle se garda bien d'avouer à son amoureux qu'elle comptait maintenant les heures avant la triste échéance. Plus le temps passait, plus elle prenait conscience de ses sentiments pour le musicien. En quelques jours, ils avaient vécu plus profondément que certains couples en de nombreuses années de vie commune. Son couple avec Alain Legendre, tiens!

Cependant, elle n'en était pas encore arrivée au point de lancer par-dessus bord sa vie de mère et même celle d'épouse, là-bas, au Québec. Par contre, pas une seule fois depuis son départ de Manuello elle n'avait donné de ses nouvelles par courriel ou par téléphone. Elle n'en avait pas reçu davantage, d'ailleurs. Alain et les garçons semblaient bien se passer d'elle, eux. Après tout, pourquoi pas l'inverse? Elle aussi le pouvait!

Elle ne se leurrait pas, pourtant. Cette séparation d'avec Alain et ses enfants n'était que momentanée, et avait été décidée et acceptée à l'avance pour son séjour à Manuello. La prolongation d'une semaine changeait-elle vraiment le contexte? De toute façon, Ivan ne lui avait rien proposé ni parlé de sa vision de l'«après» du départ de son amoureuse pour le Canada. Il n'avait élaboré aucun projet d'avenir ni même prévu des retrouvailles. Allaient-ils couper les ponts drastiquement ou bien se revoir, à tout le moins s'écrire? Se téléphoner de temps à autre? Se donner des rendez-vous quelque part dans le monde? Elle le savait libre et disponible, du moins, il le lui avait laissé entendre.

Pourquoi ce silence ? Et s'il s'agissait d'un imposteur ? D'un tricheur ? Si une épouse non avouée ou une amoureuse l'attendait à Paris ? Un tel homme ne laissait sûrement pas les femmes indifférentes, que diable ! Non, non ! Ils s'étaient parlé de confiance mutuelle dans l'avion, quelques jours plus tôt, elle n'allait tout de même pas laisser le doute l'envahir inutilement. Elle rejeta cette idée saugrenue comme on jette un sac d'ordures à la poubelle.

Cette nuit d'après le concert serait leur dernière ensemble. Demain, ils reprendraient l'avion vers Genève et, dès leur arrivée à l'aéroport, surviendrait la coupure définitive. Il récupérerait sa voiture et elle irait s'asseoir pendant trois heures dans une salle anonyme pour attendre son vol vers le Canada. Coupure définitive... Elle le craignait plus que tout. La vie les rattraperait, chacun de leur côté, et leur belle aventure serait vite cataloguée au rang des souvenirs heureux. Ouais... des souvenirs agréables mais trop courts, sans plus. Néanmoins, Marjolaine ne doutait pas qu'ils en discuteraient au cours de la nuit prochaine, une fois le fameux récital achevé.

Ce soir-là, donc, Ivan fut longuement ovationné dès son entrée en scène. Il salua cordialement, visiblement ému par cet accueil chaleureux des représentants de son peuple, avant même de s'être exécuté. Sans doute plusieurs personnes dans l'auditoire avaient dû lire la traduction en croate de son autobiographie, d'où l'invitation à venir se produire dans ce pays qui avait été le sien. Même en ignorant ses véritables origines familiales à cause du changement de son nom, on semblait recevoir Ivan comme l'enfant prodigue, le fils perdu enfin rentré au bercail après plus de vingt ans d'absence. Se retournant pour examiner les gens autour d'elle, Marjolaine put lire l'émotion sur de nombreux visages.

Puis, un silence impressionnant envahit la salle quand Ivan s'installa au piano. Conformément aux attentes, l'artiste se surpassa, déversant son âme autant sur les envolées mélodiques en allegro que dans les adagios méditatifs ou nostalgiques. Il reçut évidemment une acclamation à tout rompre après chacune de ses exécutions, et plus particulièrement quand survint le moment des rappels. Il joua d'abord un magnifique impromptu♪ de Schubert, puis un prélude♪♪de Gershwin pour le deuxième rappel. Mais la foule, debout, refusait de le laisser partir et en réclamait encore et encore. Il s'empara alors du micro suspendu au-dessus du piano et, s'avançant à l'avant du chœur, il s'adressa longuement en croate aux auditeurs figés de surprise.

Marjolaine ne put saisir un traître mot de ce qu'il racontait, mais elle tira ses conclusions en le voyant s'asseoir une fois de plus au piano pour interpréter ses différentes variations sur le thème du motet de Jean-Sébastien Bach. Cette fois, à la fin de l'interprétation, il se limita à saluer rapidement, puis disparut dans les coulisses pour ne plus revenir.

Saisis d'émotion, les auditeurs quittèrent la chapelle en silence et comme à regret. Marjolaine, elle, attendit sagement sur son banc pendant quelques instants, puis elle se glissa rapidement, mine de rien, dans la sacristie pour aller rejoindre son amant. Elle le retrouva effondré, en train de sangloter, la tête sur une table. Elle se contenta de poser une main chaleureuse sur son épaule, une main qui se voulait tendre et douce pour témoigner à l'artiste sa compréhension et son amour. Il sursauta.

— Oh! mon amour, merci d'être là! Merci, merci, merci…

♪ Pour entendre ce morceau, visitez le www.quebec-amerique.com/coupsurcoup et sélectionnez l'extrait musical n° 6 : *Impromptu Op. 90 n° 4* de Schubert.

♪♪ Pour entendre ce morceau, visitez le www.quebec-amerique.com/coupsurcoup et sélectionnez l'extrait musical n° 7 : *Prélude n° 2* de Gershwin.

Avant de quitter les lieux, ils attendirent que la chapelle soit complètement évacuée et que le représentant des autorités ait disparu après une solide poignée de main de satisfaction. Contrairement à ses habitudes ailleurs dans le monde, Ivan, à la sortie de sa loge, n'avait pas envie de prendre un bain de foule en distribuant sourires, poignées de main et autographes. Cela risquait trop de déclencher plus d'émotions qu'il ne pouvait en supporter. Il avait atteint son quota.

Serrés l'un contre l'autre, les amoureux se dirigèrent finalement vers la sortie sans ajouter un seul mot pendant que le sacristain éteignait les chandelles derrière eux. Ils ne virent pas immédiatement la femme, aux abords de la cinquantaine, qui les attendait sur la marche la plus haute de l'escalier. Elle tenait entre ses mains une énorme gerbe de roses. Faisant fi de la présence de Marjolaine, elle s'adressa directement à Ivan, en croate.

— Franjo ? C'est moi, Lydia.

CHAPITRE 16

Les quelques secondes de silence entre Ivan et la femme, immobiles et se dévorant des yeux, prirent des allures d'éternité, comme si le temps s'était momentanément arrêté. Marjolaine retenait son souffle et n'osait intervenir. C'est le pianiste qui, le premier, fit éclater la bulle d'ahurissement en lançant, d'abord en français, un cri guttural à la fois de stupéfaction et de joie.

— Ma sœur !

Il poursuivit alors la conversation en croate.

— Lydia ! C'est bien toi ? Je dois rêver, ça ne se peut pas ! Je te croyais... Je pensais t'avoir perdue à jamais. Est-ce bien toi, ma grande sœur ?

À la lueur des flambeaux du grand escalier menant à l'église, le visage de la femme luisait, baigné de larmes.

— Oui, c'est bien moi, mon petit Franjo. Le pianiste sur les affiches ressemblait tellement à mon frère perdu que je n'ai pas résisté à l'envie de lire l'autobiographie du fameux Ivan Solveye, dont tout le monde parle ici. Tout s'y trouvait : l'enlèvement de papa et de maman, ta fuite aux États-Unis, ton statut actuel de pianiste reconnu et ton exil en France. À un moment donné, tu mentionnes même le nom de ta sœur jamais retrouvée : Lydia. Qui d'autre que mon frère aurait pu écrire ce livre ? Par la suite, l'examen de chacune de tes photos sur Internet et sur les pancartes de publicité pour ton concert de ce soir a confirmé mes doutes.

— Dieu du ciel, je n'arrive pas à y croire ! Ah non, ça ne se peut pas, ça ne se peut pas ! Pourquoi, alors, n'as-tu pas essayé de communiquer avec moi ?

— Je n'ai lu ta biographie que le mois dernier, après avoir vu l'annonce de ton concert dans les journaux. Et puis, j'avais tellement peur de me tromper. J'ai préféré attendre ta venue pour constater en personne qu'il s'agissait bien de toi.

— Lydia, tu te trouves là, devant moi, bien vivante et toujours aussi belle. Dis-moi que je ne rêve pas !

En effet, la femme grande et mince paraissait séduisante aux yeux de Marjolaine, avec sa taille élancée et sa poitrine superbe, son port élégant et ses cheveux bouclés, ses yeux gris si doux surtout, semblables à ceux de son frère, mais d'une teinte plus prononcée.

— Oh ! les années ont laissé leurs marques, mais il fait trop sombre, ici, pour t'en apercevoir. Toi aussi, Franjo, tu as conservé ton beau visage de jeune homme.

— Tu as raison, on n'y voit rien. Allons plutôt prendre un verre quelque part avec un meilleur éclairage que sous ces torches en train de rendre l'âme.

Avant de bouger, la femme voulut tendre sa gerbe de fleurs à Ivan, mais elle retint étrangement son geste à la dernière seconde.

— Regarde, frérot, je t'ai apporté ce bouquet. Vingt-trois roses le composent pour symboliser nos vingt-trois années de séparation. Pour t'en consoler surtout… Cependant, durant le concert, j'ai remarqué un bouton sur le point d'éclore. Si tu déposes ces fleurs dans l'eau, ce soir, tu auras vingt-quatre roses demain matin. Ces vingt-trois années viennent pourtant de se terminer, aujourd'hui même ! Je n'en veux pas vingt-quatre ! Demain, je t'apporterai une rose unique, symbole d'une première année, d'un recommencement, une sorte de nouvelle vie…

Elle s'approcha sous la lumière en tendant le bouquet, retrouva le fameux bouton et l'arracha d'une main leste pour le lancer contre le mur. Puis, elle se tourna vers son frère pour lui rendre enfin les fleurs.

— Pas question d'une année d'absence de plus ! Finie, cette période-là ! Vingt-trois roses, c'est suffisant, ce fut même trop ! Demain, on commencera un nouveau bouquet des quarante futures années, tu veux bien ?

Ivan, ému, pressa la gerbe contre sa poitrine en prenant une attitude de recueillement. Il passa alors la main sous le bras de sa sœur, pivota et s'en allait amorcer avec elle la longue descente de l'escalier vers la place publique, quand il aperçut Marjolaine, appuyée contre le mur derrière une colonne, et qui les regardait en silence, sans se manifester.

Parce qu'on l'avait totalement exclue de la conversation en croate, non sans raison d'ailleurs – elle n'y comprenait rien et, de plus, un frère et une sœur se retrouvant après tant d'années méritaient bien l'intimité –, elle s'était discrètement retirée pour assister de loin à la scène impressionnante en simple spectatrice. Tout de même un peu frustrée de n'avoir même pas été présentée, elle essaya de ne pas en vouloir à Ivan pour cet abandon fortuit, et tenta de se consoler en imaginant les mots échangés, convaincue d'observer un face à face unique, digne d'un bon roman. Elle se promit de l'attribuer, un de ces jours, à l'un des personnages d'un prochain ouvrage littéraire.

Ivan vint finalement la retrouver et la prit par les épaules.

— Ah, ma pauvre Marjolaine, pardonne-moi! Pendant au moins dix minutes, je t'ai tout à fait oubliée. Les retrouvailles avec ma sœur m'ont complètement obnubilé, je l'admets. Quel piètre soupirant je fais! Tu ne m'en veux pas trop, mon amour? Viens, je vais tout t'expliquer.

Cette fois, c'est Lydia qui dut se sentir délaissée en entendant son frère parler strictement en français à celle qui l'accompagnait. Il fit ensuite les présentations d'usage. À partir de ce moment, il s'efforça de traduire fidèlement tout ce qui se disait en français ou en croate, pour chacune des deux femmes.

— Marjolaine, voici ma grande sœur, Lydia Penkala. Lydia, voici Marjolaine Danserot, une formidable écrivaine et la personne la plus extraordinaire du monde. C'est uniquement grâce à elle si j'ai donné ce concert, ce soir.

Marjolaine sourcilla, ne comprenant pas l'allusion. Uniquement grâce à elle? Allons donc! Comment cela? L'explication ne tarda pas à venir.

— Après avoir quitté Paris, il y a environ deux semaines, si je ne m'étais pas arrêté dans un certain château en Suisse pour rencontrer Marjolaine, j'aurais probablement annulé le récital en cours de route, en invoquant une raison inventée de toutes pièces. Ce projet de désistement mijotait déjà dans ma tête, dès mon départ de France. Je ne me sentais pas du tout le courage de revenir en Croatie, voilà la vérité. Vous trouverez peut-être cela stupide, toutes les deux, mais l'idée de retourner dans mon pays, après toutes ces années, signifiait pour moi de raviver en pensée les malheurs qui m'en avaient chassé et que j'ai tant essayé de rayer de ma mémoire, un jour à la fois.

Le pianiste s'approcha de Marjolaine et l'entoura de son bras.

— Sans trop t'en rendre compte, mon amour, tu m'as pris par la main et tu m'as accompagné sur ce dur chemin. Alors, Lydia, je peux te dire que c'est indirectement grâce à cette femme si nous nous rencontrons ici, en ce moment même. Tiens, mon amour, je t'offre ces fleurs, tu les mérites autant que moi.

La sœur aurait pu se mettre à détester cette inconnue qui lui ravissait son frère, mais le sourire avenant dont elle gratifia Marjolaine, à la suite du geste d'Ivan, suffit à la rassurer.

Quelques minutes plus tard, attablé sous un lampadaire à l'entrée de l'un des cafés du vieux port, on fit plus ample connaissance. La gentillesse de l'écrivaine et l'ouverture d'esprit de la sœur croate rendirent les deux étrangères sympathiques l'une à l'autre.

Lydia ne faisait effectivement pas son âge. Mariée à un Bosniaque, elle avait mis au monde trois filles, actuellement âgées de sept, onze et quatorze ans, qui faisaient son bonheur. Elle raconta avoir épousé son mari un peu plus de deux ans après sa fuite précipitée de Dubrovnik. Un voisin d'en face de leur maison de la rue Getaldica, après avoir assisté avec effarement à travers le rideau de son salon à l'enlèvement des parents Penkala, avait remarqué de nombreux soldats dispersés un peu partout autour de la maison durant la nuit entière. De toute évidence, l'armée attendait le retour des deux enfants de la famille pour s'en emparer et leur faire subir le même sort que leurs parents.

Voyant cela, ce voisin avait aussitôt entrepris des recherches pour retrouver Lydia et Franjo, mais il avait obtenu peu de succès. Nul ne savait où se trouvait le fils. Quant à la fille, il avait enfin fini par la joindre au téléphone en début de matinée, à l'école où elle enseignait. Jamais elle n'oublierait ses paroles : « Vos parents ont été arrêtés hier soir, mademoiselle, et votre maison semble gardée à vue par des soldats armés. Fuyez, je vous en prie, fuyez le pays au plus vite ! Aujourd'hui même ! Et, de grâce, ne retournez surtout pas chez vous, sinon vous risquez de vous faire arrêter et d'être tuée ! »

Quand elle lui avait demandé des nouvelles de son frère, l'homme avait répondu ne rien en savoir. Il n'avait pas vu le garçon sortir de la maison en même temps que ses parents. Cependant, cela ne garantissait en rien qu'on ne l'avait pas emmené, lui aussi, lors d'un retour au milieu de la nuit qui aurait pu échapper au voisinage. Qui sait s'il n'avait pas subi le même sort que son père et sa mère…

Découragée, Lydia, sans moyens financiers ni autres ressources, se confia au directeur de l'école où elle travaillait. L'homme et sa femme lui donnèrent le gîte temporairement pour un jour ou deux, le temps d'organiser une fuite loin de Dubrovnik. Eux aussi appréhendaient la venue de l'armée si jamais des recherches sérieuses étaient entreprises. Hélas, Lydia ne possédait pas de passeport. Comment sortir du pays et y revenir plus tard ? D'autant plus que de remplir les papiers nécessaires en donnant son nom et sa véritable identité comportait de grands risques. Les Serbes pourraient alors la repérer facilement.

Le directeur de l'école prit finalement contact avec l'un des membres lointains de la famille Penkala, et il emmena lui-même la jeune femme à Zagreb dans sa voiture, aux petites heures du matin. À l'instar d'Ivan, Lydia fut condamnée à vivre tapie dans une remise pendant un certain temps. Les deux années suivantes, elle demeura incognito chez une cousine éloignée. Les recherches pour retrouver Franjo n'aboutissant à rien, elle dut faire le deuil de son jeune frère en même temps que celui de ses parents. Elle commença alors à enseigner dans la petite école d'un village perdu des environs en utilisant un faux nom.

Lydia rencontra son mari, inspecteur d'école à cet endroit. Par prudence, le couple décida de rester dans la région, en attendant une véritable trêve et le retour définitif de la paix dans tout le pays. Elle reprit son vrai nom seulement quelques années plus tard, au moment où son mari et elle décidèrent de s'installer à Dubrovnik et d'y acheter une petite maison où élever leurs trois enfants.

Ivan ne put se retenir de poser la question qui le chicotait depuis dix minutes.

— Joues-tu encore du piano, ma sœur ?

— Hélas non ! Je n'en ai eu ni le temps ni le loisir. Pas même l'envie. J'enseigne encore dans une école primaire de Dubrovnik, tu sais. La vie n'est pas nécessairement facile, ici, avec trois enfants. Toi, la musique t'a sauvé, selon tes écrits. Moi, c'est l'amour d'un homme adorable et la venue de trois belles petites filles qui m'ont gardée en vie. Mais ne t'en fais pas, si je ne fais plus de musique, mes filles, elles, jouent du piano. Et elles en jouent même très bien ! De plus, l'aînée est en train de devenir une excellente flûtiste et elle s'orientera probablement vers des études plus avancées en musique, j'en mettrais ma main au feu.

— J'ai hâte de les entendre !

— Dis-moi, Franjo, toi, m'as-tu cherchée après la disparition de nos parents ?

— Évidemment ! J'ai d'abord insisté auprès des gens qui m'ont hébergé pour obtenir leur aide et leur demander d'effectuer des appels à ma place. Malgré leurs multiples tentatives, ils n'ont obtenu de réponse nulle part, ni chez nous, ni chez grand-maman, ni chez ta copine où tu allais souvent dormir. Même à l'école où tu enseignais, on répondait systématiquement, sur les ordres du directeur, je suppose, que tu avais disparu sans aviser et sans laisser d'adresse. Comme toi, j'en suis venu à conclure que la fameuse nuit de l'enlèvement, ou peut-être le lendemain, les Serbes avaient dû t'arrêter, toi aussi.

— Quand je pense que nous sommes passés à un cheveu de nous retrouver, alors que chacun croyait l'autre mort… Comme le destin peut se montrer dur, parfois !

— Une fois rendu à New York, grâce à mon ancien prof de piano et surtout grâce à l'aide miraculeuse d'un grand pianiste américain venu donner un récital ici, à Dubrovnik, j'ai eu la vie sauve. Mais Dieu que je me sentais tout seul au monde ! Ayant changé de nom, je n'ai même pas pu rester en contact avec ces deux musiciens, remettant toujours à plus tard le projet de leur écrire. Quant à mes sauveurs d'ici, j'ai attendu plus de deux ans avant de les joindre, craignant tellement qu'une lettre ne mette la puce à l'oreille de la maudite armée yougoslave.

— As-tu été heureux, Franjo ? Et les femmes ? Même si tu me sembles un célibataire endurci, tu as bien dû tomber amoureux à quelques reprises, non ?

Cette fois, Ivan se garda bien de traduire la question, comme la réponse, qu'il formula exclusivement en croate.

— Bof… il ne s'est rien passé de très sérieux sur ce plan, à vrai dire. Ou plutôt oui, j'ai réellement aimé une fois, une seule fois, et… c'est maintenant ! Ma chère Marjolaine est en train de devenir l'amour de ma vie. Nous ne nous connaissons pas depuis longtemps, mais je sens, je sais qu'elle m'habite déjà et pourrait m'habiter pour le reste de mes jours.

Marjolaine ne comprit rien aux dires d'Ivan, mais elle en devina facilement la teneur à la chaleur des regards qu'il lui lançait. Elle baissa la tête et ébaucha un sourire qu'elle aurait voulu fier et joyeux, mais qui s'avéra empreint de mélancolie. Ivan avait-il oublié son statut de femme mariée et que le moment du départ allait sonner dans quelques heures ?

Lydia ne fut pas sans remarquer le regard nostalgique de l'amoureuse de son frère et elle tenta de créer une diversion.

— Dites donc, vous deux, pourquoi ne viendriez-vous pas passer la nuit chez moi ? Vous pourriez dormir sur le canapé du salon et, demain matin, mes filles auraient l'agréable surprise de découvrir leur nouvel oncle. Vous pourriez aussi faire la connaissance de mon homme.

Cette fois, Marjolaine, toujours à travers la traduction d'Ivan, s'empressa de répondre, après avoir jeté un coup d'œil sur sa montre.

— Merci pour la gentille invitation, Lydia. Malheureusement, nous devons nous rendre à l'aéroport assez tôt demain matin. Ivan, euh… Franjo, lui, ne retourne qu'à Genève et rentrera à Paris en voiture, mais moi, j'ai une longue journée de voyagement jusqu'à Montréal, avec une escale à Francfort, car je n'ai pu trouver une place sur un vol direct pour cette date. Je dois donc absolument préparer mes bagages ce soir, et dormir une bonne nuit si je veux arriver en forme chez moi, demain, sans oublier les heures de déca-lage. Mais toi, Ivan, si tu veux aller veiller chez ta sœur, ne te gêne pas. Je prendrai un taxi jusqu'à l'hôtel.

Ivan n'hésita pas une seconde et répliqua aussitôt en français.

— Pas question! Je ne vais tout de même pas te quitter pour notre dernière nuit, voyons!

Puis, il opta de nouveau pour le croate avant de traduire pour Marjolaine.

— Quant à toi, ma petite Lydia, je vais revenir à Dubrovnik d'ici un mois, je te le promets formellement. La première rose, c'est moi qui te l'apporterai. D'ici vingt-trois jours, tiens! Et je m'engage à convertir en jours auprès de toi et de ta famille ces vingt-trois années passées en silence, qu'en penses-tu? On pourra alors rattraper un peu de ce temps impitoyablement perdu.

Marjolaine eut l'impression que non seulement le frère et la sœur, mais tous les clients du bar, et même tous les passants des alentours, avaient perçu le long soupir de soulagement qu'elle venait d'exhaler.

Si elle avait espéré de la part du pianiste, pour leurs dernières heures ensemble, des propositions concrètes ou un plan sérieux de retrouvailles qu'elle se serait probablement sentie dans l'obligation de refuser, Marjolaine dut se contenter, pendant la courte mais ultime nuit, des plus beaux gestes de l'amour physique. Rien de plus. La délicatesse exquise d'Ivan, ses ardeurs au lit et sa générosité sans bornes, elle ne les oublierait jamais. Pour le reste… Si elle avait rêvé d'établir avec lui un bilan sensationnel au sujet de l'aventure qu'ils venaient de vivre, avec promesses d'amour éternel en conclusion, elle en fut quitte pour supporter son mutisme inexplicable. Leur relation tomberait dans l'oubli avant longtemps, elle n'en douta plus un instant.

Elle tenta malgré tout de demeurer positive. La vie venait de lui faire cadeau d'une semaine extraordinaire, ou plutôt d'un mois extraordinaire, compte tenu du temps heureux écoulé à Manuello. Elle n'avait pas le droit de se plaindre, bien consciente que peu de femmes pouvaient se targuer d'avoir connu un tel bonheur, soit-il de courte durée. « Un bonheur pas loin de l'Absolu », songea-t-elle, incapable de dormir. Et puis non ! On ne peut qualifier un bonheur d'absolu quand on voit la fin se pointer ! Elle finit par trouver le sommeil, après avoir doucement posé ses lèvres sur l'épaule de celui qui dormait à poings fermés à ses côtés, en lui tournant le dos. Elle lui adressa intérieurement des mots doux : « Adieu, mon bel Ivan. Je t'ai vraiment aimé malgré le temps cruellement trop court que le destin nous a alloué. Tu compteras parmi les plus beaux souvenirs de mon existence. »

Néanmoins, les derniers mots d'Ivan, une fois dans la salle des pas perdus de l'aéroport et après, bien sûr, un touchant baiser, la laissèrent pantoise. Ces mots apportaient la dernière promesse concrète à laquelle elle aurait pu s'attendre.

— Je ne sais pas à quel endroit précis je me trouverai sur la route vers Paris, car pour moi, ce sera au beau milieu de la nuit à cause du décalage horaire, mais je vais quand même appeler chez toi dès l'heure de ton arrivée, mon amour. Je veux savoir comment se sera passée ta journée.

CHAPITRE 17

L'avion allait atterrir à Montréal avec plus de trois heures de retard. Marjolaine souhaita qu'Alain ait pensé à s'informer de l'arrivée du vol sur son ordinateur. Sinon, elle l'imaginait bouillant d'impatience et les nerfs à fleur de peau, en train de faire les cent pas entre les comptoirs des compagnies d'aviation et les boutiques de cadeaux, scrutant le grand tableau des arrivées internationales et regardant nerveusement sa montre toutes les dix minutes.

Peut-être, en l'attendant, allait-il remarquer la présence de ses livres sur l'un des présentoirs de la librairie de l'aéroport. Cela pourrait vraisemblablement le calmer et lui changer les idées. Lors de son départ, le mois précédent, elle y avait aperçu deux de ses premiers romans, et cela avait insufflé un vent nouveau dans ses voiles, comme un impétueux souffle de motivation. Il s'agissait d'ailleurs des mêmes livres commandés à Paris par Ivan. Des milliers de passants ne manqueraient pas de les manipuler, de les examiner, d'en lire quelques extraits et, qui sait, de décider de se les procurer pour s'y plonger sérieusement.

À vrai dire, l'intérêt et le plaisir de ses lecteurs stimulaient Marjolaine Danserot mille fois plus que le payement de ses droits d'auteure. De se savoir abondamment lue et appréciée lui suffisait pour continuer d'écrire sans relâche. Elle aurait même écrit gratuitement, simplement pour assouvir ce qui devenait de plus en plus une véritable passion. Et plus qu'une passion, un besoin plus fort qu'elle, irrésistible et indomptable. Un impératif.

Les stimuli et les attentes d'un écrivain avaient d'ailleurs fait l'objet d'une discussion passionnée entre les cinq auteurs, au cours de l'un des soupers au château de Manuello. La plupart semblaient réagir aux mêmes pulsions qu'elle et soutenaient les mêmes prétentions, à l'exception de Mustapha, l'auteur de best-sellers, devenu mercantile par la force des choses et trouvant dans le gain sa principale motivation.

Bien sûr, il fallait vivre, la vie coûtait cher, et publier au Québec, où le nombre d'acheteurs était plutôt restreint, s'avérait fort peu rentable ou, à tout le moins, générait des revenus en dents de scie, peu suffisants, certaines années, pour mener une existence bourgeoise. Marjolaine, elle, se sentait redevable à Alain, fidèle à apporter de l'eau au moulin.

Depuis quelques années, grâce aux instances de son mari, elle avait abandonné son métier de technicienne en radiologie afin de se consacrer entièrement à l'écriture. En dépit de son manque d'intérêt, Alain ne lui avait pas vraiment fait la vie dure. « Je suis là, ma femme, lui avait-il dit, et mon salaire suffira amplement à nous faire vivre de façon raisonnable, pourvu qu'on ne se lance pas dans les folies extravagantes. Et ce n'est pas du tout notre genre, tu le sais bien ! Les enfants ont grandi et ils voleront de leurs propres ailes avant longtemps, nous aurons moins de dépenses à assumer. Profites-en donc ! »

Et elle en avait profité ! La tête appuyée contre le hublot du 747, Marjolaine sentit son cœur tressaillir à la pensée de revoir Alain et les enfants dans un très court laps de temps. Elle allait reprendre sa vie normale et ordinaire avec ses hauts et ses bas, quoi ! Au fond, elle n'était pas si fâchée de rentrer au bercail et de retrouver sa famille. Ses problèmes aussi, hélas, il ne fallait pas l'oublier… Se sentait-elle prête à supporter de nouveau le manque de romantisme et l'indifférence de son mari, sans compter les bêtises de Rémi ? Après un tel congé, peut-être bien trouverait-elle la force de s'y faire. Ou plutôt de s'y refaire. Il le fallait ! Son sens du devoir et son sens moral allaient finalement gagner la partie au terme de cette semaine extraordinaire. Une semaine dont elle garderait secrètement le souvenir, au fond de son cœur, comme une preuve tangible que l'Amour absolu peut exister. De retrouver surtout ses activités littéraires de façon plus régulière la rassurait. Sa voie d'échappement et son précieux refuge, à vrai dire…

Ces dernières années, le passe-temps de l'écriture avait pris de l'ampleur et s'était transformé en une activité quotidienne majeure et essentielle. Alain ne s'en était jamais formalisé ni plaint. Marjolaine trouvait donc là une réelle et merveilleuse forme d'évasion, puisqu'elle vivait elle-même en esprit, au passé ou au présent, ailleurs et dans d'autres univers, tout ce qui animait les personnages de ses histoires. Elle riait et pleurait avec ces êtres fictifs à la fois irréels et réalistes, elle aimait ou haïssait, désirait, souffrait, s'exaltait et rêvait avec chacun d'eux. À vrai dire, ils en venaient à l'habiter comme une idée fixe. Parfois même, certains éléments du roman l'empêchaient de dormir la nuit. Mais, à la différence de sa propre réalité, elle disposait d'une pleine liberté pour modifier à son gré la trame des événements. Ce pouvoir l'enivrait jusqu'à la démesure, et elle y cueillait une immense joie de vivre.

Seul Ivan Solveye avait réussi à la distraire totalement de ses activités d'écrivaine pendant plusieurs jours, mis à part le soir où il avait insisté pour lire son manuscrit. Sinon, pour toute la durée de sa tournée en compagnie du Croate, c'est à peine si elle avait songé une fois ou deux à son roman. Marjolaine n'en revenait pas encore de son désintérêt soudain pour une histoire qui la passionnait pourtant et sur laquelle elle travaillait d'arrache-pied jusqu'à l'obsession depuis des mois.

Elle ne cessait de jeter un œil sur sa montre. Deux heures de délai pour sa correspondance à Francfort et une heure d'attente en bout de piste avant que le gros transporteur ne décolle lui parurent une éternité, sans parler des sept heures de vol prévues jusqu'à Montréal. Sans doute parce que la vie concrète la rattrapait déjà progressivement, au fur et à mesure que l'avion s'approchait du continent, elle regrettait d'avoir laissé sa tablette à écrire au fond de sa valise. L'envie la saisissait, tout à coup, de s'évader et de renouer avec ses personnages. Se replonger dans l'idylle amoureuse entre le bel Émile et sa jolie épouse lui ferait du bien. Au point tournant où elle en était rendue dans le roman, il s'agissait maintenant d'amener le prêtre catholique, marié clandestinement et de façon fort peu orthodoxe, à défroquer pour l'amour de sa bien-aimée.

Pour une femme de haute moralité et à cheval sur les principes comme Marjolaine Danserot, du moins jusqu'à sa rencontre avec un certain pianiste sept jours auparavant, prêter de tels écarts de conduite au vicaire de son livre allait à l'encontre de ses propres règles de vie et représentait un défi de taille. Elle n'aimait pas la tricherie, ni dans sa vie ni dans ses romans. Et parce qu'elle avait elle-même outre-passé ses propres règles ces derniers temps, elle s'en voulait. C'était une épouse peu fière d'elle-même et confuse qui débarquerait à l'aéroport Trudeau de Montréal et embrasserait un mari ne se doutant de rien.

Quelques heures plus tard, quand elle constata, après l'atterrissage, la longueur de la file d'attente pour passer devant les guichets de la douane canadienne à cause de l'arrivée simultanée de plusieurs vols, l'idée vint à Marjolaine d'avertir Alain de prendre son mal en patience. Elle avait bien mis pied à terre au pays, certes, mais elle ne se présenterait pas dans la salle des arrivées internationales avant une grosse heure, sinon davantage. Elle sortit alors son portable et composa rapidement le numéro de cellulaire de son homme.

— Alain ? Comment ça va ?

— Ah non ! Ne viens pas me dire que tu m'appelles de quelque part en Europe, comme la semaine dernière, pour m'annoncer que tu n'arrives pas ! Parce que là…

— Mais non, mais non, me voilà bel et bien au Canada, en train de faire la queue derrière plusieurs centaines de personnes pour passer à la douane, ici, à Trudeau. Comme ça risque de prendre pas mal de temps, je voulais t'avertir.

— Pas grave. Attendre un peu plus ou un peu moins…

— Ça va bien, Alain ? Tu me sembles… euh… un peu nerveux. Ou plutôt tanné.

— On le serait à moins ! Ça fait des heures que je tourne en rond ici !

— Je n'y suis pour rien, je t'assure ! J'ai hâte de te voir.

— …

— Et toi ? Es-tu content de me voir revenir ?

— Oui, oui.

La première chose qui attira l'attention de Marjolaine en entrant dans la maison, en plus de l'accueil frénétique et enjoué de Jack, fut une odeur de brûlé. Puis, dans le salon, elle remarqua la patte brisée d'une petite table de coin et l'abat-jour de la lampe suspendue au-dessus complètement démoli.

— Mon Dieu! Que s'est-il passé ici?

— Rien de trop grave, à vrai dire, mais ça aurait pu tourner au vinaigre. Ton fils, c'est-à-dire NOTRE cher fils, Rémi Legendre, a encore fait des siennes, hier soir. Mais cette fois, ça n'a pas passé. Il a su ma façon de penser et… et nous en sommes venus aux coups. J'aurais pu lui donner toute une raclée, crois-moi! Mais, comme il ne tenait pas debout tant il était paqueté, il a perdu pied et est tombé sur la table en s'accrochant à la lampe. Alors, avant de le mettre en pièces comme j'en avais envie, je l'ai crissé à la porte.

— Ah, Seigneur! Ça commence bien! Et où se trouve-t-il présentement?

— Je ne l'ai pas revu, et il n'est pas près de remettre les pieds dans la maison, j'ai l'impression. Quant aux dégâts, comme l'empoignade s'est passée tard dans la soirée d'hier, je n'ai pas eu le temps d'effectuer des réparations, puisque je devais faire quelques courses, ce matin, et venir te chercher ensuite à l'aéroport.

— Tu l'as battu seulement parce qu'il était ivre? Mais voyons, Alain, tu n'as jamais pris de brosses durant ta jeunesse, toi?

— Figure-toi donc que le cher petit trésor, dans la nuit de vendredi à samedi, est venu fouiller, pendant mon sommeil, dans mes poches de pantalon pour prendre de l'argent et les clés de ma voiture.

— Quoi! Il a osé faire ça? Ah! le petit sacripant!

— Oui, tu peux le dire : le petit crisse de sacripant ! Comme je dormais, je n'ai rien entendu. Hier, donc, en ce beau samedi matin où j'avais rendez-vous au club de golf avec des amis, je me suis retrouvé Gros-Jean comme devant, sans voiture et quatre-vingt-dix dollars de moins dans mon portefeuille. Quelles explications allais-je donner à mes amis, hein ? Que mon fils avait emprunté ma voiture sans ma permission la veille et n'était pas encore rentré ? Écrasé de honte, j'ai annulé ma journée avec eux, en prétextant une grave panne de moteur. Grave panne en effet, mais d'une autre sorte de moteur ! Je suis donc resté ici toute la journée, pour attendre, fou de rage, le retour du cher petit trésor. Malheureusement, notre fils ne s'est pointé que vers dix heures, hier soir, saoul comme un cochon. Il avait sûrement pris de la drogue, je gagerais ma chemise.

— S'est-il au moins excusé ou t'a-t-il donné des explications au sujet du… euh… de l'emprunt d'argent ?

— Qu'est-ce que tu penses ? Je ne lui en ai pas laissé le temps ! J'ai sauté sur lui dès son arrivée pour le secouer. J'avais envie de l'étriper, Marjolaine, c'est pas mêlant ! En tout cas, je compte sur toi pour améliorer les choses.

« Il compte sur moi ! Il en a de bonnes ! Je ne fais pas de miracles, moi ! » songea Marjolaine. Elle se rentra la tête dans les épaules en soupirant. Non seulement elle revenait à la réalité, mais la réalité l'accueillait à grands coups de gifles. La fatigue aidant, elle éclata en sanglots, souhaitant entendre quelques mots de consolation de la part d'Alain. Mais les mots ne vinrent pas. Elle réalisa alors que lui-même avait peut-être davantage besoin qu'elle de soutien moral, et elle passa spontanément ses bras autour de son cou.

— Ne t'en fais pas, Alain, tout finira par rentrer dans l'ordre. Il s'agit d'un mauvais moment à passer. Les orages finissent toujours par se dissiper, tu le sais bien. Rémi va vieillir et devenir plus mature. Il finira par s'assagir.

— Si tu le penses…

— Dis donc, je casserais bien la croûte, moi ! Il est presque deux heures du matin à l'heure européenne, et le repas servi dans l'avion, à je ne sais plus quel moment, m'a paru à peine mangeable.

Alain, penaud, entrouvrit la porte du four, et une épaisse fumée s'en dégagea et envahit la cuisine.

— Hum ! J'avais mis un rôti de porc au four pour ton retour, mais avec le retard du vol, il a vraiment trop cuit. Regarde, il est devenu noir comme du charbon. Zut ! Il aurait pu prendre en feu…

— Il ne t'est pas venu à l'idée de programmer la minuterie pour faire cesser la cuisson à l'heure voulue ?

— Non… À vrai dire, je n'y ai pas pensé. Moi, tu sais, l'art culinaire…

— Il doit bien y avoir quelque chose à se mettre sous la dent dans la maison, non ?

Elle ouvrit toute grande la porte du réfrigérateur pour y découvrir des tablettes à moitié vides. Une réflexion lui vint naturellement à l'esprit, mais elle se garda bien de l'exprimer à voix haute : « Ouais, ma première sortie au Québec, demain matin, va consister en une longue et ennuyeuse visite à l'épicerie. Me voilà vraiment de retour. Bravo ! » Elle dénicha néanmoins un reste de tarte au citron derrière un pot de mayonnaise « passée date ». Dans l'un des tiroirs, elle trouva un peu de cheddar et quelques raisins encore frais et, dans la dépense, une boîte de craquelins et des biscuits au chocolat. Cela lui parut suffisant. Elle sortit alors un bordeaux rouge de la petite étagère où on disposait les bouteilles de vin, et le tendit à Alain.

— Viens, on va s'organiser un petit gueuleton.

— Tu sais quoi, Marjo ? Je suis content de te voir de retour. Sans toi, la maison m'a paru vide et trop tranquille.

Enfin ! sinon des paroles d'amour, à tout le moins un mot de bienvenue ! Elle allait de nouveau s'approcher de lui, quand la sonnerie du téléphone à ses côtés interrompit brusquement son élan. Alain la devança et saisit aussitôt le combiné.

— Un instant, je vous la passe. Marjolaine, c'est pour toi. Un homme avec un drôle d'accent.

Était-ce l'émotion ? La fatigue ? L'écœurement de l'arrivée difficile ? Ou bien la joie d'entendre la voix adorée ? Elle répondit sur un ton grave et entrecoupé de soupirs, tremblant de tout son corps et buvant les douces paroles d'Ivan comme une eau de source. Quand elle jeta un œil sur Alain, elle le vit affairé dans la cuisine, l'oreille dressée, de toute évidence attentif à la conversation de sa femme. De peur d'être prise au piège, elle termina l'appel au plus vite.

— C'est ça, Franjo, on se redonne des nouvelles. Au revoir. Et… sois prudent sur les routes de France, hein ?

Comme elle s'y attendait, Alain ne tarda pas à s'enquérir de l'identité du mystérieux interlocuteur nommé Franjo.

— C'est quelqu'un qui se trouvait en ma compagnie au cours de ma tournée de la semaine dernière en Suisse. De Genève, il devait retourner à Paris en voiture. Il a appelé pour savoir comment s'est passé mon retour.

— Ah bon. Il n'a pas perdu de temps !

Elle n'avait pas vraiment menti. Ivan était bel et bien quelqu'un qui l'avait accompagnée, la semaine précédente. Il importait donc de laisser entendre à Alain qu'elle avait voyagé avec plusieurs «quelqu'un». L'espace d'une seconde, elle se demanda si les non-dits constituaient réellement un mensonge, mais, en vérité, elle connaissait bien la réponse.

Elle s'empressa de changer de sujet, et s'empara de son verre de vin.

— À ta santé, Alain.

— À ton retour, ma femme.

À leurs pieds, Jack, la tête entre les pattes, demeurait aux aguets, dans l'espoir de récolter quelques miettes sous la table. En lui jetant un coup d'œil, Marjolaine vit en lui un réel symbole de sérénité. La vie continuait. La vraie vie...

Mine de rien, elle laissa tomber un morceau de fromage.

CHAPITRE 18

Rémi ne se pointa pas avant plusieurs jours, au grand effarement de sa mère. Elle se demandait où il se trouvait et à quel endroit il dormait, ses appels sur le portable de son fils restant invariablement sans réponse. La dernière fois qu'elle lui avait adressé la parole au téléphone du château, plus de dix jours auparavant, il lui avait annoncé son projet de prendre un emploi dans l'entreprise de construction du père de l'une de ses amies, et Marjolaine y avait cru. Que s'était-il donc passé depuis ce temps ? Et maintenant, pour quelle raison ne regagnait-il pas son domicile ? Même s'il appréhendait encore la colère du paternel, le petit chenapan aurait dû avoir hâte de retrouver sa mère, revenue après une absence de plus d'un mois !

Dès le lendemain du retour de Marjolaine, Alain s'était employé à démolir une à une les belles illusions de sa femme. Non, Rémi n'avait travaillé nulle part au cours des dernières semaines. Oui, il avait disparu à quelques reprises sans aucun avertissement et souvent durant deux ou trois jours d'affilée. Oui, il en revenait la plupart du temps ivre ou, pire, gelé comme une balle. Oui, les premiers jours, il s'était parfois servi de l'auto de sa mère sans demander la permission, à tel point qu'Alain avait décidé de lui retirer les clés et de ranger secrètement la Ford dans le garage de son beau-frère, bien en sécurité, à l'autre bout de la ville. Non, Rémi n'avait pas exprimé une seule fois son désir de reprendre ses études au cégep à l'automne. Et non, il ne prononçait jamais le nom de sa mère. À vrai dire, on aurait dit que seul son chien Jack l'intéressait. Pour le reste, le garçon demeurait muet comme une carpe, autant sur ses projets d'avenir que sur l'identité de sa nouvelle gang d'amis et les activités probablement louches auxquelles il s'adonnait avec eux. De toute évidence, il s'était engagé sur la pente vertigineuse de la délinquance.

Les jours passaient et Rémi ne donnait toujours pas signe de vie. Marjolaine se sentait au bord de la panique. Elle avait même relégué l'image d'Ivan au dernier plan de ses pensées. Et avec son mari, comme une obsession, elle revenait invariablement sur le sujet du garçon, malgré l'exaspération évidente d'Alain. Après tout, il s'agissait de son fils, à lui aussi. Il pourrait se tracasser un peu, non ?

— Pourquoi, Alain Legendre, ne m'as-tu rien dit de tout ça quand tu m'appelais à Manuello ?

— Je ne voulais pas t'inquiéter inutilement. Je connais ta capacité innée de t'énerver pour tout et pour rien.

— Eh bien, ce n'était pas pour rien, selon moi ! Notre garçon est en train de devenir le pire des voyous, je n'arrive pas à y croire !

— Qu'aurais-tu pu faire de plus, de là-bas, à l'autre bout du monde ? L'engueuler et lui faire la morale au téléphone ? Ça aurait envenimé les choses, rien de plus !

— Tu as raison. Mais, en ce moment, je me sens tellement déroutée… Qu'allons-nous faire ? Et pourquoi ne revient-il pas ? Voilà plus de trois jours qu'on l'attend, il doit bien s'en douter, bon Dieu de la vie !

— Pas certain de ça, moi ! Il semble tellement mêlé qu'il ne doit plus se souvenir de la date de ton retour, je gagerais ma chemise.

— Moi, je pense plutôt qu'il n'a pas digéré votre bagarre de l'autre soir et qu'il a maintenant peur de toi. Tu ne l'as pas frappé trop violemment, j'espère ?

— Mais non, voyons ! La table et la lampe ont mangé les coups, pas lui. De toute façon, il est plus grand et plus fort que moi.

— Mais il avait bu, m'as-tu dit.

— Je dirais même qu'il avait passablement sniffé. Ou pire…

Rémi survint finalement en titubant et plutôt « mêlé », en effet, aux petites heures du matin, après des jours d'attente anxieuse de la part de sa mère tourmentée, pour ne pas dire torturée. Il réagit à peine à l'accueil joyeux de son chien et ne remarqua même pas la présence de Marjolaine, assise seule dans le salon, réfugiée justement sous la petite lampe brisée et sans abat-jour qu'Alain n'avait pas encore daigné réparer.

Consternée devant le comportement de son enfant, elle s'effondra. Tout ce qui constituait son univers craqua alors brutalement, à ce moment-là. Ni Alain, ni leur autre fils François, ni les souvenirs de la Suisse et de la Croatie, ni l'amour secret d'Ivan Solveye, ni la musique, pas même sa passion pour l'écriture ne lui permirent de résister à cette dégringolade. Elle atteignit, cette fois, le véritable bas-fond. Le trou noir de l'enfer. Le Vide absolu.

À cet instant précis, rien d'autre n'exista plus dans l'esprit de la pauvre femme que son fils déchu, son petit garçon de jadis aux grands yeux bruns vifs et expressifs, débordant d'énergie et de naïveté, son adorable fils trop vite grandi, trop vite devenu physiquement un homme.

Elle se rappelait encore le jour où elle l'avait perdu, au centre commercial. Il venait d'avoir quatre ans, et il lui avait échappé alors qu'elle attendait en file pour passer à la caisse d'un magasin à grande surface. Soudain, il ne se trouvait plus là. Affolée, elle était partie à sa recherche en entrant dans toutes les boutiques, mais elle ne l'avait vu nulle part. Ce matin-là, cruelle coïncidence, on avait justement annoncé à la radio la découverte du corps sans vie d'un bambin de son âge, disparu depuis quelques jours. Et si le kidnappeur, en mal d'une nouvelle victime, s'était emparé de Rémi? Marjolaine avait cédé à la panique et s'était alors mise à hurler dans l'allée débordant de passants. Au même instant, un appel avait résonné dans les haut-parleurs du centre : « La mère de Rémi Legendre est priée de se présenter aux bureaux de l'administration, au deuxième étage, au-dessus de la Foire alimentaire. » Une âme charitable avait simplement pris l'enfant égaré par la main et l'avait conduit dans les bureaux de la direction du centre d'achats.

Les années avaient vite passé et, depuis plusieurs mois, aucun ange gardien ne prenait Rémi par la main pour le ramener dans le droit chemin. Même ses parents n'y arrivaient pas. Le garçon refusait d'admettre ses errements et n'acceptait surtout pas de s'agripper à la main de sa mère, et encore moins à celle de son père, pour se remettre d'aplomb. Marjolaine voyait maintenant son grand fils plongé dans l'abîme, sur le point de se noyer dans les eaux noires de l'alcool et de la drogue. Mais que faire? Il lui échappait à tel point qu'elle ne le reconnaissait plus. Son enfant, là, appuyé devant elle sur la rampe de l'escalier, inerte et le regard vitreux, n'arrivant pas à réagir normalement, encore moins à tenir une conversation. Son enfant perdu.

Incapable de retenir ses larmes, elle s'approcha de lui et le mena vers le canapé en l'aidant à se tenir sur ses jambes. Le jeune homme se laissa choir mollement et ne bougea plus. La mère le serra longuement dans ses bras et prononça alors tout haut, d'une voix caverneuse entrecoupée de sanglots, les mille et une questions qui jaillissaient en elle comme un volcan soudainement en éruption.

— Pourquoi, Rémi, pourquoi ? Que cherches-tu donc dans la drogue que tu ne trouves pas en toi-même et dans ton milieu de vie ? Tu possèdes la santé, l'intelligence, l'amour de tes parents, un grand frère qui t'adore, la sécurité d'une famille, un bon collège. Que trouves-tu de plus dans ce poison liquide dont tu t'imbibes continuellement et dans cette poudre que tu sniffes à outrance ? À moins que tu ne te l'injectes… Je n'y vois que la désorganisation, l'abrutissement, la déchéance à coup sûr. Pourquoi ? Tu cherches l'évasion et l'oubli, peut-être ? Mais l'oubli de quoi, Rémi ? Tu cherches l'oubli de quoi ? Est-ce donc à cela que tu aspires : la fuite afin d'apaiser une souffrance ? Mais quelle souffrance ?

Le garçon, l'air hagard et incapable de répondre, demeurait prostré comme un énorme pantin immobile, prisonnier des bras d'une femme. Cela n'empêcha pas Marjolaine de poursuivre ses interrogations angoissées.

— S'il te plaît, dis-moi de quelle souffrance il s'agit, Rémi. Dis-moi de quelle terrible douleur, de quel manque ou de quel mal de vivre tu cherches à te soulager. Ne t'avons-nous pas assez aimé, ton père et moi ? D'où te viennent cette envie, ce besoin de te détruire ? De nous détruire… Ne t'ai-je pas toujours enseigné à croire en toi et à te dépasser, à aimer la vie, à cultiver le beau, à chercher l'amour, à t'émerveiller ? Dis-moi, dis-moi honnêtement, mon fils, en quoi ai-je failli, durant toutes ces années où je t'ai pris par la main, mon tout-petit si mignon, à te mener vers l'autonomie ? Ai-je été une si mauvaise mère ? Rémi, Rémi, réponds-moi, je t'en supplie.

Quand elle cessa de parler, un silence insolent constitua l'unique réponse à ses questions. Elle comprit alors que son fils dormait, là, affalé sur le canapé, la tête enfouie contre la poitrine de sa mère. Elle caressa longuement sa chevelure sale et embroussaillée, et posa doucement ses lèvres sur sa joue tiède et rude de poils. Au moins, ce contact-là durait encore.

Elle le secoua alors avec délicatesse et, en le soutenant par le bras, l'obligea à descendre lentement, une marche à la fois, jusqu'à sa chambre. Rémi était redevenu son petit garçon. Elle le déshabilla, le fit étendre sur son lit et le borda comme autrefois, dans un geste maternel empreint de tendresse. Puis, le cœur en charpie, elle l'abandonna sous la bonne garde d'un Jack tout content. D'un pas lourd, elle remonta ensuite à sa chambre où Alain ronflait comme le plus heureux des hommes.

Elle pleura longtemps en silence, le front appuyé sur la vitre de la grande fenêtre de la chambre. Osciller ainsi, en quelques jours à peine, entre des situations extrêmes de bonheur absolu et de désastre absolu allait la rendre folle. Elle se sentait incapable d'en assumer autant.

Ce n'est que le lendemain midi, quand son fils surgit dans la cuisine, que Marjolaine remarqua sa maigreur et son teint blafard.

— Maman ? Tu es revenue ? Je savais pas !

— Mais oui ! Tu ne te rappelles donc pas m'avoir vue, la nuit passée ?

— …

La mère prit une longue inspiration pour s'empêcher de crier comme une damnée et retenir les reproches et admonestations lui montant dans la gorge au point de l'étouffer. L'alarme et le profond désarroi de la veille avaient fait place, ce matin, à la colère. Une colère froide et grandissante, difficile à refouler. La colère juste et justifiée devant l'échec du parent responsable de son enfant.

Au cours de la matinée, Marjolaine n'avait pu se concentrer sur quoi que ce soit, pas même sur la fabrication d'une vulgaire sauce à spaghetti. Elle n'avait réussi rien d'autre qu'à tourner en rond dans la maison comme un ours en cage, obsédée, tracassée, écrasée par les problèmes de celui qui dormait au sous-sol. De plus, quand, ce même matin, elle avait appris à Alain le retour de leur fils « poqué » au beau milieu de la nuit, il s'était abstenu de faire des commentaires, se contentant de quitter la maison vers son travail en haussant les épaules.

Marjolaine lui en voulait pour son manque d'intérêt et son détachement. Aujourd'hui, elle en avait ras le bol, autant du père que du fils, ces deux experts en je-m'en-foutisme, chacun à sa manière, ces hommes de sa vie qui lui avaient ménagé un retour aussi déstabilisant qu'amer aux réalités de son existence.

Maintenant qu'elle se trouvait seule devant Rémi, elle ne savait plus quel comportement adopter. Valait-il mieux l'accabler de reproches, lui faire la morale et le réprimander ? Lui expliquer sa déconvenue et la déception qu'il causait à ses parents ? Ou plutôt l'embrasser et le cajoler comme dans la parabole de l'enfant prodigue ? Peut-être le questionner encore et encore, en l'inondant de comment et de pourquoi. Et de quand aussi, car la session allait reprendre dans trois semaines au cégep. Sans doute vaudrait-il mieux le mettre au pied du mur et l'obliger à s'inscrire en thérapie, sinon…

Sinon, quoi ? Elle n'allait tout de même pas le mettre à la porte ! Et puis, à dix-huit ans, elle ne pouvait plus légalement le mener par le bout du nez. Elle doutait cependant qu'un simple changement d'âge à une date précise du printemps dernier ait suffi à briser drastiquement le genre de relation existant entre eux depuis dix-huit ans, une relation éducative basée sur le respect et l'amour.

Ah! comme elle s'était sentie bien dans les Alpes, à discuter d'Absolu et à se pâmer sur la beauté du paysage en compagnie de son cher Ivan! Le pianiste lui manquait démesurément. Elle avait cru pouvoir l'oublier quelque peu avec le recul et le changement d'air, mais, au contraire, le visage au regard tendre du Croate remontait sans cesse à la surface de ses pensées. Ah! s'enfuir, partir auprès de lui et oublier tout le reste… Pendant le peu de temps qu'ils avaient passé ensemble, il vivait «avec elle» et non «à côté d'elle». Elle repoussait ces comparaisons d'avec son existence actuelle en les qualifiant de boiteuses. Trop facile de vivre une relation parfaite quand les problèmes n'existaient pas! La réalité et la dureté de la vie les auraient bien rattrapés tôt ou tard, elle et le beau musicien. Trop facile d'imaginer le paradis sur terre!

Quelques jours à peine s'étaient écoulés depuis ce temps béni, mais elle avait l'impression qu'une éternité l'en séparait. Où résidait donc la vraie vie? Là-haut dans les montagnes, loin du quotidien et avec Ivan, ou bien aujourd'hui dans sa cuisine, en compagnie du fils à problèmes et de son père froid et lointain? Sans doute, ces deux situations comptaient parmi les contextes les plus intenses de l'existence. Le ciel et l'enfer, quoi!

Marjolaine servit le déjeuner à Rémi avec l'empressement de la mère d'un enfant malade. Puis, follement, candidement, elle s'en fut au salon pour jeter un coup œil sur la pelouse à l'avant de la maison, à la recherche d'un papillon blanc. Mais elle n'en vit aucun.

Elle resta là, immobile et muette pendant un long moment, implorant Dieu, s'il existait, de lui inspirer l'attitude à prendre pour trouver une solution durable. Puis, elle retourna à la cuisine d'un pas traînant. Assis au bout le plus éloigné de la grande table, Rémi avalait silencieusement ses toasts sans manifester un grand appétit. Son regard vague et son silence en disaient long sur son état d'âme. Marjolaine se retint pour ne pas éclater en sanglots.

Quelques minutes plus tard, les jappements du chien la firent sursauter et le cliquetis d'une clé dans la porte d'entrée attira son attention. Ah? Pour quelle raison Alain rentrait-il à cette heure? Elle ne put retenir un cri de joie en voyant François pénétrer dans le portique, deux valises à la main. En apercevant sa mère, il lâcha tout et, la prenant dans ses bras, il se mit à tournoyer avec elle dans le hall d'entrée, comme s'il l'emportait dans un mouvement de valse effréné.

— Ah! Maman, ma petite maman d'amour! Comme je suis content de te revoir chez nous!

— Et toi, mon beau François, te voilà déjà de retour de la Côte-Nord! Quelle bonne surprise!

— Comment s'est passé ton voyage, maman? Me suis ennuyé de toi, moi! Je ne sais pas si papa te l'a dit, mais la semaine dernière, le jour où tu nous as fait faux bond, je m'étais rendu à l'aéroport avec lui pour t'accueillir. Quelle déception de ne pas te ramener à la maison avec nous!

Et vlan sur la bonne conscience de Marjolaine! Elle sentit les remords l'assaillir soudain d'avoir manqué ce rendez-vous et se mordit les lèvres. Accomplir son devoir quand il consiste à se trouver à l'endroit précis où l'on doit se trouver, au moment exact où il le faut et où nous attendent ceux que l'on aime doit valoir son pesant d'or, ou plutôt son pesant d'Absolu, lui aussi…

— Désolée, François. J'ai seulement voulu profiter d'une opportunité qui se présentait pour prolonger mon séjour en Europe de quelques jours. J'ai bien essayé, au cours de cette journée-là, d'aviser ton père par téléphone de ne pas m'attendre, mais ça n'a pas marché, comme tu as pu le constater.

— T'en fais pas avec ça, m'man. Te voilà, maintenant, c'est tout ce qui compte !

La pensée d'avoir trompé non seulement son mari mais aussi ses enfants acheva de démoraliser Marjolaine. Elle chercha désespérément une diversion.

— Dis donc, jeune homme, on ne t'attendait que la semaine prochaine. Aurais-tu, par hasard, saisi une belle occasion, toi aussi ?

— Exactement ! J'ai décidé de m'accorder une petite semaine de vacances imprévues avant le début des cours à l'université. Après tout, je mérite bien ça. J'ai fait beaucoup de sous là-bas sur les chantiers, et puis j'ai bien envie de me reposer un peu.

— Tu as parfaitement raison, mon grand. Et compte sur moi pour te dorloter au cours de la prochaine semaine !

— Eh bien, non, tu ne pourras pas, maman, car je vais passer ces quelques jours en camping avec une copine. Tout est déjà organisé. Ses parents nous prêtent leur petit véhicule motorisé et nous avons réservé un site au parc du Mont-Tremblant, sur le bord d'un lac.

— Bonne idée ! Et je la connais, cette amie ?

— Oui, oui, tu l'as déjà rencontrée. Caroline Pronovost, ça te dit quelque chose ? C'est une fille de ma classe et elle a travaillé avec moi à Fermont, cet été. Eh bien… euh… En fait, la copine s'est transformée en amoureuse. Je pense que nous sommes vraiment tombés amoureux, maman, et ça va très bien ! Je ne me suis jamais senti aussi heureux.

— Es-tu sérieux ? Ah ! quelle bonne nouvelle ! Ah oui, mon Dieu, quelle bonne, bonne, bonne nouvelle !

Marjolaine essuya une larme, au grand étonnement de François, qui ne voyait pas de motif à pleurer pour une histoire d'amour fort joyeusement enclenchée. C'est alors qu'il aperçut son frère affalé à la table de la cuisine, le menton dans les mains et les yeux vides et fixes comme des fonds de casseroles. Il vint lui donner une taloche amicale sur l'épaule, mais l'autre resta sans réaction.

— Salut, Rémi ! Qu'est-ce que tu deviens ? Ça fait un bout qu'on s'est vus. À ma dernière visite, on s'est manqués de peu, paraît-il. Qu'est-ce que t'as à dire ? La construction, ça marche ? Pas trop dur ? Et le cégep, ça s'en vient, il me semble…

Maintenant son air renfrogné, Rémi se contenta de hausser les épaules, sans répondre. Derrière lui, Marjolaine fit un signe de la main à François de cesser d'insister. Le jeune frère semblait dans une mauvaise période et mieux valait, pour le moment, le laisser muré dans son mutisme obstiné.

— OK, le frérot, si t'es pas en air de jaser, on se reparlera une autre fois. Mais je t'avertis, on va se parler dans le casque en estie, cette fois ! D'après ce que je vois, ça me semble drôlement nécessaire ! Pour l'instant, tu ferais mieux de retourner te coucher, t'en as rudement besoin ! Quant à toi, ma belle maman d'amour, assieds-toi, on va prendre un café, et tu vas me raconter ton voyage. Et je veux tout savoir !

Il ne sut pas tout, évidemment. Marjolaine se garda bien d'énoncer son aventure amoureuse avec Ivan. Elle mit plutôt l'accent sur le séjour au château et ses rencontres enrichissantes avec les autres auteurs. François s'étonna de son choix de texte pour la lecture publique et s'amusa beaucoup des croyances occultes de l'auteure dramatique belge et de leur effet affolant sur sa mère. Pour la tournée ultérieure en Suisse et à Dubrovnik, l'expression «mes amis de Manuello», utilisée par l'écrivaine, lui évita de préciser le nom de ses compagnons de voyage, ou plutôt de son unique compagnon de voyage et... de lit! Après tout, le mensonge provenait seulement d'un singulier déguisé en pluriel! «Son» ou «ses» compagnons, quelle différence pour François?

Reconnaissante à son grand fils pour ses questions, le seul de son entourage à avoir manifesté quelque intérêt au sujet des péripéties de son voyage, Marjolaine ressentit tout de même du dépit à l'idée qu'une telle aventure d'amour défendu doive se payer au prix de multiples tromperies. Des tromperies d'allure minime, mais pourtant énormes aux yeux de celle qui les commettait. Ces affreux mensonges, elle ne pourrait jamais les éviter. En effet, ils avaient commencé à germer le soir même de son retour, lors du premier appel téléphonique d'Ivan.

Dieu merci, quand le pianiste avait rappelé, au cours de la journée du lendemain, elle se trouvait seule dans la maison et avait pu lui expliquer clairement, et non par des sous-entendus prononcés à mi-voix comme la veille, qu'il devrait porter dorénavant le nom de son enfance, Franjo, dans ses relations avec elle. Mieux valait user de prudence. Ainsi, si jamais on découvrait son nom sur une lettre ou lors d'un appel téléphonique, on ne pourrait faire de rapprochement et l'identifier au célèbre pianiste Ivan Solveye, connu mondialement. Connu d'Alain surtout, puisqu'il avait assisté avec elle à son concert du printemps dernier à Montréal.

Le Croate avait accepté, un peu à regret, de signer Franjo Penkala au bas de ses lettres et de réduire le plus possible ses appels téléphoniques, surtout durant les fins de semaine et le soir, quand Alain se trouvait à la maison. De plus, il n'était absolument pas question d'établir une communication suivie sur Internet. Trop risqué, pour quelqu'un de la famille, de découvrir accidentellement le pot aux roses. Finalement, Marjolaine avait ouvert un casier à son nom, au bureau de poste, afin d'y recevoir les lettres quasi quotidiennes et infailliblement remplies de mots d'amour de l'homme qu'elle n'arrêtait pas d'aimer secrètement.

Un amour fou que la crise actuelle de sa famille continuait de nourrir par voie détournée, comme une planche de salut à laquelle s'agripper... Au moins, Ivan l'écoutait, la comprenait, l'encourageait, lui ! Les multiples pages échangées, rédigées quotidiennement d'un seul jet et sur lesquelles chacun confiait ses états d'âme, ses pensées et ses réflexions, les rapprochaient plus qu'elles n'aiguisaient les douleurs de la séparation. L'absence et la distance ne semblaient plus exister entre Marjolaine Danserot et Ivan Solveye, ni les remords et les regrets, relégués au fond de l'oubli, enfouis sous la poussière ténébreuse du temps actuel. Pour Marjolaine, à tout le moins. Quant à l'espoir d'une continuité, soumis à une décision grave et, de toute évidence, imminente, l'épouse et mère ne se permettait même pas d'y réfléchir pour l'instant.

Marjolaine et son fils aîné jasèrent pendant plusieurs heures, une fois Rémi retourné à sa chambre. En plus du récit de son voyage, elle put parler de son prochain roman à François, puisque cela semblait l'intéresser. Lui, de son côté, après avoir énuméré en long et en large les multiples qualités de la belle Caroline, énonça quelques projets d'avenir, en ce début de sa dernière année d'université.

— Caroline et moi, on joindra nos efforts, une fois notre cours terminé, pour s'ouvrir une boutique de produits d'informatique dans la région de Montréal.

Marjolaine aurait souhaité voir le premier projet consister en la fondation d'une petite famille, mais les choses viendraient en leur temps. De toute manière, pour le moment, un autre sujet plus épineux la préoccupait bien davantage et s'imposait de force : Rémi Legendre. Comme le garçon persistait à demeurer dans sa chambre, Marjolaine en profita pour en discuter sérieusement et à voix basse avec le grand frère.

— Et l'avenir de Rémi, comment le vois-tu, toi, François ?

— Ah… j'avoue qu'il m'inquiète pas mal, celui-là ! Il prend de la drogue, maman. Beaucoup de drogue, et pas seulement du pot. De l'alcool aussi, mais surtout de la coke.

— Je sais. Il a même fouillé dans le portefeuille d'Alain pour lui voler de l'argent ! Et ça me rend folle. Non seulement j'ignore pour quelle raison il se drogue comme ça, mais je ne sais pas non plus comment réagir. Ton père, lui, joue à l'autruche. Il s'enrage en s'enfouissant la tête dans le sable. Rien de plus.

— Il n'existe pas de solutions miracle, j'en ai bien peur. On devrait l'envoyer dans une maison de thérapie. Encore faudrait-il qu'il en manifeste lui-même le désir ou, à tout le moins, qu'il accepte sincèrement d'y aller. Sinon, il s'agit d'une perte de temps et d'argent. Quant aux études, il n'y retournera pas de sitôt. Aucun doute là-dessus. Pas cette année, en tout cas.

— C'est grave à ce point-là, François ? Dis-moi une chose, et là, je te demande une franchise totale, même si ça doit me faire mal : en quoi ai-je pu manquer à mon devoir de mère pour que mon enfant en arrive là ?

Marjolaine s'en voulut et se sentit peu fière d'elle de poser une telle question à son grand fils en exigeant de lui une sincérité brutale, alors qu'elle-même ne se gênait pas, et ne se gênerait pas à l'avenir, pour mentir à tous les siens au sujet d'un amour secret installé dans son cœur. Mais jusqu'à quand cet amour survivrait-il ?

— Honnêtement, maman, vous n'avez rien à vous reprocher, toi et papa. Absolument rien. Vous avez été et êtes encore d'excellents parents. Cependant, à partir du moment où leur enfant a le pied bien enfoncé dans l'adolescence, la plupart des parents perdent naturellement de leur autorité et de leur influence, car des amis les remplacent. Rémi a connu une enfance normale et heureuse, mais il n'a pas su choisir son groupe d'amis. T'en fais pas, un jour ou l'autre, les valeurs que vous lui avez inculquées vont remonter à la surface et gagner la partie. Quand la base est solide, un édifice ne s'écroule pas, tu le sais bien !

Si elle le savait bien ? Oui, elle savait, bien sûr ! Mais son premier fils, toujours à son affaire, ce grand garçon sage et raisonnable qui faisait son bonheur et sa fierté, ne l'avait nullement préparée à une telle éventualité concernant le petit frère sur le bord de s'écrouler royalement, malgré la base soi-disant excellente.

— Merci, mon chéri. Je n'oublierai jamais tes dernières paroles, car elles me donnent du courage. Grâce à toi, je vais garder espoir.

Marjolaine ignorait si l'évocation de l'édifice aux fondations stables et solides lui apportait simplement un soulagement temporaire ou si elle représentait une promesse d'avenir à laquelle elle avait le devoir de s'accrocher, mais elle s'efforça d'y croire fermement.

CHAPITRE 19

Vers le milieu du mois d'août, quelques jours avant la rentrée pour la première session du cégep, eut lieu la scène du siècle entre Rémi et sa mère, seuls dans la maison à ce moment-là.

— Tu retournes aux études, mon garçon, là où, au printemps dernier, tu t'étais inscrit en prévision de l'automne. Sinon, tu t'en vas en thérapie, pour quelques semaines ou pour quelques mois, dans un centre de traitement de la dépendance aux substances illicites. Ta maudite drogue et la criminalité qui l'accompagne habituellement ne deviendront pas l'apanage du fils de Marjolaine Danserot et d'Alain Legendre, tu m'entends? Je ne vais pas te laisser démolir ta vie sans réagir, mon garçon. Oh! que non! Tiens-toi-le pour dit!

— Ça me tente pas de retourner à l'école, m'man. Et encore moins d'aller en thérapie. J'ai besoin d'argent. Un urgent besoin d'argent. C'est grave, très grave. Je dois travailler au plus sacrant, je te dis. Tu devrais plutôt m'aider à me trouver une job au lieu de t'acharner à vouloir me noyer dans les devoirs de français, de maths pis de philo!

— Te noyer ? Tu me fais rire, Rémi Legendre ! Tu l'es justement, en train de te noyer, et dans des eaux de dépotoir beaucoup plus périlleuses, tu sauras ! Allume, pour l'amour du ciel ! Tu n'as qu'à te trouver un emploi d'étudiant, le soir ou la fin de semaine, si tu veux tant travailler. De toute façon, tu es logé et nourri, nous payons tes frais de scolarité, tes livres, tes vêtements et ton transport. Tes petites dépenses ne représentent tout de même pas une fortune, surtout qu'on en assume une partie ! Trouve un meilleur argument que ton manque de fric, si tu veux lâcher l'école, mon cher !

— Je dois de l'argent, maman. Beaucoup d'argent. Bien plus que tu peux t'imaginer. Et ça pourrait devenir dangereux si… si je ne le rembourse pas au plus sacrant. À tout le moins si je ne donne pas une avance. Une grosse avance.

— À qui tu dois ça, sacrebleu ?

— …

— S'il s'agit de dettes de drogue, ne compte pas sur tes parents pour te dépanner. On n'a pas envie de t'encourager sur ce chemin-là, nous ! Si ton père savait ça… Il y a bien assez de l'autre jour où j'ai fait réparer ma voiture au plus vite et menti au policier à cause de toi.

— Menti au policier ? Quel policier ?

— Ne viens pas me faire croire que tu n'es pas allé à Saint-Adolphe-d'Howard au lieu de Saint-Sauveur, un certain soir du mois de juin et que… Délit de fuite, ça ne te dit rien, mon fils ?

— Je l'ai pas fait exprès. C'est à peine si je me suis rendu compte d'avoir frôlé quelque chose sur le bord de la route.

— Quelque chose… ou quelqu'un, tu veux dire !

— Je savais pas que les policiers étaient venus ici. T'en fais pas, m'man, le gars est pas mort, il est même sorti de l'hôpital, je me suis informé en cachette. Ils vont pas poursuivre leur enquête.

Ainsi, Marjolaine ne s'était pas trompée au sujet du cycliste frappé par une voiture. Il s'agissait bien de sa voiture et de son fils au volant… Elle se mit à trembler et dut se tirer une chaise pour éviter de s'abattre sur le plancher comme une marionnette désarticulée. Pendant une seconde, l'image de son mari portant la main sur Rémi, la veille de son retour d'Europe, effleura son esprit. Elle aussi, si elle ne se retenait pas, elle le secouerait jusqu'à ce que la pourriture lui sorte par les pores de la peau. Et, à l'instar d'Alain, elle pourrait très bien le lancer sur la table de la cuisine jusqu'à en briser les quatre pattes et jeter par terre l'énorme lustre suspendu au-dessus. Hélas, Rémi, beaucoup plus grand et fort que sa mère, et à jeun ce matin, saurait sans doute bien se défendre.

Quel était donc cet être sans couilles, ce menteur, ce tricheur, cet irresponsable qu'elle avait mis au monde? Mis au monde, passe encore, mais aimé et adoré? Élevé? Éduqué? Formé? Quelle faillite, grands dieux, quelle faillite! Et quelle infamie!

Vite, elle tenta de se ressaisir. Une mère, même faible physiquement, avait le devoir de se montrer forte et solide. Elle n'avait pas le droit de se laisser choir de la sorte. Une mère, ça représentait à la fois un pilier et un oreiller. Un pilier pour s'appuyer et un oreiller sur lequel se réfugier et se reposer. De plus, une mère, ça se devait d'ouvrir les yeux de sa progéniture et d'apporter un jet de clarté dans la confusion totale où plongeaient parfois certains adolescents tout à fait écervelés et inconséquents comme Rémi. Comme cette tête en l'air…

Soudain, elle s'arrêta net. Une mère, ça devait aussi servir de modèle d'intégrité, non? Elle songea aux lettres d'Ivan et manqua s'étouffer. Vite ! Il fallait se reprendre, relever la tête et marcher bien droit.

Elle poussa un long soupir et essaya de poursuivre avec un discours cohérent prononcé d'une voix énergique. Le discours d'une mère à la fois douce et ferme, à la recherche d'une solution.

— À ton âge, tu es maintenant assez grand pour assumer toi-même tes responsabilités, Rémi. Par contre, ça ne doit pas t'empêcher de retourner au collège, tu m'entends ? Contente-toi de quelques cours à temps partiel au cégep, s'il le faut, mais finis au moins ton cours de français et ta philo 101, de même que les autres matières de base que tu n'as pas été foutu de terminer à la dernière session. Au moins ça, compris ? Prouve-moi ta bonne volonté, on verra par la suite au sujet de ta dette… et pour le reste !

Rémi, sans doute déçu de la tournure de la discussion, répliqua sur un ton rude et agressif.

— J'ai maintenant l'âge adulte. Tu peux plus m'obliger à rien, m'man ! Surtout pas à aller à l'école. Et moi, j'ai plus à t'obéir, je regrette.

— Ah, tu crois ça, mon garçon ? Moi, de mon côté, je peux cependant te couper les vivres et t'obliger à prendre la porte, si je veux. Et ça, personne ne peut m'en empêcher, désormais. Pas un juge, pas un travailleur social, pas ton père, pas même toi !

Marjolaine bouillait tellement de rage qu'elle lui désigna la porte d'un geste à la fois violent et autoritaire. Le garçon ne se le fit pas dire deux fois et prit furieusement la direction de la sortie.

Le brutal claquement fit néanmoins sursauter Marjolaine, et elle en resta confondue. Quelle bêtise elle venait de commettre ! Au lieu de lui offrir son écoute et son aide, elle venait bêtement de dire à son fils de déguerpir. Quelle mauvaise mère elle faisait, en dépit des gentilles prétentions de François ! De toute évidence, l'ampleur des problèmes de Rémi la dépassait largement. Le garçon avait raison, il venait d'atteindre l'âge adulte légal, cet âge soi-disant de la maturité et des responsabilités. Quelle farce !

Elle eut subitement l'impression de faire fausse route avec ses admonestations et ses menaces. Mais existait-il d'autres manières de régler de tels ennuis ? Comment sortir Rémi de l'impasse ? Devenir son amie et sa confidente jusqu'à établir une complicité malsaine ? Non, jamais dans cent ans ! Le laisser continuer sur la mauvaise pente sans protester ? Non plus. Lui donner une grosse somme d'argent ? Non, elle n'allait tout de même pas jouer son jeu et prendre ses folles dettes sur ses épaules. De toute façon, de l'argent, elle n'en avait pas de reste. Alors ? Prêcher par l'exemple ? Ne l'avait-elle pas fait depuis dix-huit ans ? Le résultat ne lui paraissait pas très brillant.

Et son père, hein, où se trouvait-il encore, son gentil papa ? Encore parti jouer au golf ? Encore occupé au bureau, tard le soir, à un dossier urgent ? De plus en plus urgents, les dossiers, depuis quelque temps… Hum ! Ou pris à une autre réunion d'information avec le nouveau personnel ? Ou parti à travers la province, quand ce n'était pas à travers le monde, à la recherche de nouveaux clients ? Et la saison de la chasse qui arrivait à grands pas !

L'épouse commençait à se poser de sérieuses questions au sujet de son couple. Et si le terme « réunion » utilisé par son mari cachait un mensonge de même nature que celui porté par « les compagnons de voyage » de Marjolaine, hein ? Se trouverait-elle en mesure de le blâmer pour des tricheries qu'elle-même avait commises, et continuait de commettre à travers sa correspondance incendiaire et quotidienne, et ses conversations téléphoniques hebdomadaires avec un certain musicien, si lointain soit-il ?

Ce matin encore, elle avait reçu une lettre enflammée dans laquelle Ivan tentait de semer quelque espoir.

Je ne peux plus me passer de toi, mon amour. Chaque jour me rapproche de la décision que nous devrons prendre enfin... Y songes-tu, au moins?

Non, elle n'y songeait pas, repoussant à un «plus tard» incertain le temps d'y réfléchir sérieusement. Elle n'arrivait pas à s'imaginer annonçant à Alain l'existence d'un amant en France, pas plus qu'à ses enfants. Cet aveu ne briserait-il pas leur confiance en elle? Et si cela pulvérisait complètement la base de leur édifice dont parlait François l'autre jour? Assurément, Rémi s'écroulerait... Quant à leur annoncer son départ définitif vers la France, elle n'osait même pas y penser.

Une fois de plus, Rémi ne se montra pas la face pendant trois jours. Puis, il revint un soir, penaud, sans reparler de son refus de retourner à l'école ni de ses graves problèmes d'argent. Marjolaine ne reprit pas ses jérémiades, préférant laisser le loisir au garçon de réamorcer lui-même la discussion.

Aussi, quelle ne fut pas sa stupéfaction quand, deux jours plus tard, le matin même de la rentrée scolaire, Rémi monta du sous-sol, lavé, peigné et proprement vêtu, tenant une pile de livres sous le bras! Il commença à rire devant l'étonnement joyeux de sa mère.

— Je le savais, maman, que tu serais contente. Je voulais te faire une surprise. Et je commence dès demain à travailler dans un magasin à grande surface de Laval où je pourrai me rendre en métro.

Marjolaine se mit à pleurer de soulagement.

— Ah, mon amour, mon petit trésor d'amour, tu n'as pas idée de mon soulagement! Je voulais tellement te voir reprendre la bonne tangente. Merci, Rémi, pour ton effort. Je suis fière de toi. Quant à tes dettes, prouve-moi que tu peux bien te comporter et je t'aiderai, d'accord ? Laisse-moi seulement un peu de temps.

— Combien de temps ?

— Quand tu m'auras apporté tes premiers résultats scolaires officiels.

— Il sera trop tard, maman.

— Trop tard ? Comment ça ? Mon Dieu, là, tu m'énerves, Rémi ! Pour l'amour du ciel, combien d'argent dois-tu ?

— Beaucoup, maman, beaucoup. Ça me prendrait une avance d'au moins six ou sept cents dollars.

— Six ou sept cents dollars, simplement pour une avance ! T'es pas sérieux ? Mais quelles folies as-tu donc commises ? Je n'ai pas cet argent-là, moi ! J'ai déjà dépensé une grosse somme pour faire réparer ma voiture. Bien sûr, ça peut toujours se trouver, mais… Et puis non ! Laisse-moi méditer un peu là-dessus avant d'agir. Et, surtout, donne-moi des preuves de ta bonne volonté.

— Eh bien, en retournant à l'école, je t'en donne une ce matin, maman, il me semble. Tu ne crois pas ?

Rémi partit en baissant la tête, sa bonne humeur dégonflée. Marjolaine ignorait s'il resterait quelques jours ou bien définitivement sur ce fameux droit chemin, mais elle souhaita de tout cœur que son fils se montre vraiment déterminé à reprendre la bonne voie.

Les jours suivants, elle le vit quitter fidèlement la maison, en route vers le collège. Comme il semblait s'être aguerri et ne reparlait plus de sa dette, la mère ne jugea pas bon d'en glisser un mot à Alain, toujours aussi hargneux envers lui. Elle signerait plutôt elle-même un chèque personnel à Rémi au montant de six cents dollars prélevés sur ses revenus d'auteure, mais seulement au moment où il lui remettrait un relevé acceptable de ses notes d'examen.

Cependant – était-ce par intuition? –, au lieu de remercier le ciel pour l'amélioration évidente de la situation, Marjolaine formulait constamment d'ardentes prières de supplication pour le salut de son enfant rebelle. Puis, un jour, elle cessa ses bigoteries.

« Tu prieras pour les autres, ma vieille, quand tu marcheras toi-même dans la bonne voie. C'est bien beau de vouloir ramener ton fils dans la bonne direction, mais toi, hein, toi, Marjolaine Danserot, tes comportements affectifs cheminent-ils dans la bonne direction? Prétends-tu à une conduite conforme à la morale avec tes lettres d'amour adressées à ton amant et mises à la poste chaque jour? Pour l'instant, ma chère, tu te comportes comme la femme la plus hypocrite parmi les hypocrites de la planète. Et non seulement tu es une épouse tricheuse, mais tu es aussi une citoyenne tricheuse envers les autorités policières. Tu prêches les bons comportements à ton enfant, mais toi, tu te conduis comme une véritable déloyale. Si tes fils apprenaient tes secrets, comment réagiraient-ils, hein? Alors, tais-toi, ma vieille, et commence donc par le reprendre toi-même, ce fameux droit chemin! »

Forte de sa résolution, elle cessa momentanément de répondre aux lettres d'Ivan. Au bout de quelques jours, il s'alarma et lui téléphona.

— Que se passe-t-il, mon amour? Tu ne m'écris plus? Je m'inquiète, moi! Est-il arrivé quelque chose de grave?

— Non, non, Ivan. C'est juste que ma conscience fait parfois des siennes... Je n'arrive pas à me décider à briser et à abandonner ma famille pour aller te rejoindre là-bas, comme tu me le demandes. Je me sens tellement confuse, tu ne peux pas t'imaginer.

— La question n'est pas là, Marjo. Sachant que tu as droit au bonheur comme tous les humains sur terre, tu dois te poser une seule question. Une seule et unique question : es-tu heureuse auprès d'eux ?

— …

— Tu ne réponds pas ! Moi, je la connais, la réponse. Depuis près de deux mois, tu ne cesses de me décrire, dans tes lettres, ton désarroi, tes déceptions, tes tourments, tes inquiétudes… Tu parles souvent de ta solitude aussi, auprès de ton mari. Vas-tu vivre ainsi pour le reste de tes jours ?

— Ivan, Ivan, s'il te plaît, ne me tourmente pas davantage, je t'en supplie. Donne-moi seulement encore un peu de temps. Rémi va déjà mieux. Quand mes enfants n'auront plus besoin de moi, je serai plus en mesure de prendre une décision. Je sais que toi, tu me rendras heureuse. Garde espoir, je ne peux t'en dire plus pour le moment.

— Je vais t'attendre, Marjolaine, parce que je t'aime, toi, l'unique amour de ma vie. Jure-moi que je ne te perdrai pas.

— …

— Jure-le-moi, s'il te plaît.

— Je te le jure.

Marjolaine espéra sincèrement qu'elle ne venait pas d'ajouter un autre mensonge à sa longue liste, et elle se remit à écrire des lettres.

Quelques semaines plus tard, en ce début d'automne plutôt frisquet, un semblant de stabilité greffée sur la routine au quotidien prêta, dans le foyer des Legendre, une illusoire apparence de paix. Marjolaine, se rappelant sa promesse à Ivan, manquait tout de même de courage pour faire le grand saut par-dessus l'Atlantique.

Chaque matin vers sept heures, au plaisir de sa mère, François se dirigeait, porte-document à la main, vers la station de métro, en route vers l'École technique. Dans moins d'un an, le fils aîné de la famille Legendre obtiendrait son diplôme de technicien en informatique et deviendrait officiellement armé pour gagner sa vie et voler de ses propres ailes. Côté cœur, Marjolaine ne s'en faisait pas outre mesure, car son aîné semblait doué pour le bonheur, doté des qualités essentielles pour y parvenir : sensibilité, authenticité et cœur généreux, sans oublier la détermination et l'enthousiasme. À moins d'avoir hérité et d'user des qualités de dissimulation de sa mère, il semblait filer le parfait bonheur avec sa Caroline adorée.

De son côté, contre toute attente et depuis plus d'un long mois, Rémi suivait son frère de près et prenait l'autobus chaque matin en route vers le cégep, au grand soulagement de Marjolaine, qui ne lui en avait pas donné le choix. Chaque jour, elle le regardait partir en se croisant les doigts, mine de rien, prête à l'inonder des mercis qui lui chatouillaient la gorge et qu'elle ravalait, non sans difficulté. « Allons, calme-toi, ma vieille ! Une mère normale ne dit pas merci à son fils tous les matins parce qu'il va à l'école ! »

Restait l'histoire de la dette impayée pour laquelle six cents dollars ne représentaient, selon le garçon, qu'une mince avance. Cette étrange et assurément pernicieuse obligation ne manquait pas de remonter sans cesse à la surface des préoccupations de Marjolaine. Si seulement Rémi pouvait rapporter quelques bons résultats d'examen à la maison, elle s'empresserait de le lui donner, comme promis, son maudit argent ! Après tout, la banque ne pourrait certainement pas lui refuser une avance sur ses droits d'auteure. Ah! comme elle se sentirait libérée!

Une demi-heure après ses fils, Alain prenait lui aussi, chaque matin, la poudre d'escampette vers son bureau situé au centre-ville, après un déjeuner silencieux en tête-à-tête avec le journal du jour étalé sur la table. À peine s'il saluait sa femme au moment de quitter la maison. Si, autrefois, lui souhaiter aimablement une bonne journée avec un rapide mais touchant baiser du bout des lèvres faisait partie du rituel, l'homme de la maison ne le faisait plus depuis belle lurette.

À quelques exceptions près, sa femme ne s'en offusquait guère, habituée aux distances et aux non-dits qui s'installent trop souvent entre des personnes vivant côte à côte pendant de nombreuses années. Par contre, l'accoutumance et la monotonie semblaient les mener de plus en plus, elle et son mari, vers un dangereux encroûtement de leur couple, sinon vers la mise au rancart pure et simple de l'un ou de l'autre. Depuis son aventure avec Ivan, toujours présent dans ses pensées, Marjolaine en prenait davantage conscience, mais elle remettait invariablement au lendemain la sérieuse remise en question et surtout la prise de décision réclamée par le pianiste. Régler les problèmes de Rémi lui importait de prime abord. Ses devoirs de mère avant tout…

Pour le moment, elle préférait le piétinement et la stagnation entre elle et Alain. À vrai dire, le risque de voir sa famille éclater en mille miettes, cette institution pour laquelle elle s'était investie de toute son âme et avait consacré toutes ses énergies depuis des années, lui faisait peur. Même si un autre amour l'attendait ailleurs, car Ivan ne cessait de l'appeler à lui, elle préférait laisser le temps et le destin s'occuper eux-mêmes de guider la barque familiale. Ou de la faire chavirer.

Chaque matin, une fois les trois hommes de la maison envolés vers leurs occupations respectives, l'écrivaine se rendait en compagnie de Jack au bureau de poste en quête d'une lettre en provenance de France, signée Franjo. Elle se gavait alors de la multitude de mots tendres de son contenu, de la description en long et en large de l'alanguissement du Croate face à leur séparation et à l'absence de projets concrets entre eux, car il refusait de considérer cet éloignement comme éternel. Elle s'abandonnait bien malgré elle aux fantasmes sexuels provoqués par la lecture des descriptions détaillées et audacieuses d'Ivan, inspirées de leurs rarissimes mais incomparables nuits d'amour, et qu'il jurait se rappeler éternellement.

Infailliblement ébranlée, elle nourrissait alors ses rêves à même les promesses de retrouvailles dont le pianiste alimentait chacune de ses lettres. Promesses probablement condamnées à ne jamais se concrétiser, elle commençait à le croire de plus en plus. Quoique, certains jours, l'amoureuse se permettait d'imaginer prendre spontanément un avion pour aller rejoindre son héros à Paris, ainsi qu'il l'en suppliait continuellement. Puis, elle chassait vite ces idées extravagantes, envahie de nouveau par la honte et l'obsession du droit chemin, convaincue de ne pouvoir se débarrasser de son sens aigu du devoir et de la droiture.

À bien y songer, il se serait avéré plus sage pour elle de cesser, et radicalement cette fois, sa correspondance avec Ivan et de refuser de répondre au téléphone quand l'écran indiquait un appel d'outre-mer. Petit à petit, elle serait devenue en mesure de reprendre sa place auprès des siens, celle de la femme intègre d'avant son voyage, élément essentiel au rétablissement de la paix dans son foyer. De toute façon, comment seulement songer à s'enfuir quand l'un de ses enfants éprouvait des problèmes d'une telle ampleur et un besoin évident de la présence de sa mère auprès de lui?

À vrai dire, les résolutions pour l'avenir oscillaient continuellement d'un extrême à l'autre dans l'esprit de Marjolaine.

Chaque jour, le même scénario se reproduisait. Au sortir du bureau de poste, après l'avoir dévorée avidement et d'une traite sur un banc de parc, elle déchirait la lettre d'Ivan, sous le regard attentif du chien, et elle la lançait dans une poubelle publique.

— Tu ne diras rien à personne, hein, mon Jack ?

Cette boutade la faisait rire et apaisait les cris de sa conscience se percutant à cœur de jour dans son esprit. Tout cela ne l'empêchait pas de répondre à la lettre dès son retour à la maison et de la poster le lendemain matin. Après tout, Marjolaine Danserot avait bien droit au bonheur, elle aussi, son amoureux le lui avait certifié, l'autre jour, au téléphone. Pourquoi s'en priverait-elle ? Entretenir une correspondance avec Ivan Solveye ne nuisait à personne pour le moment. À la vérité, cette dernière réflexion suffisait à balayer tous les autres arguments teintés de moralité et de bons principes de fidélité et de transparence. Oui, elle aussi avait droit au bonheur !

Alain, quant à lui, restait imperméable aux événements secrets qui ébranlaient sa femme et son plus jeune fils. Il ne semblait même pas se douter de la menace qui pesait sur sa vie de couple et son foyer. S'il s'était montré un peu plus ardent qu'à l'accoutumée au lit, les deux ou trois premiers jours après le retour de sa femme, le naturel était revenu bien vite : froideur et indifférence, au lit comme ailleurs.

Marjolaine ne s'en formalisait plus. Des fantasmes d'un tout autre ordre lui suffisaient pour le moment.

CHAPITRE 20

En dépit de tout, le troisième tome de la série historique *Les exilés* avançait à bon train. Installée devant son ordinateur dès sa lettre à Ivan achevée, Marjolaine se laissait emporter par les images nettes et précises qui défilaient spontanément dans son imagination. Reprendre enfin ses travaux d'écriture lui valait tous les remontants susceptibles de lui donner de l'entrain pour affronter ses problèmes. Elle n'avait plus de fils, ni de mari, ni d'amoureux lointain de l'autre côté de l'Atlantique. Elle ne se trouvait même plus à Montréal, dans la chambre donnant sur la cour arrière de sa demeure et transformée en bureau depuis quelques années.

L'auteure déambulait plutôt à l'intérieur d'une maison de rondins située au fond d'un petit village niché contre une falaise abrupte. Là, une jeune femme blonde séchait ses larmes avec le coin de son tablier, dans l'attente de l'homme de sa vie. Un homme magnifique, adorable sosie d'Ivan Solveye.

Ce soir-là, Émile, tout joyeux, se dirigea d'un pas alerte vers la maison de « sa femme », qu'il voyait à peine de temps à autre sous prétexte d'aller visiter une malade. Une surprise l'attendait. La jeune épouse, toujours impatiente de revoir son amoureux, l'accueillit cette fois avec un visage défait par l'inquiétude.

— *Le temps est venu de prendre une décision formelle, mon chéri. Notre situation ne peut plus durer.*

— *Sois patiente, je t'en prie. Donne-moi encore quelques semaines et je vais couper les ponts. Mais, pour l'instant...*

— *Je regrette, Émile, mais nous allons avoir un enfant. Tu deviendras officiellement père dans moins de huit mois. Hélas, je ne sais plus si je dois me réjouir ou me lamenter. Je n'en peux plus de vivre cette situation, sans cesse prise entre deux feux, le faux et le vrai, la clandestinité et le ciel ouvert, le rêve et la réalité. Tes belles promesses, j'en ai assez. Il faut maintenant dévoiler la vérité, former un vrai couple et vivre notre amour en pleine lumière.*

— *Quoi ! Tu attends un bébé ?*

— *Je ne badine pas, je t'assure ! Je n'ai pas eu mes règles, attendues depuis près de trois semaines, et me voici réellement enceinte. Je n'ai pas l'intention de m'exposer à la ronde pour qu'on me montre du doigt comme une vulgaire fille-mère, alors que tu as béni notre mariage dernièrement. Je suis ta femme, Émile. Si tu m'aimes comme tu le prétends et si tu désires sincèrement demeurer mon véritable époux et le père de cet enfant, tu dois prendre ton courage à deux mains et sauter de l'autre côté de la clôture. Sinon, ma valise est prête et je vais partir. Partir au loin, très loin. Alors, je t'en supplie, ne me laisse pas m'en aller toute seule avec notre enfant, car tu ne me reverras plus jamais, crois-en ma parole. Plus jamais !*

Sans hésiter une seconde, le prêtre prit la femme dans ses bras et se mit à sangloter éperdument.

— Mon amour, tu vas me donner un enfant, tu vas me donner un enfant… Notre enfant ! Ah ! quel bonheur ! Tu as raison, l'heure a sonné de m'assumer et de prendre une décision. Que Dieu me vienne en aide ! Ne t'inquiète pas, je ne t'abandonnerai pas. Donne-moi seulement une heure ou deux, et je te reviens, libre comme… Libre comme le vent ! Libre de t'aimer enfin.

Il lui donna un chaste baiser sur le front et se dirigea à la hâte vers le presbytère. Sous le regard ahuri du curé, il monta à sa chambre à grandes enjambées sans prononcer une parole. Là-haut, il retira sa soutane et la lança sur son lit avec un certain mépris. Puis, il rédigea pour le chef de la paroisse et pour son évêque deux courtes lettres de démission, non seulement comme vicaire, mais aussi comme membre du clergé. Il ne se sentait pas heureux au sein de l'Église catholique et choisissait de postuler ailleurs, après une mûre et longue réflexion.

Il ramassa alors ses affaires et les fourra dans un sac, puis il sortit en trombe de la grande maison de pierres sans y jeter un seul regard. Quelques passants, qu'il se garda bien de saluer, le virent traverser la rue devant l'église, vêtu en laïque et la tête basse, comme s'il avait honte. En franchissant le pont au-dessus de la rivière passablement gonflée à ce temps-là de l'année, il hésita momentanément. Un saut dans la chute et, en quelques secondes, c'en serait fini de tous ses problèmes. Mais une femme et un enfant l'attendaient.

Après s'être secoué la tête avec l'énergie d'un grand releveur de défi, il poursuivit allègrement son chemin vers la demeure d'Antoinette. Le père Émile, l'ancien prêtre, vicaire et confesseur de la paroisse, venait de se métamorphoser à jamais en un simple mari et en véritable futur papa.

Marjolaine mit du temps à écrire ces pages, assumant trop facilement pour elle-même la difficulté et les hésitations éprouvées par son personnage avant de prendre une telle décision, ce choix irrévocable qui allait métamorphoser radicalement toute sa vie. Néanmoins, il avait suffi d'une raison majeure pour qu'il se branche enfin.

Bombardée par les écrits d'Ivan – ou était-ce Franjo ?, elle ne le savait plus ! – qui la suppliait de prendre un avion pour la France et de le rejoindre à Paris, elle se demandait souvent si elle-même trouverait la force, ou l'audace, de provoquer des changements aussi drastiques et révolutionnaires dans sa propre existence. Traverser le pont ? Peut-être. Rester sur place ? Peut-être… Et pourquoi ne pas se jeter elle-même du haut d'une chute afin de s'enfouir à jamais dans le néant où les questions ne se posaient plus ? Où la souffrance n'existait plus ? Pourquoi ne pas se réfugier dans le non-lieu ? Dans la non-existence ?

En dépit de son effet habituellement revigorant, la rédaction de ce roman plutôt audacieux bouleversait Marjolaine et réveillait en elle trop d'interrogations. Malgré elle, la romancière établissait plusieurs similitudes entre la fiction et son propre drame. Déçue et surtout désorientée, un bon matin, elle jeta le manuscrit au fond d'un tiroir en se promettant de ne pas y retoucher tant qu'elle ne retrouverait pas sa sérénité. Ah ! si seulement Rémi allait mieux…

Si le garçon avait tenu le coup et s'était rendu au cégep pendant quelques semaines, Marjolaine ne se faisait maintenant plus d'illusions. Depuis trois jours, il avait de nouveau disparu, de la même manière qu'au printemps et l'été passé. Pas une seule fois il n'avait rapporté une évaluation du collège et, ces derniers temps, son employeur de Laval avait appelé à quelques reprises à la maison pour s'enquérir de ses absences non motivées ni même signalées. Et cette façon qu'il avait de défier ses parents et de les prendre de haut, en les fusillant de son arrogance, ne disait rien de bon à la mère de plus en plus déroutée.

Le temps était venu d'en discuter sérieusement avec Alain et de prendre une décision. Marjolaine souhaitait consulter une travailleuse sociale à cet effet, mais elle n'osait pas bouger sans l'assentiment d'Alain. Les problèmes de Rémi la dépassaient largement et le garçon avait besoin d'aide, de toute évidence. Ses parents se devaient d'agir, et le plus rapidement possible. Autant son père que sa mère !

Ce soir-là, donc, Marjolaine revêtit sa robe la plus seyante et prépara un petit souper raffiné en prévision d'un tête-à-tête avec Alain, bouteille de vin haut de gamme et bougies allumées sur la table, tel qu'elle en rêvait depuis longtemps. Elle allait parler sérieusement à son mari et ils allaient prendre ensemble les décisions qui s'imposaient. Et surtout, surtout, elle se promettait de maintenir la discussion au grand calme afin de la rendre positive et fructueuse.

Malheureusement, Alain arriva en retard, affichant une humeur massacrante. Il sursauta à la vue des couverts installés sur la nappe de dentelle de la salle à dîner au lieu de la table de la cuisine, comme à l'ordinaire.

— Mon Dieu, que se passe-t-il ici ? On attend quelqu'un d'important ? Pourquoi seulement deux couverts alors ?

— Oui, j'attends… toi !

Marjolaine lui tendit son apéritif préféré, un martini sec sur glace garni d'une olive farcie d'une amande.

— On se voit si peu et on ne trouve jamais le temps de jaser. Assieds-toi, je vais chercher les amuse-gueules.

— Dommage, avoir su… J'ai pris un gros dîner, ce midi, et je n'ai pas vraiment faim.

Un gros dîner, ce midi… L'espace d'une seconde, l'image du patron prenant un repas gargantuesque et bien arrosé, dans un

luxueux restaurant, en compagnie de l'une de ses séduisantes secrétaires ou encore d'une jolie cliente, effleura Marjolaine. Cependant,
elle n'osa pas demander de précision, anticipant avec inquiétude la
réponse si jamais Alain s'avisait, lui, de pratiquer une franchise
intégrale.

À la vérité, elle sentait le gouffre s'agrandir entre elle et son mari.
Elle ne se leurrait pas : ils n'avaient jamais formé le couple idéal depuis
leurs épousailles, sans doute trop différents l'un de l'autre. Mais
chacun avait trouvé sa place dans leur ménage et s'y était épanoui à sa
manière. Ils avaient tout de même réussi à partager plusieurs rêves et
projets, dont cette maison dessinée par eux-mêmes et où ils avaient
toujours niché. Ils avaient aussi entrepris quelques voyages, cultivé
leur jardin, pratiqué jadis certains sports et de rares activités cultu-
relles, main dans la main. Et le plus important : ils avaient élevé deux
enfants. Vingt-trois années plus ou moins heureuses s'étaient ainsi
écoulées, couci-couça, mais quand même potables.

Toutefois, en ce moment, leur fils semblait incapable de fonc-
tionner normalement, et cela concernait les deux parents. Ils se
devaient d'y voir ensemble. Depuis son retour de Suisse, Marjolaine
voyait Alain s'en remettre entièrement à elle au sujet des problèmes de
Rémi. Elle ne pouvait accepter ce déni de la part du père, convaincue
que son attitude répulsive envers son enfant contribuait à envenimer
les choses et à l'éloigner de la maison. Vingt-trois ans d'enlisement,
de vieilles habitudes, de renoncement et de frustrations, vingt-trois
ans de tolérance aberrante mais souvent inconsciente du côté de
l'épouse, semblaient sur le point de s'écrouler impitoyablement. Les
choses devaient changer. Il fallait y mettre un terme, sinon…

Une fois le repas bien amorcé et la bouteille de vin largement
entamée, elle se risqua à prononcer la même phrase qu'elle avait
écrite au cours de la matinée, le cœur serré, pour la femme du prêtre
de son roman.

— Le temps est venu de prendre une décision formelle, Alain. Cette situation ne peut plus durer.

— Quelle situation ? De quoi te plains-tu ?

— Je te parle de ton fils, ou plutôt de NOTRE fils, Rémi Legendre.

— Que veux-tu qu'on y fasse ? Ce gnochon-là ne veut rien savoir de nous autres. Il est assez grand pour prendre ses responsabilités, non ? S'il a décidé de se péter la tête dans la drogue, c'est son problème. Moi, j'ai fait ma job envers lui pendant plus de dix-huit ans et je serais prêt à la continuer, mais il faudrait que lui-même l'accepte. Là, je ne veux plus en entendre parler. Qu'il cesse de nous emmerder et de nous empoisonner la vie, que diable ! Encore beau que je l'endure dans ma maison, stie !

— Il s'agit de ton enfant, Alain. Tu ne l'aimes donc plus ?

— Aimer, aimer… Vous n'avez que ce mot-là à la bouche, vous autres, les femmes ! Rémi me fait chier, si tu veux savoir, et j'aime pas ça. J'AIME pas ça du tout, si tu veux utiliser ce verbe-là ! C'est-tu clair ?

— Il a besoin d'aide. Tu ne penses pas qu'il vaudrait mieux cultiver l'espoir que de tout balayer du revers de la main ?

— Quel espoir ? Dis-moi ce qu'on peut faire de plus, hein ?

— Je voudrais aller au CSSS[9] avec toi et réclamer de l'aide, demander des conseils, recevoir des pistes de solution, connaître les opportunités qui peuvent se présenter. On pourrait alors orienter Rémi vers une thérapie. Il ne faut pas s'avouer vaincus avant d'avoir tout essayé, voyons !

---

9. Centre de santé et de services sociaux.

— Je te mets entièrement en charge, ma femme. Moi, j'ai atteint le *boutte du boutte*. Ah… puis, je m'en vais me coucher, moi, j'ai plus faim du tout. Excuse-moi.

L'homme se leva et s'achemina vers l'escalier sans aucune autre manière, sans même saluer sa femme.

Pétrifiée, Marjolaine resta immobile, seule à la table devant son assiette de langoustines. Elle en vint à un cheveu de lui crier par la tête, en le regardant monter : « Hé ! j'ai pas fini, Alain Legendre ! Tu dis que les femmes utilisent tout le temps le verbe « aimer » ? Eh bien, je vais t'en sortir une bonne, moi, à ce sujet-là : je ne t'aime plus. Plus du tout ! Pantoute ! Tu peux aller manger avec toutes les secrétaires que tu voudras, les emmener en voyage d'affaires à l'autre bout de la planète et coucher avec, si ça te tente, je m'en contrefiche. J'ai rencontré un homme extraordinaire en Europe, je l'AIME et je veux passer le reste de ma vie avec lui. Si tu me trouves encore ici, ce n'est pas à cause de toi mais de Rémi. Seulement de Rémi, tu sauras ! Et de François aussi. J'ai un cœur, moi, et il est situé à la bonne place. Je sais aimer, moi ! Toi, va te faire foutre, mon mari ! Le gnochon, c'est pas Rémi, c'est toi, maudit père sans-cœur ! »

Mais elle resta silencieuse et avala le reste du vin d'un trait, puis elle s'en fut à la cuisine pour jeter amèrement ses langoustines à la poubelle, non sans avoir lancé quelques morceaux de pain à Jack. « Mon seul ami, ici ! » songea-t-elle.

C'est à ce moment précis que la sonnerie du téléphone déchira le silence lugubre de la maison. Il passait largement les neuf heures trente. Trop troublée, Marjolaine faillit ne pas répondre en voyant l'afficheur indiquer un numéro qu'elle ne connaissait pas. Elle laissa la sonnerie retentir plusieurs fois avant de s'emparer de l'appareil, pour entendre une voix d'homme inconnu l'interpeller.

— J'aimerais parler à l'un des parents de Rémi Legendre qui habite sur la rue Durham, s'il vous plaît.

— Je suis sa mère.

— Madame Legendre, ici le sergent Masson de la brigade de criminalité de la police de Montréal.

CHAPITRE 21

Tu n'as pas idée, mon cher Franjo, de ce que je vis pré-
sentement. C'est la détresse totale depuis des semaines. Je…

Secouée de sanglots, Marjolaine cessa d'écrire et lança sa plume
sur la table. Le poste de radio diffusait un solo de violoncelle aux
accents si mélancoliques qu'ils l'atteignaient dans les recoins les plus
sensibles de son âme. Elle se leva promptement et ferma l'appareil
d'un geste brusque.

Depuis un certain temps, depuis le fameux soir où elle avait reçu
l'appel d'un policier, elle rejetait impitoyablement la musique sous
toutes ses formes parce qu'elle attisait cruellement sa souffrance.
Elle ne jouait plus de piano, n'allait plus au concert, n'écoutait plus
de disques compacts, à l'exception d'un seul : celui reçu récemment
de France, sur lequel Ivan Solveye avait enregistré en studio, expres-
sément pour elle, ses différentes interprétations de *Jésus, que ma*
joie demeure. Il lui avait dédicacé le disque compact en y inscrivant
quelques courtes phrases :

Il ne faut jamais désespérer, le soleil finit toujours par
briller. Tiens bon. Je te le répète : tu as droit au bonheur.
    Franjo

Le soleil, le soleil… Plusieurs fois par jour, elle écoutait le disque
afin de se replonger dans l'atmosphère du récital de Dubrovnik, ce
moment de grand bonheur, et surtout pour se rassurer à la pensée
du miracle accompli par cet air de Bach dans l'existence d'Ivan au
temps dramatique de sa jeunesse. Et cette réflexion ravivait la faible
lueur d'espoir qui brillait malgré tout dans son jardin secret.

Rémi finirait bien par s'en sortir, sa mère n'avait pas le droit d'en
douter. La base de l'édifice paraissait solide, elle allait sûrement
résister, mais si cette solidité ne résidait qu'à la base, le reste pourrait
très bien s'écrouler, elle en avait la certitude. Malheureusement,
Rémi ne jouait pas de musique et n'entretenait aucun intérêt qui
aurait pu canaliser ses énergies et le récupérer. Il n'affichait d'ailleurs
aucune autre passion que l'attrait pour les sensations fortes, celles
apportées par la drogue lui paraissant les meilleures.

D'où viendrait alors le miracle? Où trouver une place au soleil
quand on a dix-huit ans et qu'on croupit depuis plus de deux mois
au fond d'une cellule de prison? «Un cachot sans doute sombre et
humide», se disait Marjolaine, en s'imaginant le pire.

Au cachot depuis plus de deux mois… Elle n'en revenait pas
encore! En ce glacial matin de novembre, elle n'arrivait même plus à
continuer sa lettre à Ivan malgré la présence virtuelle du seul être au
monde capable de la comprendre, en ces temps affreusement difficiles.

Écrasée de honte, jamais elle n'avait osé parler des déboires de
Rémi à sa famille immédiate ni à aucune amie ou personne de sa
connaissance. Seuls Ivan et, bien sûr, Alain et François connaissaient

l'horrible vérité : Rémi se trouvait en état d'arrestation depuis des semaines, en attente de son procès.

Au pianiste, elle s'était permis de tout raconter. S'il ne pouvait saisir véritablement l'horreur de sa peine, n'ayant jamais eu lui-même d'enfant, le Croate arrivait à tout le moins à partager sincèrement son chagrin, elle en avait la certitude. Sinon, comment aurait-il pu, aussitôt la terrible nouvelle reçue par la poste, lui envoyer le CD accompagné des seuls mots qui réussissaient à la consoler ?

En dépit du décalage de plusieurs jours dû à la poste, elle dévorait les lettres d'Ivan, les lisait et les relisait encore et encore comme si elle voulait les apprendre par cœur avant de les jeter tristement à la poubelle. Et cela lui procurait, momentanément, il faut bien le dire, la force d'espérer, de croire encore à la vie et au soleil. Elle ne se sentait pas seule au monde pour affronter la tragédie, quelqu'un la soutenait, l'épaulait, l'encourageait. Mais ce quelqu'un se trouvait, hélas, au loin. Trop loin.

Certes, Ivan avait connu la pire des souffrances, autrefois, quand il avait perdu ses parents et sa sœur. Mais il s'agissait de toute autre chose, une perte brutale et inattendue, une coupure monstrueuse mais franche et nette, tandis que, pour Marjolaine, son fils continuait d'exister et d'accumuler les problèmes, de les agrandir même ! Sa douleur de mère risquait de s'étaler sur plusieurs années, voire sur le reste de sa vie. Le reverrait-elle briller un jour à l'horizon, cet ardent soleil ? De toute évidence, la base du fameux édifice symbolisant Rémi avait un besoin urgent de réparation et d'entretien.

Le pianiste venait pourtant quotidiennement auprès d'elle par l'entremise de ses écrits. Au début, ne pouvant pas se douter de l'ampleur du drame qui affectait sa bien-aimée et afin de lui changer les idées, Ivan lui avait décrit gaiement, en long et en large, ses nouvelles retrouvailles avec sa sœur Lydia, de Dubrovnik, où il était retourné au bout de vingt-trois jours, selon sa promesse.

Par contre, quand il avait compris l'intensité de l'épreuve vécue par son amoureuse, le ton de ses lettres avait complètement changé. Le Croate s'était mis à cultiver l'optimisme et à multiplier les encouragements. Il s'appuyait sur la jeunesse de Rémi pour ranimer la confiance de la mère :

> *Tu sais, Marjolaine, la jeunesse est une période bénie de la vie où tous les espoirs sont permis.*

Et il répétait sans cesse, dans chacun de ses messages, que les orages ne duraient pas toujours. N'était-ce pas elle-même qui lui avait livré cette pensée si juste, alors qu'ils se trouvaient tous les deux serrés l'un contre l'autre, au pied d'une montagne, en Suisse ?

Si la musique avait réussi à sauver Ivan, l'écrivaine se demandait bien comment elle-même trouverait son salut advenant le cas où… Contre toute attente, l'écriture aussi lui faisait défaut. Depuis l'arrestation de Rémi, son manuscrit restait dans le tiroir et ne suscitait plus son intérêt. Les idées ne venaient plus, les mots perdaient leur sens et leur saveur.

Marjolaine avait tout délaissé, tout abandonné, autant ses responsabilités familiales que sa quête de complicité auprès d'un mari toujours engoncé dans le déni. Elle ne faisait plus l'amour, plus la conversation, plus la cuisine ni le ménage, plus les courses et l'écriture, à part sa correspondance avec le pianiste, et encore ! Si elle buvait ses lettres comme de l'eau de source, elle arrivait de plus en plus mal à lui écrire, craignant de tomber démesurément dans la redondance.

Était-ce cela, cette fameuse dépression dont tout le monde parlait ? Elle en venait à s'interroger sur la pertinence d'une prescription d'antidépresseurs. Avec les derniers événements, Marjolaine Danserot se sentait devenue elle-même une page blanche.

Tout son univers s'était écroulé, un soir de septembre, le soir même où elle avait raté un souper en tête-à-tête avec Alain. La soirée s'était terminée par l'appel d'un policier du service criminel de la Ville. Le sergent-détective Masson, elle n'oublierait jamais son nom.

Seul François, tout aussi ébranlé que sa mère par les événements, restait debout à ses côtés. Dieu merci, en dépit de tout et avec le soutien de sa blonde, il réussissait à poursuivre bravement sa session à l'École technique. Quant à Rémi, Marjolaine essayait désespérément d'y songer le moins possible. Mais elle n'y arrivait pas. Plus qu'une obsession, son plus jeune fils était devenu l'air qu'elle respirait et le sang qui circulait dans ses veines, la seule nourriture alimentant son cerveau. L'unique objet de toutes ses pensées et de toutes ses préoccupations.

L'orage durait depuis plus de deux mois et demi sans espoir d'arc-en-ciel. Près de dix semaines, maintenant, que Marjolaine ressassait les mêmes événements, brassait les mêmes souvenirs, soulevait les mêmes interrogations. Dix semaines que le drame avait jeté par terre tous ses rêves secrets.

Un vol à main armée… Rémi avait participé à un vol à main armée en compagnie de deux complices ! Ce n'était pas rien, quand même ! Elle n'en revenait pas encore. Comment un enfant élevé dans l'amour et le respect par des parents honnêtes pouvait-il en être arrivé là ? Comment avait-il pu devenir complice d'un tel crime ? Un vol qui avait mal tourné, en plus ! Un acte qui risquait de se solder par une longue réclusion derrière les barreaux.

Dix semaines, également, qu'elle se trouvait dans le coma, la jeune caissière du dépanneur, dix semaines qu'elle oscillait entre la vie et la mort. Si elle mourait, on accuserait les trois garçons d'homicide, d'agression armée, de vol qualifié, de complot et de vol d'automobile. Si elle revenait à la vie, il serait question de voies de fait et non de meurtre, et la peine s'avérerait probablement moins sévère. De toute manière, aucun des «jeunes bandits d'âge adulte», ainsi que les avaient qualifiés les médias, ne pourrait éviter de nombreuses années de prison.

Une seule chose consolait Marjolaine : ce n'était pas Rémi qui avait frappé la jeune fille de vingt-deux ans avec un bâton de baseball. Lui, il s'était contenté de brandir un revolver-jouet de sa main droite, dans le simple but d'effrayer la préposée à la caisse, et non de la tuer, de toute évidence. Hélas, selon le film enregistré par l'une des caméras dissimulées à l'entrée du magasin, c'était précisément ce revolver bidon qui avait effrayé la commis au point de l'amener à déclencher l'alarme et à farfouiller dans un tiroir sous le comptoir, peut-être bien à la recherche d'une arme véritable. Afin d'éviter de la voir pointer un pistolet en direction de Rémi, le copain complice n'avait pas hésité une seconde et avait frappé la fille avec son bâton. Les policiers n'avaient mis que quelques minutes à venir arrêter les deux compères à la porte du dépanneur au moment où, les poches bourrées d'argent, ils montaient dans la voiture volée dans laquelle les attendait un troisième comparse. La belle affaire !

Dix semaines aussi, donc dix fois, que Marjolaine allait courageusement mais péniblement visiter Rémi au Centre de détention de Montréal, en attente de comparution devant un juge pour fixer la date de son procès. Lors de leur première rencontre, elle s'était sentie déshonorée, rabaissée, honteuse de devoir s'identifier au gardien, à l'entrée, comme la mère du prisonnier Rémi Legendre.

Quelques minutes plus tard, assis devant elle, son fils lui avait dit, ou plutôt hurlé, à travers la vitrine qui les séparait, qu'il ne se sentait coupable de rien, sauf d'avoir volé de l'argent.

— OK, j'ai accompagné mes amis au dépanneur, je l'admets, mais j'ai jamais eu l'intention de la blesser, cette maudite fille. La preuve : je ne tenais qu'une fausse arme.

— Cette maudite fille ! Tu as le front d'appeler cette pauvre enfant « cette maudite fille » ? Eh bien, elle va peut-être mourir à cause de vous trois, « cette maudite fille », te rends-tu compte ? Et ça ne te fait rien ? As-tu donc une roche à la place du cœur ? Et voler de l'argent, tu ne trouves pas ça grave non plus ? L'honnêteté, la droiture, tu en fais quoi ? Es-tu vraiment mon enfant, Rémi Legendre, coudon ?

— Tu sais, maman, j'avais plus le choix : ou bien j'allais voler de l'argent, ou bien je me faisais tuer par le vendeur de drogue à qui je devais trop de *cash*. J'avais reçu plein de menaces, et ces types-là n'entendent pas à rire, tu peux me croire ! Ce *pusher*-là a déjà tiré sur un gars pour moins de fric que ça, et il n'aurait pas hésité à recommencer avec moi, je te jure.

— C'est épouvantable, Rémi, ce que tu me dis là ! Je n'arrive pas à y croire. Tu aurais dû me raconter tout ça avec plus de précision, insister pour que je te remette immédiatement l'argent promis pour plus tard. J'attendais ton bilan du cégep, moi !

— T'aurais refusé une fois de plus, je le sais !

— Si, au moins, tu manifestais maintenant de la honte et émettais quelques regrets pour ce… pour ce délit épouvantable…

— Aimes-tu mieux me voir icitte, maman, ou bien mort, six pieds sous terre au cimetière, tué par une balle dans la tête ?

À la longue, la révolte de Rémi s'était tout de même amenuisée. Le temps écoulé en taule, isolé et loin de la vie normale, ce temps hors du temps lui permettait de réfléchir. Aussi, le contact avec de

« vrais » bandits sans cœur et sans morale lui faisait prendre conscience des valeurs et des principes inculqués par ses parents et dont faisaient fi la plupart des autres prisonniers. La base de l'édifice… Il commença à réaliser la gravité de sa situation et se montra davantage réceptif et conciliant avec sa mère.

Maintes fois il réclama la visite de son père, mais ce dernier refusait avec entêtement de venir à la prison. Il n'était pas question pour Alain de pénétrer dans « l'antre du diable pour aller supporter pendant une heure ou deux l'air de beu et la tête de cochon de son fils ». Les premiers jours, Marjolaine avait fortement protesté.

— Rémi a besoin de son père autant que de sa mère, Alain Legendre ! Tu n'as pas le droit de refuser de le rencontrer. Au risque de me répéter, je t'affirme encore et encore qu'il nous incombe à nous deux de tout mettre en œuvre pour le sauver.

— Le sauver ? Tu en as de bonnes ! On le sauvera quand il sortira de prison dans cinq ou six ans, pas avant ! Et ça, c'est si la fille ne meurt pas. Parce que si elle rend l'âme, là, t'as pas fini de les compter, les années, ma chère, ni d'en faire, des visites maternelles au parloir de la prison !

— Je t'en prie, ne me laisse pas toute seule avec ces problèmes-là, Alain. Si tu ne veux pas y aller pour voir Rémi, fais-le au moins pour m'accompagner, moi, ta femme. Je n'en peux plus, je n'en peux plus…

Alain avait finalement consenti à se rendre au pénitencier en compagnie de Marjolaine, un bon dimanche après-midi, au retour d'un voyage de chasse à l'orignal avec ses amis.

— Une seule fois, et parce que tu insistes.

Évidemment, la rencontre entre Alain et son fils, heureusement séparés par une vitre incassable, avait tourné au vinaigre au bout de quelques minutes, et les insultes autant que les réprimandes et les bêtises avaient rempli la première demi-heure. Alain s'était alors levé et avait promptement quitté les lieux la tête haute, en criant à son garçon qu'il le reverrait quand il aurait retrouvé sa liberté.

Saisie d'étonnement devant le guichet, Marjolaine n'avait pas bronché en regardant partir Alain. Elle avait alors essayé de minimiser la façon d'agir de son mari.

— Excuse-le, Rémi, il file un mauvais coton par les temps qui courent. Trop de travail et de problèmes l'attendent au bureau, je suppose. Et puis, la psychologie, ce n'est pas son fort. Il se sent blessé dans son orgueil de père. Te voir ici représente une grave défaite pour lui.

Le garçon, déçu et quelque peu décontenancé lui aussi, n'avait pas répondu. Marjolaine aurait pu ajouter une ou deux réflexions méchantes au sujet du pauvre homme, obligé de s'humilier à venir en prison après s'être amusé à la chasse avec ses copains durant cinq jours, mais elle décida se taire pour éviter d'envenimer la situation. Par contre, à partir de ce moment, elle avait cessé de prier son mari de l'accompagner, préférant se rendre seule à la salle des visites. De toute façon, Rémi semblait s'ennuyer davantage de son chien que de son paternel.

En ce jour de novembre où, après plus de deux mois de ce régime, elle se sentait même incapable de confier cela par écrit à Ivan, Marjolaine rangea sa plume et son papier à lettres au fond d'un tiroir fermé à clé et alla s'étendre sur le canapé où elle resta sans bouger et le regard vide pendant de longues minutes. Anéantie, elle ne savait plus où elle en était dans sa vie. Il ne lui restait plus de rêves, plus de désirs, plus de sentiments, plus d'ambitions. Rien ! Elle n'avait le goût de rien.

Était-ce pour se moquer d'elle ou compatir à son chagrin ? La bourrasque se déchaînait aux abords de la fenêtre, lui imposant ses sifflements comme de lugubres rugissements de colère. En cette première tempête de l'hiver, on aurait dit que les arbres aux branches dénudées se tordaient de rage devant la maison.

La sonnerie du téléphone vint interrompre les sombres pensées de Marjolaine. Elle reconnut aussitôt la voix nasillarde de monsieur Sanschagrin, l'avocat de Rémi.

— Bonjour, madame Danserot. Comment allez-vous ? Je vous appelle pour vous donner des nouvelles de la jeune fille blessée au dépanneur. Je viens de parler à son médecin. Même si son coma persiste toujours, son état général ne cesse de s'améliorer. Elle semble maintenant en mesure de subir une nouvelle intervention chirurgicale pour l'une de ses multiples fractures. On espère bien pouvoir lui sauver la vie, et je voulais partager ce bel espoir avec vous.

— Merci pour ces renseignements, merci beaucoup, monsieur Sanschagrin ! Vos bonnes paroles me donnent du courage.

— Au moins, ça évolue un peu du bon côté. J'ai pensé que vous aimeriez le savoir. De plus, la date du procès a été fixée au 24 janvier. Évidemment, même si la jeune caissière en venait, un jour, à mener une vie parfaitement normale, cela n'éliminera pas une condamnation à la prison pour votre garçon, gardez bien cela en tête, mais on réduira alors la sentence. Vous le savez, n'est-ce pas ?

— Oui, je le sais. Le 24 janvier, dites-vous ? Pas besoin de préciser que je vais compter les jours d'ici là, et même les heures ! Et n'hésitez pas à me rappeler pour de bonnes nouvelles. Je les prends toutes !

— Parfait. Je vous tiens au courant s'il se produit de nouveaux développements. Au revoir, madame, et bon courage.

— Au revoir, monsieur, et merci encore.

Monsieur Sanschagrin… Comme il portait bien son nom, celui-là ! Une fois l'appel terminé, Marjolaine se leva d'un bond. Elle n'en pouvait plus de tourner en rond dans la maison et de broyer du noir. Après tout, il s'agissait d'une bonne nouvelle, et ça augurait mieux pour l'avenir. Un « mieux » fort relatif, mais quand même ! Elle retrouva un regain d'énergie. Pourquoi ne pas aller prendre l'air ? Au moins ça !

Elle revêtit son plus chaud manteau d'hiver, son bonnet et ses mitaines, enfila ses bottes, attacha la laisse de Jack à son collier et s'achemina avec lui, d'un pas ferme et vent de face, vers le grand parc du quartier situé pas très loin de la rue Durham. Légèrement penchée vers l'avant, elle fonçait tête première dans la rafale, avec l'étrange sentiment de se battre pour vaincre une certaine force de résistance, un mur qui, tout en la repoussant, donnait l'impression de reculer au fur et à mesure qu'elle avançait. À ses oreilles, le vent grondait avec une fureur inégalée. Curieusement, elle trouvait dans ces rugissements une force nouvelle. La force de se battre et de résister, la force de se tenir debout et de continuer à lutter, parce que ce maudit vent, comme les orages, ne durerait pas toujours. La bataille, c'est elle qui allait la gagner. Contre le vent et contre le destin.

Une fois dans les allées du parc, une neige fine comme de la poudre mais fort abondante se mit à balayer le paysage tout à coup, recouvrant les saletés, nivelant les aspérités, enduisant en quelques minutes tout le décor d'une éblouissante couche de pureté. Émerveillée, Marjolaine se dit que la vie continuait et qu'elle pouvait s'avérer encore intéressante et… vivable ! Redevenir belle et blanche comme ce paysage. Dans l'air vif, des millions de flocons blancs tourbillonnaient autour de sa tête et l'étourdissaient comme s'il se fut agi de papillons. Des papillons blancs.

La pensée d'Ivan l'envahit alors tout entière et elle laissa leur amour lui réchauffer le cœur. L'Amour absolu ne pouvait pas mourir… Avec le chien, elle fonça de plus belle dans la tourmente et rentra à la maison d'un pas alerte.

Dans quatre semaines, ce serait Noël.

CHAPITRE 22

Noël en prison se célébrait cinq ou six jours à l'avance. Fête communautaire d'un soir dans la grande salle décorée de papier crêpé et de ballons multicolores, arbre de Noël en plastique sorti des boîtes poussiéreuses du sous-sol, absence totale de cadeaux, repas frugal arrosé de jus d'orange ou de boissons gazeuses, sons tordus d'une musique qui n'avait rien à voir avec les cantiques traditionnels de Noël et que des haut-parleurs répartis aux quatre coins de la salle projetaient à tue-tête et sans répit. Au sein des groupes réduits à deux ou trois personnes, rarement davantage, réunies autour de petites tables recouvertes de nappes de papier, ça échangeait, discutait, riait de temps en temps et, parfois même, larmoyait à l'unisson.

Ce soir-là, quand le couvre-feu sonnerait à neuf heures trente, on se souhaiterait joyeux Noël une semaine avant la date – comme si le Noël des prisonniers pouvait s'avérer joyeux! – avant d'abandonner les captifs sur place, aux mains des gardiens. Les bras ballants et le visage impassible, les détenus regarderaient partir les leurs sans broncher, sachant pourtant bien que l'isolement et la solitude leur feraient payer doublement leur dette envers la société, les soirs du 24 et du 25 décembre.

Bien entendu, le père et le frère de Rémi avaient obligatoirement accepté d'accompagner Marjolaine lors de cette soirée au Centre de détention. À vrai dire, elle ne leur en avait pas laissé le choix ! Si le grand frère tenta sans trop de succès de jouer les boute-en-train au cours de la rencontre, l'autre, le paternel, aurait mérité la médaille d'or du mutisme maussade.

Rémi, quant à lui, se montra fort content de voir sa famille réunie au complet auprès de lui pour la première fois depuis des mois. Sa verve naturelle facilita la conversation. Le jeune homme, enfin remis de ses premières et pénibles émotions à la suite de son arrestation, en avait long à raconter sur les hauts et les bas de la vie en prison. Dans ce lieu à sécurité maximale, les prévenus, c'est-à-dire ceux qui n'avaient pas encore reçu leur sentence et attendaient leur procès, se trouvaient sur la sellette et, par conséquent, dans un état de nervosité extrême.

— T'as avantage à filer doux et à te tenir les fesses serrées, autant devant les gardiens que les autres prisonniers. Tu marches à l'heure et à la place qu'ils veulent, tu dors à l'heure qu'ils veulent, tu manges ce qu'ils veulent, pis tu fermes ta gueule.

Alain et François écoutaient le garçon sans l'interrompre ni ajouter de commentaires, sans même lui demander des précisions. Marjolaine, elle, frissonna d'horreur en l'entendant préciser des détails, emporté par son élan de confidences.

— Quant aux compagnons de cellule, aussi bien dire que la sympathie et le partage n'existent pas entre nous autres à cause d'un sempiternel va-et-vient de la clientèle. Ici, ça entre et ça sort comme dans un moulin, et il y a toutes sortes de types, croyez-moi ! Des tueurs à gages, des membres de la mafia, des Hell's Angels autant que des ti-culs sans trop de malice et morts de peur comme moi. Tous des gars en attente d'un jugement. Rares sont ceux qui s'en retournent vers la liberté. La plupart des sortants sont transférés dans les prisons fédérales ou provinciales après leur procès, quand ce n'est pas carrément à Pinel, en psychiatrie. Comment se faire des amis ? Ici, on mène une vie dure, et sale, et solitaire. Je me sens en enfer !

Rémi se prit la tête entre les mains, sur le bord des larmes. Marjolaine posa une main douce sur son bras et cela le fit sursauter. Il se releva alors et lança, en regardant sa mère au fond des yeux, cette phrase qui constitua le plus beau cadeau de Noël de Marjolaine.

— Plus jamais, maman, je reviendrai en prison. Plus jamais ! Je ferai tout pour me réhabiliter, tu peux me croire !

— Tu ferais mieux de te faire à l'idée, mon garçon, parce que tu en as pour un sapré bout de temps, d'après moi !

Un coup de pied de Marjolaine sous la table suffit à stopper cette méchante remarque d'Alain, aussi réaliste soit-elle. La mère, malgré les encouragements tacites de François, ne savait plus trouver les mots de consolation. Elle répéta les mêmes phrases prononcées à outrance lors de chacune de ses visites.

— T'en fais pas, mon beau Rémi, ta sentence sera réduite. La jeune fille blessée par ton copain continue de prendre du mieux. Physiquement, s'entend ! Et elle va se réveiller bientôt, tu vas voir.

François, en bon grand frère, s'empressa de renchérir.

— Maman a raison. Les médecins s'attendent à la voir sortir du coma d'un jour à l'autre. Du moins, on l'a écrit dans les journaux. Sa guérison deviendra ton cadeau du jour de l'An, Rémi : tu n'auras participé au meurtre de personne et tu pourras commencer l'année en regardant positivement en avant, vers l'avenir.

De retour à la maison, une fois seule avec Alain dans leur chambre, Marjolaine ne se gêna pas pour lui reprocher son attitude malveillante.

— Ben quoi ! Il n'en a pas eu, lui, une attitude malveillante envers nous, ces derniers temps ? Regarde dans quelle merde il nous a foutus, crisse !

— C'est lui qui est plongé le plus profondément dans la merde, pas nous. Et nous avons le devoir de lui tendre la main pour l'en sortir. Peut-être si tu t'étais montré un peu moins… euh… un peu plus présent et aimable, ces dernières années… Heureusement, il se dit prêt pour la réhabilitation. Voilà tout de même un début de solution, tu ne penses pas ? Toi et moi devons absolument l'aider, Alain. Toi autant que moi…

Dépassée par l'émotion, Marjolaine se mit à pleurer à gros sanglots comme si les vannes retenant le torrent de larmes dans lequel elle risquait de se noyer depuis trop longtemps venaient tout à coup de s'ouvrir. C'en était plus qu'elle ne pouvait en supporter.

— Ben voyons, qu'est-ce qui te prend, Marjo ? Pourquoi pleurer puisque tout semble prendre le bon côté ?

— Tu ne nous aimes plus, n'est-ce pas, mon mari ? Ni moi ni les enfants, je le sais bien. Je le sens tellement ! Et je ne suis plus capable de vivre cela, plus capable…

— Disons que la vie familiale ne m'apparaît pas des plus agréables par les temps qui courent. Quoi que tu en penses, ma femme, je me sens malmené, moi aussi. Alors les tites fleurs bleues, pour l'instant, hein…

— Va-t'en au diable, espèce de sans-cœur ! Tu ne penses qu'à ton orgueil. Moi, en tout cas, je…

— Toi, en tout cas, quoi ? Avoue que pour les guili-guili à ton petit mari, toi non plus, tu ne te montres pas très zélée depuis quelques mois.

— Tu as raison, Alain, les guili-guili ne m'intéressent plus. Vraiment plus du tout ! Mon pauvre chéri, je ne vais pas continuer de te malmener plus longtemps. Et je vais même t'éviter de m'écraser de ton indifférence crasse. Alors, bonne nuit, monsieur Legendre !

Pour la première fois depuis le jour de son mariage, Marjolaine saisit sa robe de nuit et ses pantoufles d'une main rageuse, et s'en fut dormir au sous-sol, dans le lit vacant de Rémi.

Le chien descendit avec elle, comme il en avait l'habitude avec le garçon.

Le lendemain matin, Marjolaine découvrit dans sa boîte postale une enveloppe intrigante, plus volumineuse qu'à l'accoutumée et abondamment tamponnée de cachets français. Ah ? Elle trouva alors, dans un écrin de velours bleu, une minuscule et ravissante épinglette de pur argent, en forme de papillon aux ailes de nacre blanc. Ivan la lui offrait en guise d'étrenne de Noël. Wow ! Le Croate n'aurait pu tomber sur un meilleur jour pour lui donner ce symbole tellement particulier et rempli d'espoir. Sous le coup de l'émotion, elle l'épingla aussitôt au revers du collet de sa chemise pour éviter qu'Alain ne la remarque, mais, mille fois au cours de la journée, elle y porta une main fébrile.

Le chagrin, la désorganisation, la solitude semblaient justement sur le point d'atteindre, en ce jour même, l'infinie envergure de l'Absolu. La situation avait assez duré, le temps était venu de réagir, de prendre une décision. De deux choses l'une : soit rompre définitivement et à jamais avec Ivan Solveye et tourner la page afin de pouvoir affronter plus froidement les problèmes actuels et se réajuster dans sa vie matrimoniale, familiale et professionnelle, auprès de son mari, de ses enfants et de son ordinateur.

Soit l'inverse.

Les deux jours suivants, Marjolaine, toujours confuse, ne retourna pas dormir avec Alain. Il ne sembla même pas s'en formaliser, à la grande déception de l'écrivaine. Un véritable climat de non-belligérance et de tolérance silencieuse semblait s'être installé entre le mari et la femme. « La neutralité, je veux bien, songeait-elle, mais ça ressemble plutôt à de l'abdication et à du désistement. » Sur le point de sombrer dans le désespoir le plus total, elle aurait souhaité qu'Alain la réclame, la supplie, lui demande pardon, lui jure son amour, lui promette de passer l'éponge et de tout recommencer à neuf, main dans la main. Lui jure aussi de considérer son plus jeune fils autrement.

Mais il n'en faisait rien. Absolument rien.

À l'heure du souper, en l'absence de plus en plus fréquente de François, le couple avalait son repas dans un silence total ou, exceptionnellement, en meublant la conversation avec de vagues commentaires prononcés sur un ton neutre au sujet de l'actualité et de la politique, accordant aux banalités une importance qu'elles ne méritaient pas. Dès le repas terminé, chacun se levait de table sans s'excuser et s'en retournait vaquer à ses activités, sans plus.

Incapable d'en supporter davantage, Marjolaine commença à croire que la décision s'imposerait d'elle-même. Elle s'en allait directement vers la rupture pure et simple d'avec Alain. Et cela, au lieu de faire miroiter une libération, l'effrayait sans bon sens. Le destin l'obligeait-il vraiment à tout lâcher ?

De toute façon, se tourner définitivement vers le pianiste croate résidant à des milliers de kilomètres de Montréal ne constituait pas une solution pour le moment, elle ne le savait que trop bien. Ils avaient beau s'écrire chaque jour, ils se connaissaient si peu, tous les deux... Trop peu ! Elle voyait là un danger. Dans quelle galère ce fameux destin était-il donc en train de la pousser ? Briser vingt-trois ans de mariage et une vie familiale s'avérait déjà suffisamment difficile, elle n'allait tout de même pas se lancer immédiatement dans une aventure rocambolesque avec un homme connu pendant quelques jours seulement. Cela relevait de la pure folie. Même si Ivan lui envoyait des parcelles de son âme dans des lettres enflammées et lui démontrait, de loin, sa compréhension et sa tendresse, elle se demandait une fois de plus, avant de tout chambarder, si elle ne ferait pas mieux de renoncer définitivement à cet amour insensé et trop lointain. S'en libérer pour faire face ensuite à une réalité plus concrète parmi les siens.

De toute évidence, même séparée d'Alain, il s'avérerait plus sage de rester d'abord toute seule durant un certain temps, ici, au Québec, pour vraiment recommencer sa vie à zéro. Ivan, elle y verrait plus tard, si jamais il continuait de l'attendre.

Elle n'arrivait plus à dormir.

Le troisième soir où elle s'apprêtait à descendre se coucher au sous-sol, contre toute attente, Alain la retint par le bras.

— Marjo, tu devrais cesser ton petit manège. Ta bouderie a assez duré, il me semble. On ne va tout de même pas terminer l'année de cette façon-là, hein ? Tu m'as suffisamment fait payer mon attitude indépendante. J'ai compris le message et j'aimerais bien que tu reviennes dormir avec moi.

Elle ne s'attendait plus à une telle réaction et se sentit prise au dépourvu. Que répondre à celui qu'elle avait considéré pendant de nombreuses années comme l'homme de sa vie ? Qu'elle ne l'aimait plus ? À la vérité, elle ne savait même plus où elle en était dans ses sentiments. Elle se demandait si elle ne devrait pas lui parler de son idylle loufoque et illogique avec un inconnu rencontré à l'autre bout du monde et n'existant que sous forme de lettres et de mots d'amour prononcés en catimini au téléphone. Malheureusement, elle ignorait où trouver le courage de confesser ses tromperies et ses mensonges à son mari, elle qui avait toujours détesté la tricherie. Pour quelle raison, à bien y penser, lui avouer sa honte ? Cela changerait-il quelque chose ? Elle n'avait nullement envie de concéder devant lui que les remords de conscience l'étouffaient autant que la peine de voir son fils en prison. Pourtant, elle admettait ses torts, elle aussi.

Devant l'insistance d'Alain pour monter à leur chambre, elle se contenta d'un signe affirmatif de la tête et se dirigea lentement vers le grand escalier. Si au moins son mari pouvait comprendre son embarras, ce désarroi dans lequel l'avait précipitée cette déconcertante aventure amoureuse greffée sur l'incarcération de leur fils. Trop ! C'était trop tout en même temps ! Elle avait l'impression d'être en train de devenir dingue. Complètement dingue. Dingue au point de ne plus y voir clair, de ne plus arriver à penser normalement, à réfléchir correctement, à écrire sérieusement, à aimer ardemment. La confusion totale, quoi !

Encore une fois, elle choisit le silence et entreprit de monter lourdement les premières marches.

— Ne monte pas si tu n'en as pas envie, Marjolaine.

— Oh! Alain, pardonne-moi, je ne sais plus où j'en suis.

Elle se jeta dans ses bras et ils montèrent ensemble, serrés l'un contre l'autre. Une fois là-haut, il la berça avec une tendresse à laquelle elle eut peine à croire.

— Écoute, ma femme, que dirais-tu si on prenait quelques jours de vacances au lendemain de Noël? Il doit sûrement y avoir de bons rabais de dernière minute pour le Sud. Rémi ne sera pas là, de toute façon, et on aura vu nos familles à Noël. Pour le jour de l'An, François ira chez sa petite amie à Québec, voilà tout! Dis-moi oui, je t'en prie, ça nous ferait tellement de bien.

Elle n'arriva pas à répondre tant la surprise l'étouffait.

CHAPITRE 23

La célébration de la nuit de Noël chez un cousin d'Alain ne rapprocha pas davantage Marjolaine de son mari. Sans se concerter, ils jouèrent parfaitement, aux yeux de la famille, leur rôle de vieux époux sereins mais engoncés dans leur carcan d'habitudes et de routine. Dans la cuisine où s'étaient réunies les femmes pour placoter, Marjolaine s'informa de la recette de gelée de canneberge de la cousine et discuta de mode et d'éducation, sans plus. Au salon où se tenaient les hommes, Alain parla de voitures et fanfaronna haut et fort sur les succès d'affaires de sa compagnie. Puis, après avoir trouvé une solution à tous les problèmes de l'univers, on organisa des parties de cartes qui durèrent jusqu'à la fin de la soirée.

Par délicatesse – ou est-ce par gêne? – ni les beaux-frères, ni les belles-sœurs, ni les cousins et cousines, pas même les oncles et les tantes ou même les grands-parents, pourtant préalablement mis au courant des affres de Rémi, n'osèrent aborder le sujet de son incarcération. Aux yeux des Legendre, le plus jeune fils d'Alain et de sa femme avait temporairement cessé d'exister, et Marjolaine leur en sut gré. Le même scénario se répéta le matin de Noël, lors du brunch organisé chez l'oncle de Marjolaine pour la famille Danserot.

À la vérité, cette dernière n'avait qu'une idée en tête : quitter les lieux au plus vite. Partir loin des siens, certes, mais surtout partir pour un ailleurs différent. Partir hors du pays, loin de ce monde, loin du crachin et du brouillard dans lequel elle baignait, loin de ce silence hypocrite et malgré tout bienvenu, partir vers le Sud et le soleil, la chaleur, la douceur de vivre, partir pour oublier, partir pour redevenir elle-même, seulement elle-même. Partir pour ressusciter, débarrassée de ses habits de mère.

Bien sûr, pour les vacances, elle aurait pu réserver, pour elle seule, un avion pour Paris, et se laisser emporter dans l'aventure au bras du grand bonhomme aux yeux gris et aux cheveux bouclés qui ne demandait pas mieux que de l'accueillir dans son pays d'adoption et dans sa vie. Chacune de ses lettres continuait d'en témoigner :

> *Je ne pense qu'à toi, mon amour. Je n'arrive plus à envisager l'existence sans toi. Je suis né pour toi, je t'attends depuis quarante-trois ans. Maintenant que je t'ai trouvée, ne me laisse plus languir de la sorte.*

Ah… grimper avec lui la tour Eiffel, flâner bras dessus, bras dessous le long de la Seine, parcourir ensemble les Champs-Élysées, trinquer à Montmartre et, pourquoi pas, dévorer des croissants accompagnés d'un grand bol de café au lait au café de la Paix, Marjolaine se défendait bien d'en rêver. Mais malgré elle, – oh ! combien malgré elle ! –, elle s'imaginait décantant dans l'oreille de cet homme si compréhensif toute l'amertume en train de l'empoisonner. En lui, elle arriverait enfin à se vider le cœur et l'âme, elle pourrait enfin oublier le reste de son existence devenue insupportable. Et elle rêvait, une fois remise de ses blessures, de revivre la Suisse, de revivre la Croatie, de revivre l'amour qui l'avait, l'été dernier, transportée dans une autre sphère, revivre l'amour avec un grand A, l'Amour absolu. Revivre sa vie à elle, à elle seule.

Le destin en avait-il décidé autrement ? Le destin… ou elle-même ? Voilà qu'elle repartait dans un ultime effort pour sauvegarder ses anciennes assises. Elle partirait, le 26 décembre, en compagnie d'un homme d'affaires aux cheveux déjà grisonnants malgré la quarantaine, un homme beau, probe, raisonnable et cartésien. Alain Legendre. Un homme sans folie qu'elle accompagnait depuis des années et au bras duquel elle se pavanerait pendant les prochains jours sur les chaudes plages de sable fin de la Riviera Maya.

Le regard perdu sur l'immensité de l'océan, elle se laisserait caresser par le soleil et bercer par la brise jouant dans les palmiers. Se tiendraient-ils par la main, tous les deux, comme autrefois ? Qui sait s'ils ne se regarderaient pas dans les yeux, le soir, en savourant leurs tapas et sirotant leurs margaritas. Peut-être même se parleraient-ils comme lorsqu'ils avaient dix-neuf ans, alors que tous les rêves leur semblaient réalisables. Sait-on jamais… Et s'ils faisaient l'amour comme deux tourtereaux émerveillés, se dévorant de caresses brûlantes et insatiables ? Elle le souhaita sincèrement, bien consciente de jouer, cette semaine-là, la survie de son couple et d'en maximiser la chance finale et définitive à partir de huit heures du matin, le lendemain de Noël, dans l'avion décollant vers le Mexique.

Le soir de Noël, veille du départ, on célébra dans l'intimité, en compagnie de François et de son amoureuse, la fin des festivités. Pris dans l'engrenage complexe de l'automne qui venait de s'écouler, Marjolaine et Alain n'avaient côtoyé Caroline Pronovost que rapidement et en de rares occasions. Ils la trouvaient jolie, brillante et distinguée, sans vraiment la connaître. François paraissait de plus en plus épris de cette fille de Québec venue à Montréal pour achever, elle aussi, son cours en technique informatique. Marjolaine considérait cette rencontre du dernier repas des Fêtes comme l'occasion rêvée de découvrir la jeune étudiante plus en profondeur.

La romancière, qui n'avait toujours pas réussi à écrire depuis quelques semaines, avait prévu un petit souper tout simple de tourtière et de dinde, bien arrosé et dégusté à la lueur des chandelles. Un brie fondu recouvert de pacanes et de miel, suivi de la traditionnelle bûche de Noël, suffirait largement à clore l'événement. Bien sûr, Rémi allait leur manquer à tous et rien ne pourrait consoler la mère. Comment son bambin d'autrefois, si sage et persistant à croire encore au père Noël jusqu'à l'âge de sept ans quand tous ses amis n'y croyaient plus, pouvait-il se trouver en prison en cette belle fête de l'amour ?

À deux reprises au cours de la soirée, le jeune incarcéré téléphona à la maison. La deuxième fois, la mère et le fils se mirent à pleurer, incapables de poursuivre la conversation.

— Maman, maman, viens me chercher, je veux plus rester ici. Hou… hou…

— Mon amour, tu nous manques, tu n'es pas seul, nous pensons à toi tout le temps, tout le temps, tout le temps. Hou… hou…

Au grand soulagement de Marjolaine, Alain, fort de ses bonnes résolutions prises récemment, s'empara de l'appareil et piqua une jasette avec son fils, sur un ton on ne peut plus naturel, tout en faisant signe à sa femme d'aller retrouver son calme plus loin.

— Pense à l'avenir, mon gars, pense seulement à ça. Tu ne vas pas passer ta vie en prison, tout de même ! Des Noëls, il y en aura d'autres ! Un jour, tu vas sortir de là, tu vas apprendre un métier, gagner un salaire, conduire une voiture. Tu vas même regarder les tites poulettes ! Chaque jour qui passe est un jour de moins à écouler en-d'dans, Rémi. Tu n'as pas le choix de voir les choses de cette façon, maintenant.

— Oui, papa. Hou… hou…

— Tiens ! Je te passe ton frère.

François sut habilement ramener le calme avec des mots consolateurs. Par contre, à un moment donné, il se réfugia dans la salle de bain avec le combiné, sans doute avec l'intention de confier un secret à son jeune frère. Évidemment, cela intrigua les deux parents. Caroline, elle, affichait un sourire entendu.

Quand vint le moment de l'apéritif, on décida de distribuer les cadeaux disposés sous le petit sapin juché sur la fameuse table brisée par Rémi, un soir sombre de l'été dernier, et finalement réparée par le père sur les multiples instances de Marjolaine.

De la part de sa femme, Alain découvrit, dans un grand sac multicolore, un volumineux livre illustré sur l'Histoire universelle et un autre sur le Yucatán. À François, on offrit un magnifique chandail de cachemire à motifs stylisés, et à Caroline, le même chandail en version féminine. Tous s'exclamèrent de plaisir, et Marjolaine se mordit les lèvres de satisfaction, bien contente de ses choix judicieux.

De son côté, Alain la combla de joie avec un coffret, publié chez Deutsche Grammophon, d'une vingtaine de disques contenant la totalité des compositions de Schumann : concertos, symphonies, œuvres pour chœur et orchestre, musique de chambre et, bien sûr, toutes ses œuvres pianistiques. Elle sauta au cou de son mari, tout comme elle se jeta dans les bras de son fils et de sa blonde quand ils lui offrirent une magnifique paire de boucles d'oreilles en argent. Elle songea immédiatement qu'elles pourraient très bien convenir pour accompagner la broche en forme de papillon qu'elle n'osait pas encore porter ostensiblement.

À l'heure du dessert, François se montra quelque peu nerveux, ne cessant de bigler du côté de sa bien-aimée. Tous les deux paraissaient ravissants à Marjolaine dans leurs nouveaux chandails bleus qu'ils s'étaient empressés d'enfiler. Ils se levèrent finalement et se serrèrent l'un contre l'autre pour lancer aux parents la phrase qu'ils retenaient depuis déjà quelque temps.

— Votre véritable cadeau de Noël, papa et maman, le voici : Caroline et moi allons nous marier l'été prochain. Tout est déjà décidé, planifié, organisé, réservé. Vous possédez maintenant dans votre famille une grande fille en plus de vos deux gars !

Marjolaine lança un cri de joie. Le plus beau, le plus grand, le plus merveilleux cri de joie de la terre. Hélas, elle déchanta quelque peu, par la suite, quand François annonça, dans la même envolée, son intention de quitter définitivement la maison familiale au cours des prochains jours afin de partager, dès janvier, l'appartement de Caroline au centre-ville de Montréal.

— Quoi ! Tu vas partir immédiatement ? Tu ne vas pas attendre à l'été ?

Son grand fils allait quitter le foyer… Aboutissement normal dans la suite normale des choses, non ? D'où venait alors ce serrement au cœur ? Elle se demanda si les autres mères de l'univers voyaient partir leurs grands enfants avec une telle mélancolie, même pour la bonne cause, l'heureux mariage dont elles avaient rêvé pour eux pendant plus de vingt ans. Elle tenta de masquer son désarroi en continuant de laisser échapper ses exclamations joyeuses.

Après tout, c'était Noël, et il s'agissait d'une excellente nouvelle.

En préparant sa valise pour le Sud, Marjolaine hésita à glisser l'épinglette du papillon dans le petit sac de tissu dans lequel elle apportait quelques bijoux, malgré sa conviction qu'Alain ne la remarquerait même pas. Mais, en son for intérieur, elle savait bien que de porter, et même de seulement regarder et toucher ce symbole concret d'un autre amour, éveillerait en elle non seulement l'image du pianiste, mais ramènerait à la surface des sentiments qu'elle tentait désespérément d'éteindre, pour le moment du moins. Tant qu'elle n'aurait pas tout essayé pour sauver son ménage. Tout ! Qui sait si cela ne suffirait pas à bousiller le projet au cours de cette semaine ? Alain avait qualifié ce voyage en usant de mots tels que « notre seconde lune de miel ». Le sens inné du devoir de Marjolaine lui imposait donc de mettre toutes les chances de son, ou plutôt de LEUR côté.

Le fameux soir où elle avait accepté de remonter dormir auprès de son mari, ils avaient réussi, pour une fois, à communiquer et à se parler des « vraies affaires ». Bien sûr, Marjolaine n'avait rien révélé de sa relation amoureuse encore bien actuelle avec un étranger, mais elle avait tout de même mis résolument cartes sur table.

— Ça ne peut plus durer, Alain. Ou bien on reprend ensemble une véritable vie de couple et on partage les problèmes de nos enfants, ou bien on divorce. Et si jamais je pars, je ne reviendrai plus. Plus jamais. Et là, je suis très sérieuse, tu me comprends bien, n'est-ce pas ? Il ne s'agit pas de menaces en l'air.

Il avait compris, du moins elle l'avait cru, même s'il ne se doutait pas de l'existence d'un autre homme dans le cœur de sa femme. Et elle avait décidé de mettre le meilleur d'elle-même dans cette tentative de restructuration de leur couple. C'est pourquoi elle renonça à apporter le fameux bijou et préféra le déposer discrètement sous le berceau de l'enfant Jésus, au milieu de la petite crèche fidèlement installée chaque année sous le sapin. Personne ne risquait de l'y trouver à cet endroit, de toute façon, car la maison resterait vide la plupart du temps, François ayant prévu passer le reste des vacances à Québec, puis de déménager chez Caroline pendant le voyage de ses parents.

Elle porta le papillon blanc à ses lèvres et le déposa dans la crèche en murmurant une prière.

— Prends soin de nous tous, joli papillon! Et… ne chatouille pas trop le petit Jésus, hein?

Elle se mit à rire intérieurement, se demandant si, au fond, elle accordait un brin de crédibilité à cette ridicule mise en scène on ne peut plus fétichiste.

Quelques jours plus tard, indolente sur sa chaise longue à cause de l'intensité de la chaleur, Marjolaine jalousait Alain endormi à côté d'elle, à l'ombre d'un palmier. Elle lui enviait sa capacité de roupiller n'importe où et à n'importe quelle heure. Le jeune homme athlétique, plein de vitalité et d'initiative d'autrefois s'était transformé en un homme mûr bedonnant, grisonnant, austère et sans ressort sauf pour les affaires. Un homme un peu ennuyeux, à bien y songer.

Vingt-trois ans auparavant, lors de leur voyage de noces effectué précisément sur cette péninsule du Yucatán, Alain embêtait quasiment, avec ses multiples propositions farfelues, sa jeune épouse devenue léthargique sous le soleil de plomb. Chaque matin, il dressait une liste des activités de la journée, soit pour aller nager dans l'un des nombreux *cenotes* de la région, ces lacs souterrains d'eau douce, ou encore pour aller faire de la plongée sous-marine aux abords d'une île éloignée. S'ils effectuaient la visite d'un temple maya, il ne manquait pas de proposer une séance de surf ou de ski nautique au retour, en fin d'après-midi. Si une partie de volley-ball s'organisait sur la plage, il y participait automatiquement. De plus, il insistait pour aller magasiner, fouiner dans les boutiques à la recherche de souvenirs, en dépit de leur maigre budget de l'époque.

Et il fallait assister, bien sûr, à tous les spectacles offerts chaque soir à l'hôtel. Alain Legendre voulait tout voir, tout goûter, tout essayer et ne rien manquer. Sans compter qu'à toute heure du jour ou de la nuit, quand l'envie le prenait, il ne se gênait pas pour entraîner sa femme dans leur chambre afin de lui faire passionnément l'amour.

Maintenant, il ne le faisait plus. À tel point que Marjolaine se demandait s'il trouvait encore de l'intérêt aux plaisirs du lit. À peine si une fois ou deux, au cours de cette semaine, il s'était emparé d'elle pour la caresser et la pénétrer mécaniquement, machinalement, sans manifester de désir éperdu ni éprouver de jouissance exquise. Elle avait l'impression de servir tout simplement à soulager ses instincts de mâle éveillés durant la journée par la vue des déesses en bikini paradant sur le sable. Quant à la tendresse et aux mots doux…

Marjolaine ne pouvait s'empêcher d'établir une comparaison avec l'intensité de ses rapports intimes de l'été dernier avec Ivan Solveye, là où l'âme semblait participer autant que le corps aux relations sexuelles. Relations à la fois profondes et provisoires. Et trop peu nombreuses, hélas !

Pourtant, elle ne se leurrait pas. Tout cela paraissait bien beau, mais Dieu sait, au bout de vingt ans, à quoi ce bel amour avec le Croate risquait de ressembler. Sans doute à la même chose ! Eux non plus n'échapperaient pas à la routine et à l'usure des années. Non, non, il ne fallait pas reprocher à Alain d'agir comme un vieux marié, allons ! Tous les vieux mariés devaient probablement agir comme… des vieux mariés ! On ne blâme pas quelqu'un d'avoir évolué normalement.

Normalement ? Mais alors, dans la progression normale d'un couple, elle se demandait ce qui devait remplacer l'effervescence et les passions enflammées de la première lune de miel. Ces espaces d'éblouissement devant les attraits soi-disant extraordinaires et les qualités fantastiques de l'autre, et surtout la découverte des goûts communs prometteurs d'échanges et de bon temps, tout cela ne pouvait durer éternellement, elle en avait la preuve avec Alain.

La réalité, banale et ordinaire, finissait inévitablement par rattraper les amoureux. Se développait alors une forme d'entente tacite et un mode de vie susceptible de se transformer, à la longue, en habitudes et conventions. De devenir un moule, quoi! Un moule solidifié par l'attachement et le partage, comme si le conjoint faisait partie de l'autre, devenait l'air qu'il respire, l'oreille qui l'écoute et le cœur qui vibre aux mêmes émotions, la nourriture qui entretient son appétit de vivre, le châle dont il s'enveloppe quand il a froid, le mouchoir qui sèche ses larmes, la porte de sécurité qui le protège, le pilier qui l'aide à supporter les pires épreuves.

Oui, pour durer, un couple devait VIVRE ensemble. L'écrivain Antoine de Saint-Exupéry n'avait-il pas écrit que *s'aimer, c'est regarder ensemble dans la même direction*? «Comme il avait raison!» pensait Marjolaine.

Hélas, les risques d'échec existaient aussi, et cela semblait s'être produit pour son couple. Si le temps, cet accélérateur d'usure, ce fabricant de rouille, ce destructeur à long terme, dessinait des rides sur les visages, il en traçait également sur les amours des vieux couples, ces amours élimées et vouées à l'échec quand ce fameux regard dans la même direction cessait d'exister. Quand la vie à deux se limitait à tolérer patiemment les divergences de l'autre…

Marjolaine et son homme en étaient rendus là, et elle refusait de s'enliser dans ces différences menant au repli sur soi et à de graves confrontations. Une sérieuse réflexion s'imposait : qui sait s'il ne valait pas mieux envisager une rupture définitive… Après tout, Alain semblait vivre quotidiennement à un plus grand nombre de kilomètres de distance d'elle qu'Ivan Solveye. Regarder ensemble dans la même direction ? Peuh !

Quant au besoin naturel et légitime d'autonomie et d'indépendance de chacun, il ne s'éteindrait sans doute jamais et cela paraissait normal. Devenir « un » ensemble, il le fallait certes, mais rester en même temps « un » chacun de son côté ? Quelle aberration avec Alain Legendre !

Oui, Marjolaine était arrivée à cette étape, celle de la tolérance patiente et banale, du simple respect de la liberté de son mari d'être lui-même. Cette liberté bâtie sur son indifférence envers elle et les siens... Et s'il s'agissait d'une bonasserie d'épouse ? De laxisme ? De mollesse ? Elle le regardait dormir sur le sable chaud et doux, devant l'immensité bleue de l'océan. Alors que cette vision aurait gonflé le cœur d'une amoureuse, une seule pensée obsédait Marjolaine : chercher des réponses à ses questions au sujet de son couple. Pourquoi se sentait-elle envahie par une telle solitude ? « Alain, où es-tu ? Que sommes-nous donc devenus, toi et moi ? »

L'homme à ses côtés, quant à lui, semblait vivre dans un autre univers. Il avait pourtant suggéré lui-même ce voyage. « Ça nous ferait tellement de bien », avait-il dit. Ça ne lui en faisait pas. Son refus de l'accompagner aux visites organisées à des sites archéologiques, sa mauvaise humeur quand ils avaient flâné dans les boutiques à la recherche d'un cadeau pour François et Caroline, ses soupirs d'impatience poussés tout au long du spectacle de danses folkloriques qu'elle avait pourtant adoré, ces heures et ces heures passées silencieusement le nez dans son livre sans jamais en partager l'intérêt avec elle... Étaient-ils devenus un vieux couple moribond, usé par le non-engagement de l'un des deux ?

De son côté, Marjolaine supportait de plus en plus péniblement ses attentes déçues. Le mutisme de son mari, ce dur et cruel silence, et sa façon de changer de sujet de conversation quand elle cherchait à mettre sur table leurs problèmes familiaux actuels la remplissaient de frustrations. Son mari possédait-il encore des états d'âme, grands dieux? N'avait-il pas des sentiments, des émotions, des inquiétudes, des secrets, des projets, des déceptions, des rêves, des joies, des peines à confier de temps en temps à celle qui partageait sa vie? Des questions existentielles, comme elle s'en était posé avec un certain pianiste, l'été dernier?

Avec quel agacement elle voyait son mari ingurgiter une quatrième *tequila sunrise* avant le souper! Que cherchait-il donc à noyer, à oublier? Quant au désordre de leur chambre et au sable qu'il transportait négligemment à l'intérieur avec ses sandales, au lieu de se rincer les pieds comme tout le monde au retour de la plage, elle les supportait tant bien que mal. Ces vétilles ne l'auraient pas dérangée, quelque temps auparavant. De vulgaires et ridicules insignifiances…

Plus maintenant.

CHAPITRE 24

En dépit de l'angoisse causée par l'approche du procès de Rémi, Marjolaine se devait de préparer la conférence qu'elle allait prononcer, le 19 janvier, devant ses lecteurs, dans une bibliothèque de la ville de Québec. Ayant accepté et signé le contrat plusieurs mois auparavant, elle n'avait plus le choix de s'y rendre, malgré son moral au plus bas depuis son retour du Mexique.

Rencontre d'auteure, révélations sur l'origine de sa vocation de romancière, sur ses sources d'inspiration, son processus d'écriture et son importance dans sa vie, sans oublier ses projets pour des œuvres à venir… Marjolaine aimait bien en général s'exprimer devant le public. Mais pas ce soir-là, à quelques jours du jugement de son enfant.

Bien entendu, elle allait confier à ses auditeurs, comme à l'accoutumée, à quel point, comme auteure, elle endossait avec flamme les expériences de vie de ses personnages pendant ses périodes d'écriture. Bien sûr, elle éviterait totalement le sujet trop personnel de l'incarcération de Rémi. Mieux valait conserver cela dans le plus grand des secrets.

Elle se garderait aussi de raconter à quel point elle trouvait ardu de terminer le manuscrit du tome trois de sa série, pourtant attendu avec impatience, et dans lequel l'acteur principal, emporté par un amour illicite mais réel, avait le courage de chambarder sans hésitation son existence et de jeter sa prêtrise par terre afin d'entreprendre une nouvelle vie en commun avec sa dulcinée. Un courage qu'elle-même n'arrivait pas à insuffler dans sa propre vie.

Au fond, la préparation de cette audience publique avait l'avantage de tenir Marjolaine éloignée de sa réalité actuelle. Le procès aurait lieu exactement cinq jours après la conférence. D'ici là, elle tiendrait difficilement en place. Elle avait bien demandé à Alain de l'accompagner à Québec pour cet entretien en bibliothèque, mais trop de travail le retenait au bureau, selon ses dires.

Le pire, c'est qu'il avait planifié un voyage d'affaires à New York, exactement pour le 24 janvier, date du procès, et pour les jours suivants. Elle avait beau pousser les hauts cris, rien n'y faisait, il s'entêtait à vouloir partir. Jamais elle ne lui pardonnerait cette échappée. L'explosion attisée depuis des mois risquait de survenir et de dévaster définitivement leur couple, elle n'en doutait plus.

— Pour l'amour du ciel, remets ce voyage à plus tard, Alain. Tu ne peux pas briller par ton absence quand ton fils passera devant le juge, voyons !

— Il s'agit d'un congrès, et je ne peux rien y changer. Le monde ne va pas s'arrêter de tourner parce que Rémi va recevoir sa condamnation, quand même ! Le congrès a lieu à cette date et je dois absolument y assister.

— Fais-toi remplacer par un autre directeur de la compagnie, alors. Si tu ne veux pas le faire pour Rémi, fais-le au moins pour moi !

— Non, je ne peux pas. Ce séminaire, avec de nombreuses tables rondes, s'avère trop important pour notre maison d'affaires. Le procès va durer à peine quelques heures, tu vas voir. Rémi a plaidé coupable, il s'agit de sa première offense, et il n'y a personne de mort. De plus, la fille est sortie du coma depuis deux semaines, m'as-tu dit. Alors, pourquoi tant s'énerver?

— Va-t'en au diable, maudit sans-cœur!

À cause des prévisions atmosphériques, Marjolaine partit pour Québec la veille de sa conférence, sans même saluer son mari. C'en était assez, le vase avait débordé. Elle prit alors la résolution de se dépêcher de mettre enfin le point final à son manuscrit et de l'envoyer tel quel à son éditeur, une fois la sentence de Rémi prononcée. Elle pourrait ensuite s'envoler vers l'Europe avec un billet ouvert, donc sans date prédéterminée pour son retour. Rien de précis encore, mais cette fois, elle se sentait bien décidée. À tout le moins, la plupart du temps.

Ce jour-là, une fois parvenue à Québec, Marjolaine s'offrit un coûteux souper dans un petit restaurant français de la rue Saint-Jean, avec l'impression de pouvoir profiter enfin de courtes mais réelles vacances. Après tout, elle le méritait bien! Et elle se félicitait de se retrouver seule et de n'attendre rien de personne, surtout pas de son mari.

Le lendemain matin, elle fit la grasse matinée dans sa petite chambre et, après un brunch démesuré au restaurant de l'hôtel, elle écoula le reste de la journée à flâner dans les rues enneigées de la ville et à butiner dans les boutiques et les musées, savourant ce providentiel changement d'air et cette soudaine liberté, toute provisoire soit-elle.

Elle se rendit ensuite à la bibliothèque de la vieille ville où l'attendaient une quarantaine de personnes entassées dans une petite salle attenante. Tout se passa rondement. Marjolaine laissa parler son cœur, les questions fusèrent de toutes parts sur son travail de romancière, les échanges furent intéressants, et on sembla apprécier son discours. À la fin, on s'arracha les livres qu'elle avait apportés et c'est de gaieté de cœur qu'elle entreprit d'apposer une courte pensée et sa signature sur la première page pour chacun de ces nombreux lecteurs.

À un moment donné, quand vint son tour, un homme sortit de son sac à dos les exemplaires écornés des premier et deuxième tomes des *Exilés*. Étrangement, il portait un chapeau de laine et de gros verres fumés, et il avait la tête engoncée dans le collet de son manteau comme s'il venait tout juste d'arriver ou s'apprêtait à sortir à l'extérieur. C'est sa voix et surtout son accent qui firent bondir l'écrivaine qui, penchée sur les livres, ne l'avait pas remarqué dans la file d'attente.

— Bonjour ! J'ai lu et relu ces deux livres, ma chère dame, et je les ai adorés. Cependant, comme je les ai commandés par la poste, ils ne portent pas votre signature. Pourriez-vous y apposer une gentille dédicace, s'il vous plaît ?

Ivan ! C'était lui ! Elle le reconnaissait bien, maintenant qu'il avait retiré sa tuque et ses lunettes. Stupéfaite, elle se leva et fit le tour de la table pour lui sauter au cou devant les gens qui se contentèrent de sourire poliment face à ces retrouvailles inattendues entre l'écrivaine et celui que l'on identifia comme un bon ami.

— Ivan ! Mais qu'est-ce que tu fais ici ? Quelle surprise, je n'arrive pas à y croire ! Quelle merveilleuse et heureuse surprise ! Je… ne sais pas quoi te dire !

— Ne dis rien, de te voir en ce moment toute souriante me suffit. Termine tes signatures, je vais t'attendre à l'entrée de la bibliothèque. Tu pourras dédicacer mes livres plus tard.

Un peu plus et la romancière Marjolaine Danserot se serait mise à pleurer à chaudes larmes d'émotion et de joie, là, devant tout le monde. Sa main tremblait et elle avait du mal à dédicacer ses livres. C'est à peine si elle arriva à signer clairement son nom pour les trois derniers clients.

Non, elle ne rêvait pas : Ivan, son cher Ivan, l'attendait à l'intérieur, près de la sortie. Du coin de l'œil, elle pouvait l'apercevoir, toujours aussi beau et séduisant, en train de fureter autour des étagères, s'attardant ici et là à un bouquin, l'entrouvrant pour y jeter un œil rapide et distrait, puis le remettant aussitôt sur la tablette. Dieu du ciel ! Ivan Solveye, bien vivant, bien réel, se trouvait là, et il l'attendait !

Comment expliquer ce mystère ? Décidément, cet homme-là s'avérait le plus grand spécialiste au monde en rebondissements. Elle n'avait jamais oublié ses deux apparitions fortuites à Manuello, la première fois lors de la lecture publique et, par la suite, au dernier soir de son séjour au château. Mais cette fois, comment avait-il pu savoir qu'elle donnait une conférence dans ce lieu si éloigné de sa demeure ? Aurait-il appelé chez elle par hasard ? Elle ne pouvait croire qu'Alain, ou même François, ne connaissant nullement l'existence de cet homme, lui aurait donné le renseignement. Même son éditeur ignorait cette allocution dans la ville de Québec. Et dans aucune de ses dernières lettres à Ivan, elle n'avait mentionné cette rencontre d'auteure, comme elle l'avait fait, la première fois, pour la lecture publique à Manuello. Alors ?

On n'en finissait plus de la féliciter, de lui demander d'autres informations, de lui offrir un café, de lui souhaiter un bon retour. Finalement, la bibliothécaire lui remit son cachet et la remercia bien amicalement en lui promettant de faire la promotion de ses livres auprès de la clientèle locale. Marjolaine la salua et fit une visite rapide à la salle de bain pour vérifier sa coiffure et son maquillage, avant d'enfiler à la hâte ses bottes et son manteau.

Dès qu'ils se furent un peu éloignés de la bibliothèque, les amoureux retrouvés se réfugièrent d'instinct dans un recoin discret, entre deux édifices. Là, ils sautèrent dans les bras l'un de l'autre et, en silence, ils s'embrassèrent voluptueusement, longuement, avec toute la tendresse du monde, une tendresse trop longtemps refoulée et endiguée. Autour d'eux, d'énormes flocons de neige tourbillonnaient silencieusement. Marjolaine se mit à sangloter, la tête réfugiée dans le cou d'Ivan, ses mains désespérément agrippées au collet de son manteau comme à une bouée de sauvetage.

— Mon amour, mon amour, tu es venu, tu es là. Je n'arrive pas à y croire. J'ai tellement besoin de toi, tu n'as pas idée !

Le pianiste sembla retrouver ses esprits le premier.

— On ne va tout de même pas rester dans cette ruelle, toute la nuit ! Viens, ma voiture est stationnée à deux rues d'ici.

— Comment cela ? Tu as une voiture ?

— Écoute, ma chérie, la carte de la France peut entrer cinq fois dans celle de la province de Québec. Penses-tu vraiment que je vais me promener à pied sur l'immensité du sol québécois ? Et surtout par cette température glaciale ? Non, non, j'ai loué une auto en mettant le pied à l'aéroport. Viens, nous allons échanger le château de Manuello pour le château Frontenac. Je t'invite à y dormir avec moi.

— Mais j'ai déjà une chambre réservée dans un autre hôtel pour cette nuit, moi ! Toutes mes affaires se trouvent là, d'ailleurs.

— Eh bien, moi aussi, j'ai loué une chambre ! Et ce soir, mon amour, tu viens avec moi. Il s'agit d'un ordre, tu n'as pas le choix. Oh ! ma chère princesse de rêve, laissez-moi vous emmener dans la tourelle d'amour de mon château !

Comme un chevalier, le Croate s'inclina bien bas pour effectuer un salut cérémonieux, une main tendue en avant et l'autre appuyée sur le ventre, ce qui eut l'heur de dérider la présumée princesse.

— D'accord, d'accord, vous gagnez, mon beau prince ! Quel homme tu fais, Ivan ! Mais, dis-moi, qui t'a renseigné sur ma visite dans cette ville ? Et pourquoi ne pas m'avoir avertie de ta venue ?

— Rien de plus simple, il suffit d'un peu de clairvoyance. J'ai consulté les dieux de l'amour et ils m'ont tout révélé.

Devant le regard amusé mais toujours interrogateur de Marjolaine, il s'empressa d'apporter quelques précisions.

— Réfléchissez un peu, ô femme ! Sérieusement, j'ai visité ton site Internet et, à la rubrique *Rendez-vous,* on annonçait ta conférence d'aujourd'hui dans cette bibliothèque de la ville de Québec. On donnait même des précisions sur l'adresse, la date et l'heure. Tu sais comme j'aime créer des imprévus et te surprendre. Je n'ai pu résister.

— Eh bien, bravo pour ta réussite ! C'est vrai, j'avais oublié mon site où l'on indique tous mes bons coups. Ah, cher Ivan de mon cœur, tu n'arrêteras donc jamais de m'étonner ! Et de m'emballer !

— Effectivement ! Et j'ai justement l'intention de ne pas arrêter ! J'ai une autre surprise pour toi, mais… je vais la garder pour plus tard. En toute franchise, la véritable raison, ou plutôt l'une des deux véritables raisons pour lesquelles j'ai traversé l'Atlantique, car il en existe deux, c'est que, vois-tu…

Le Croate sembla hésiter et laissa sa phrase en suspens pour recommencer à embrasser sa bien-aimée avec encore plus de fougue. Trop éblouie par ce qui lui arrivait de façon aussi soudaine, Marjolaine n'insista pas. Tout viendrait en son temps, et elle finirait par tout savoir, se dit-elle. Elle se laissa emporter par la passion d'Ivan dans une série de baisers de plus en plus sensuels et ardents.

Une demi-heure plus tard, elle n'avait pas encore achevé d'enlever son manteau, une fois dans la chambre située au sommet de l'une des tours du château Frontenac, qu'Ivan avait déjà sorti une bouteille de champagne du réfrigérateur pour en verser dans les deux flûtes installées sur la petite table en face des fenêtres disposées en demi-cercle et donnant sur le fleuve.

— Viens, mon amour, nous allons fêter ce moment de grâce que j'attends depuis bientôt six mois. Ce moment où j'avais tellement envie de te dire de vive voix «je t'aime», mes yeux dans les tiens et mes mains sur toi, chaude et vivante.

— Oh! Ivan, tout cela m'apparaît si inattendu, si...

— Marjolaine, je t'aime, je ne peux plus vivre sans toi. Je veux te le redire encore et encore.

— Mais Ivan, on se connaît si peu... Nous n'avons vécu que quelques jours ensemble. Cela ne te fait pas peur?

— C'est toi, la romancière, qui me dis cela? Et toutes ces lettres échangées quotidiennement depuis des mois et dans lesquelles on s'est ouvert le cœur et l'esprit, ça ne compte pas? La personnalité et les états d'âme, ça s'exprime autant par l'écriture que par le langage parlé, et avec encore plus de précision que la musique, non? Tu ne sais pas ça, toi, l'écrivaine? Allons donc!

Il ne fut pas nécessaire à l'écrivaine de boire du champagne pour perdre la tête complètement, la minute d'après, entre les bras du musicien. Elle se donna sans réserve à celui qui occupait ses pensées depuis si longtemps, et elle vécut la nuit à la fois la plus douce et la plus passionnée de toute son existence. Par la fenêtre, on pouvait voir au loin, à travers un mince rideau de neige, les milliers de petites lumières de la ville de Lévis scintiller de l'autre côté du fleuve, comme des étoiles descendues du ciel pour dire aux humains que le paradis pouvait aussi exister sur la terre.

Trop occupée à contempler son bien-aimé, Marjolaine n'en vit rien.

Ce n'est qu'aux premières lueurs du matin que le mot «tricheuse» remonta à l'esprit de Marjolaine comme une obsession. Que faisait-elle là, dans une chambre de grand hôtel, étendue entièrement nue auprès d'un amant? Honte à elle, la femme qui prêchait l'honnêteté et la transparence. Si elle avait sombré dans la faillite concernant l'éducation de son fils Rémi, elle pouvait en dire autant de son comportement d'épouse! Inconsidérément, comme l'été dernier, elle commettait l'infidélité, elle bafouait ses valeurs et transgressait ses propres règles de vie, une fois de plus.

Comme s'il avait deviné les sombres pensées en train de la submerger, Ivan se retourna et la prit dans ses bras.

— Viens, mon amour, on va se parler, car hier… Hier soir et cette nuit, c'était autre chose! Te retrouver m'a enlevé tous mes moyens, même ceux de m'exprimer avec des mots. Toutefois, ce matin, nous allons nous parler, réfléchir, prendre ensemble des décisions.

— Prendre des décisions? Explique-toi, Ivan. Là, tu m'énerves!

— Mon amour, je ne veux absolument rien t'imposer, surtout pas ma présence. Durant ces six mois, en dépit de notre correspondance fidèle et régulière, j'ai compris bien des choses. Je sais que si tu avais vraiment désiré changer de vie et parcourir un bout de chemin avec moi, tu serais déjà venue me retrouver à Paris, ou tu m'aurais invité à Montréal. Ai-je raison?

— Oh! Ivan, je ne sais quoi te répondre. Je vis présentement des choses tellement difficiles et compliquées… Tu ne peux imaginer ma confusion.

— Oui, je l'imagine très bien. Justement, voilà la première des deux raisons de mon voyage dont je t'ai parlé, hier : l'imminence du procès de ton garçon, le 24 janvier. Je me doute bien qu'assister à la condamnation de ton fils, peu importe la décision du juge, représentera pour toi une rude épreuve, sinon l'enfer. Ne vaut-il pas mieux que je sois là, présent concrètement, si jamais tu as besoin de mon soutien? Ne t'inquiète pas, je demeurerai invisible, mais je resterai disponible. Il n'est absolument pas question de t'infliger ma présence lors d'un moment pareil. Après tout, tu as un mari et il est le père de cet enfant-là. Et tu possèdes un autre fils aussi.

— Ah, mon Dieu! tout ce que tu me dis là, Ivan… Tant de générosité et de délicatesse de ta part! Tout ça me touche tellement, tellement…

— C'est juste que… que… je ne sais trop comment te dire cela, Marjolaine. Je voudrais juste veiller sur toi de plus près. Ou plutôt de loin. C'est-à-dire de moins loin que de Paris, tu comprends? Par contre, si tu me demandes de m'en retourner, je le ferai immédiatement, je te le jure. Aujourd'hui même, si tu l'exiges.

Cette fois, c'est Ivan qui se mit à pleurer en couvrant son visage de ses mains. Et ces larmes, plus que n'importe quel geste ou parole, confirmèrent à Marjolaine une évidence qu'elle connaissait déjà. Une évidence dont elle n'avait jamais douté, en vérité : Ivan Solveye l'aimait sincèrement, de tout son cœur et de toute son âme.

— Moi aussi, je t'aime, Ivan. Je n'ai jamais cessé de t'aimer depuis le premier jour où je t'ai connu, même si j'ai essayé, à quelques reprises, de t'évincer de mon esprit. Pardonne-moi si je mets du temps à rompre le cordon avec mon mari. Tout d'abord, j'ai des convictions morales et elles restent difficiles à ébranler. Pour une raison ou pour une autre, certains jours, je me sens prête à les ignorer, d'autres, non. Me trouver ici avec toi ce matin constitue la preuve que ça va de mieux en mieux de ce côté-là, n'en doute pas. Non, le véritable problème se trouve ailleurs. Jeter mon mariage par terre représente pour moi quelque chose d'énorme, je te l'avoue. S'il ne s'agissait que d'Alain, au point où nous en sommes, je m'en ficherais pas mal. Mais cela entraînerait la chute de ma famille en même temps.

— Ta famille ?

— Ma famille, vois-tu, je l'ai moi-même instituée, fondée, édifiée, bâtie, entretenue. Elle est devenue sacrée pour moi, et la démolir me demande une force que je ne possède peut-être pas. Je n'en sais rien, je ne sais plus. J'ai même essayé de la sauver, ces derniers temps, cette famille. À tout le moins ai-je tenté de réchapper mon couple, au cours de mon voyage au Mexique avec Alain. Mais ça n'a rien donné, je l'admets bien franchement. Et toi, tu te trouvais si loin, Ivan, si loin de moi, malgré tes lettres et tes appels. Depuis Dubrovnik, tu as représenté pour moi davantage un merveilleux souvenir et un rêve qu'une entité réelle et concrète. Je ne t'ai pas connu pendant assez de temps. La vie représente bien autre chose qu'une simple lune de miel, tu ne penses pas ? Renoncer à ma famille et à mon pays, tout abandonner et m'expatrier me fait peur, tellement peur !

— Oui, je peux comprendre cela.

— Sache que j'avais l'intention d'aller te rejoindre pour quelques semaines ou quelques jours en France, au terme de ce maudit procès qui m'énerve sans bon sens. Tu n'as pas idée à quel point voir mon fils rendu là représente une défaite pour moi qui l'ai élevé. J'ai tellement honte, Ivan, si tu savais… Je me sens responsable, indigne, coupable, blâmable et humiliée. Tellement humiliée !

— N'empêche, ton fils y est pour quelque chose, hein ? Il n'a plus cinq ans, que je sache ! C'était son choix de fréquenter de mauvais amis et de se doper avec eux. Tu ne pouvais tout de même pas l'attacher, à son âge. Évidemment, il n'a pas développé une dépendance à la drogue sans raison. Ce garçon devait sûrement se sentir mal dans sa peau pour une raison ou pour une autre, mais à dix-huit ans, certaines choses peuvent échapper aux parents, je suppose. Et si c'était son paternel ? Et puis non ! Je ne m'engagerai pas sur ce terrain trop glissant. Il ne m'appartient pas et tout cela ne me regarde pas. Ça semble trop facile de juger les autres et de tout mettre sur leur dos, surtout quand on ne les connaît même pas !

— Tu analyses bien les choses, Ivan, mais ni toi ni moi ne pouvons les changer. Rémi devra passer quelques années en prison, à mon grand désespoir. Aura-t-il besoin de sa mère durant ces années ? Je n'en doute pas un instant. Cette maudite incarcération a changé tout le contexte, à commencer par notre avenir, à toi et à moi…

— Toi aussi, Marjolaine, tu as une vie à vivre, des attentes, des besoins. Tu as des droits et pas seulement des devoirs. Tu as droit à ta vie à toi. Te connaissant, tu voudras couver tes enfants durant toute ta vie, je le sais et je peux comprendre cela. Mais tu es une femme à part entière, aussi, ne l'oublie pas. Écoute-moi bien : il n'est pas question de briser les liens de ta famille. Il s'agit de quitter ton mari. Non pas tes fils.

— Non pas mes fils ? Ne pas quitter mes fils en allant habiter à six mille kilomètres d'eux ? Allons donc, tu veux rire ! Penses-y un peu, Ivan : si je choisis de vivre avec toi, je me retrouverai à l'autre bout du monde, sur un autre continent. Même mon grand François, sur le point de se marier, a besoin de sa mère, pas seulement Rémi. Je te concède que, pour lui, ça s'avérerait moins dramatique, mais... Non, la situation n'est pas facile, même si je t'aime vraiment, tu peux me croire. Et je ne me sens pas en état, présentement, de prendre une décision. Pas avant le procès, en tout cas.

Un silence pesant envahit soudain la chambre, cruel et lourd de sens. Il n'y avait plus rien à dire. Si le silence représentait parfois un vide abyssal, il symbolisait cette fois une réalité bien concrète, le mur infranchissable devant lequel se trouvaient les amoureux. L'impasse. Le cul-de-sac.

Comme s'il voulait recréer l'espoir de découvrir une issue, Ivan s'empara de Marjolaine avec une ardeur renouvelée. Elle oublia l'ampleur du drame et s'abandonna totalement. L'espace d'un moment, elle renoua avec l'Absolu. Dieu, s'il existait, ne les délaisserait pas. Par leurs soupirs, leurs gémissements de plaisir, leurs mots de tendresse réinventés, ils remportèrent la plus belle des victoires sur l'éloquent silence. Cet amour, plus grand et plus fort que tout, avait le droit de surmonter le mur et de le dépasser. Il le devait. L'espoir venait de renaître.

À la fin de leurs ébats, quand ils atteignirent le moment de détente bénie suivant l'orgasme, Ivan s'écria :

— Je refuse que ce soit la dernière fois. Je t'en prie, reste à Québec au moins un jour, mon amour.

— Mais... je dois rentrer chez moi aujourd'hui, Ivan.

— Quelqu'un t'attend ? Tu as un rendez-vous important ?

— Euh… À vrai dire, non !

Comme elle n'arriva pas à rejoindre Alain à son bureau, elle se contenta de lui laisser un message sur son répondeur, affirmant qu'elle avait rencontré par hasard des amis connus en Europe l'été dernier et qu'elle ne rentrerait à la maison que le lendemain. Puis, du revers de la main, elle repoussa bien loin les protestations de sa conscience pour avoir menti inconsidérément. Après tout, elle n'avait, une fois de plus, qu'ajouté un pluriel au mot « ami ».

Deux heures plus tard, les amoureux se retrouvèrent sur la terrasse Dufferin, serrés l'un contre l'autre sous le ciel radieux des lendemains de tempête. La neige étincelait de mille feux au soleil et l'air vif colorait les joues du Croate comme celles des enfants, et cela amusait Marjolaine.

— Tu as l'air d'un petit garçon, Ivan. Je t'adore !

— Dis donc, mon amour, tu ne m'as pas demandé la deuxième raison pour laquelle je suis venu au Québec. L'autre surprise…

— Comment ça, l'autre surprise ?

— Je te donne un indice : j'ai un rendez-vous important à Montréal, précisément le lendemain du procès de ton fils, à deux heures de l'après-midi, sur la rue Sherbrooke. Ça te dit quelque chose ?

— Euh… non, ça ne me dit rien. Un rendez-vous chez un notaire ? Un avocat ? Un médecin ? Tu n'es pas malade, j'espère ? Ou alors un bijoutier ? Un directeur de galerie d'art ? Il en existe de nombreuses, sur cette rue. Ne me dis pas que tu as commencé à peindre, quand même ! Ah ! non… hum… Tiens ! j'ai trouvé : tu vas jouer de nouveau en concert quelque part à Montréal et tu dois rencontrer un des organisateurs dans ce coin-là. Ah, mon espèce de coquin, là, je t'ai eu, hein ? Hé ! Hé ! Pensais-tu vraiment réussir à m'intriguer ?

— Tu te trompes royalement, ma chère. À bien y penser, je ne vais pas te la révéler tout de suite, cette deuxième raison. Moi qui aime te faire des surprises, je t'apprendrai celle-là en temps et lieu.

Le pianiste la darda d'un regard taquin et accepta de bon gré les simulacres de coups de poing dont le bombarda Marjolaine en guise de protestation. La lutte se termina en bataille rangée de boules de neige et dans le fou rire le plus joyeux du monde.

CHAPITRE 25

Les amoureux rentrèrent seulement le surlendemain à Montréal, dans la voiture de Marjolaine, très heureux mais tout aussi décontenancés de voir le temps leur échapper si rapidement.

Il ne restait plus que soixante-cinq heures avant le passage de Rémi devant le juge. Derrière le guichet de la salle des visites de la prison, le garçon, pâle comme un mort, parut à sa mère plus effrayé que jamais, en dépit des affirmations rassurantes de son avocat. Marjolaine voyait son fils dépérir radicalement d'une visite à l'autre, mais cette fois, il lui sembla au bord du précipice.

— Allons, mon grand, il faut te montrer courageux. Ils vont te garder en taule pour un bout de temps, tu dois t'y attendre. Que veux-tu? Tu as volé, tu dois en payer les conséquences maintenant. À mes yeux, ce geste reste impardonnable. Je n'en reviens pas encore et je n'en reviendrai jamais, je crois.

Elle aurait dû s'empêcher d'énoncer le fond de sa pensée et retenir ces dernières phrases montées spontanément à son esprit. On n'encourage pas un jeune en le blâmant et en lui lançant des regards courroucés. On ne lui dit surtout pas de s'attendre au pire. Si quelqu'un au monde était moralement tenu d'essayer de comprendre, de pardonner et de tendre la main, c'était bien une mère envers son enfant. Marjolaine tenta maladroitement de se reprendre.

— Il faut maintenant assumer tes bêtises, tu n'as pas le choix. On va te transférer dans un pénitencier fédéral où tu vas pouvoir recevoir de l'aide à long terme. T'inquiète pas, tu vas finir par t'en sortir, surtout si tu te montres coopératif.

— Non, je veux pas, je veux pas… Je veux m'en aller chez nous, avec toi, maman. Emmène-moi, emmène-moi…

— Que tu le veuilles ou non, mon chéri, ça ne change rien. Accepte-le comme un homme, en toute humilité. Tu as commis des erreurs, tu dois payer pour ça. Pense à la jeune fille qui se trouvait à la caisse. Une étudiante en médecine, paraît-il. Elle a retrouvé ses esprits, mais elle ne pourra peut-être plus se servir de ses jambes et devra se déplacer en fauteuil roulant, selon les craintes de ses médecins. Sa vie semble brisée à jamais, Rémi. Pourra-t-elle continuer ses études, mener une carrière, aimer un homme, se trouver un mari, fonder un foyer, mettre des enfants au monde et les élever ? Elle n'a rien fait de mal, elle ! Penses-y un peu !

— Une étudiante en médecine ? C'est vrai ? Et elle va rester paralysée ? Ah, mon Dieu ! Moi, je l'aurais jamais frappée. Maudit fou de Stéphane ! J'aurais jamais pu faire ça, maman, je te jure !

— Je le sais ! Ton complice a dû craindre de voir l'étudiante sortir une arme et il a voulu vous protéger tous les deux d'un éventuel coup de feu. Il s'agit d'une réaction d'autodéfense, il me semble. Trop facile, Rémi, de lancer des reproches et de jurer devant les faits accomplis. Reste que, s'il n'avait pas l'intention de frapper, ton chum n'avait qu'à ne pas apporter un bâton de baseball ! Franchement, ça me dégoûte ! Quant à toi, mon fils, tu n'avais qu'à ne pas te trouver là comme un stupide bandit ! Le juge va te reconnaître aussi coupable que Stéphane, j'en ai bien peur.

— Moi, j'ai insisté pour prendre le revolver-jouet au lieu du bâton de baseball. Comme ça, je ne risquais pas de faire des bêtises, je l'ai déjà dit.

— Tu vois le résultat ! N'oublie pas une chose : la fille aurait agi par légitime défense, elle, si elle avait possédé un revolver. Mais on ne trouve pas de telles armes dans les dépanneurs, m'a dit l'avocat. La malheureuse travaillait pour payer ses études, honnêtement et paisiblement. Tandis que vous, vous manigonciez pour payer votre maudite cochonnerie de drogue.

Marjolaine sentit chacun de ses muscles se crisper. L'idée de la destruction de son fils par les stupéfiants lui faisait perdre la tête. Un peu plus et, soumise à une explosion de fureur, elle aurait grimpé sur le comptoir pour taper de toutes ses forces sur la vitre la séparant de Rémi. Elle n'arrivait plus à empêcher l'ouragan de colère grondant à l'intérieur d'elle depuis des semaines de se déchaîner et de tout détruire autour d'elle. Ah… frapper, frapper de toutes ses forces, avec ses poings, avec sa tête, avec tout son corps, frapper sur cette surface dure et transparente qui l'empêchait de rejoindre son fils, frapper à s'en briser les os, frapper pour désamorcer la bombe de rage, de dégoût, d'abomination, de désillusion qui menaçait d'éclater à tout instant. La bombe d'appréhension au sujet du jugement, aussi. Frapper pour se vider de son écœurement. Et de sa peur.

Comme s'il percevait la tension monter chez sa mère, Rémi réussit quelque peu à la calmer.

— Je sais tout ça, maman. T'en fais pas, ça fait des semaines que j'y réfléchis.

— On verra bien ce qu'en pense le juge. Peu importe ta condamnation, je te demande une seule chose : reste vaillant et solide. Ta vie ne s'arrête pas là, et toi, tu as encore tes deux jambes et toute ta tête, du moins, je l'espère ! Ne l'oublie pas. De plus, tu possèdes une famille pour te soutenir.

Une famille pour le soutenir ? Marjolaine soupira. Une famille à la dérive, à bien y songer. Une mère tricheuse qui risquait de partir au loin, un père absent ou inadéquat, ça dépendait des jours ! Des parents dont l'union s'en allait en faillite. Heureusement, il lui restait un grand frère, hélas sur le point de quitter lui aussi la maison. Une famille en passe de se disloquer, et dont l'anéantissement se calculait, comme dans un compte à rebours, en termes de jours.

Depuis leur retour de Québec, Ivan occupait une petite chambre dans une auberge du centre-ville de Montréal. Marjolaine n'en revenait pas de sa gentillesse et de sa sollicitude. Il ne lui avait pas menti, elle voyait bien qu'il était réellement venu en Amérique pour la bonne raison de l'aider à passer à travers le moment difficile du procès de Rémi. Avec discrétion et bienveillance, il se rendait disponible pour leurs rencontres, fixées par elle seule.

— Seulement quand tu voudras ou quand tu pourras, mon amour. Tu as une famille, une vie, des obligations, et je ne veux rien t'imposer. Mais si tu as envie de crier, de pleurer, de hurler, de te vider le cœur, je peux t'ouvrir mes bras n'importe où et n'importe quand. Ou mieux, si tu as envie de te changer les idées et ressens le besoin de t'étourdir, je reste là pour toi en tout temps.

Un urgent besoin de diversion se déclencha exactement le lendemain, veille du procès, après l'engueulade du siècle conclue par un claquement de porte – était-ce un avant-goût du futur ? – au moment du départ d'Alain pour New York.

— Quand tu reviendras, mon cher, ne t'attends pas à me retrouver ici. Tu dépasses les bornes en m'abandonnant quelques heures avant le procès de NOTRE garçon, et ça, je ne peux pas le supporter. Vas-y le gagner, ton maudit argent, sale égoïste, pis garde-le pour toi ! Tes billets de banque, tu peux te rouler dedans, coucher avec, les dévorer d'amour, moi, je m'en crisse ! Je ne suis plus capable de te supporter, Alain Legendre. Plus capable.

— Ma pauvre Marjolaine, tu es en train de devenir folle avec les problèmes de Rémi. Il mérite une bonne punition et il va l'avoir, rien de plus ! Et ça va lui servir de leçon. Pour les autres, la vie continue, et ça en prend un de nous deux pour garder son sang-froid, franchement !

— Du sang-froid ? De l'eau glacée, tu veux dire, comme il en circule dans tes veines ! À moins que ce ne soit du vitriol. Possèdes-tu un cœur au moins pour le faire rouler, ton fameux sang-froid ? Parfois, je me demande sérieusement si quelque chose de vivant existe en toi. Moi, j'aime la chaleur dans tous les sens du terme. Surtout pas le sang froid !

C'est ainsi que, ce soir-là, Marjolaine se retrouva en train de s'émoustiller dans une discothèque du centre-ville en compagnie du Croate. La proposition venait d'elle, prête à toutes les folies pour oublier. Enfin oublier pendant quelques heures.

L'alcool aidant, elle se dandinait comme une perdue au son d'une musique disco tonitruante et joyeuse, se laissant hypnotiser, envoûter par les cadences endiablées, là où rien d'autre n'existait que le moment présent. Le rythme la possédait tout entière, corps et esprit, et, sans s'en rendre compte, elle souriait à cet homme adoré qui s'accordait avec elle sur les mêmes accents en la regardant avec attendrissement. La terre pouvait s'arrêter de tourner, la fin du monde pouvait arriver, en ce moment, elle s'en foutait. Jamais elle n'avait vécu aussi intensément, aussi follement qu'à cette heure précise. Sans doute l'absolu plaisir avant l'absolu chagrin.

Au retour de la discothèque, Ivan, moins éméché que sa compagne, conduisit la voiture de Marjolaine pour la raccompagner jusque chez elle. Elle l'invita à entrer.

— Viens, mon amour. Pour les quelques jours à venir, la maison n'appartient qu'à moi seule. L'homme de la maison m'a sacrée là !

— Sacrée là ? Comment cela ? Il t'a sacrée ?

— Il s'agit d'une expression québécoise qui signifie qu'il m'a laissée en plan. Il s'est débarrassé de moi, quoi !

— Ha ! Ha ! Elle est bien bonne ! Je vais la retenir, celle-là ! Il t'a sacrée là, hein ?

— Oui, mon cher, tu peux la retenir dans tous les sens du terme.

En pénétrant dans la maison, le pianiste se mit aussitôt à éternuer et à se frotter les yeux à cause de ses allergies aux chiens. Marjolaine enferma Jack dans le boudoir et trouva heureusement dans la pharmacie des antihistaminiques qu'elle s'empressa de lui refiler.

— Tiens ! Prends au moins deux comprimés tout de suite, cela va te calmer.

En effet, le Croate ne mit pas de temps à retrouver son souffle. Il se répandit alors en exclamations d'admiration en découvrant les charmes de la maison.

— Dis donc, quelle jolie demeure! Cela te ressemble tellement, cette atmosphère accueillante, ce confort, ces couleurs chaudes, ce bois naturel, ces petites lampes, ces tableaux, ces plantes s'épanouissant ici et là… Une véritable touche d'artiste! Bravo!

Sur le répondeur, trois messages attendaient Marjolaine, tous en provenance de François. Le fils aîné cherchait désespérément sa mère, se demandant bien à quel endroit elle pouvait se trouver sans son téléphone portable, en cette veille du procès. Il finit par lui donner rendez-vous au palais de justice pour le lendemain matin.

— Je vais sécher mes cours de l'avant-midi, maman. Cependant, si ça dure plus longtemps, je vais devoir te quitter, car j'ai un examen important en début d'après-midi. On se retrouve donc sur le perron de la porte principale, demain matin, à huit heures pile, d'accord?

En voyant Marjolaine s'essuyer les yeux après avoir écouté ses messages, Ivan l'interrogea sur les causes de ce trouble soudain.

— Ce n'est rien. Je ne devrais pas pleurer, au contraire! Mon fils aîné veut m'accompagner à la cour demain, et je ne m'attendais pas à autant de magnanimité de sa part. Pour moi, cet enfant compte pour deux. Par contre, j'y vois là un problème : tu seras présent au palais de justice, toi aussi, et François ne se doute même pas de ton existence dans ma vie. Tout ça me rend confuse et mal à l'aise, tu comprends. J'aurais préféré le lui apprendre autrement et certainement dans d'autres circonstances.

— Ne t'en fais pas, Marjolaine. Tout se passera bien. Je m'installerai loin de toi, quelque part dans l'assistance. Ni vu ni connu, voilà tout!

— Ivan, je t'aime.

Quelques minutes plus tard, la sonnerie du téléphone se fit entendre. Quand Marjolaine constata la provenance de l'appel sur l'afficheur, elle décida de ne pas répondre, au grand étonnement d'Ivan.

— Tu ne réponds pas ?

— Non ! Il s'agit de mon mari et je n'ai rien à lui dire. Rien à entendre de sa part, non plus. S'il voulait tant me parler, il n'avait qu'à rester ici. Il peut aller au diable, je n'ai besoin ni de son soutien ni de ses conseils. Encore moins de ses regrets, si jamais il en éprouve, mais cela me surprendrait.

Néanmoins, Ivan refusa de dormir dans le grand lit de la chambre de Marjolaine et d'Alain.

— Je coucherai dans ce lit-là quand il n'appartiendra plus à ton mari. Sinon, j'aurais l'impression d'usurper ses droits et je me sentirais coupable. Je n'aime pas la tricherie.

Marjolaine se retourna d'un bloc. Cette dernière affirmation la visait-elle, elle aussi ? L'hypocrisie et la dissimulation, elle connaissait ! Mais le regard ouvert et transparent d'Ivan suffit à la rassurer. Cette fois, la perspective de tromperie ne concernait que lui-même et ne la visait nullement, elle, la femme mariée, elle, la plus tricheuse des deux.

Tout ceci lui confirma l'urgence de prendre une décision sérieuse et rapide. La comédie avait suffisamment duré. Le départ obstiné d'Alain, le matin même, avait sonné l'annonce d'une bifurcation irréversible de leur couple. Dès le procès terminé, avant même le retour de son mari, elle prendrait un rendez-vous avec un avocat.

Les deux amoureux dormirent dans le lit à une place de Rémi, serrés l'un contre l'autre, mais sans avoir de relations sexuelles. L'atmosphère ne s'y prêtait guère, et Marjolaine fut sensible au tact et à la délicatesse d'Ivan de ne rien entreprendre.

Le lendemain matin, ils se rendirent très tôt sur la rue Notre-Dame, dans l'imposant édifice du palais de justice de Montréal. Après avoir rapidement ingurgité un croissant et un café à la cantine du rez-de-chaussée, ils se séparèrent en se promettant de se retrouver, sur un signe discret de Marjolaine, au même endroit, à l'heure du dîner, après le départ de François vers l'école. Ivan prit alors le chemin de la salle G-429 où se déroulerait le procès Legendre, et elle sortit sur le parvis pour y attendre François.

Le regard perdu sur le trafic, elle prit conscience de jouer une fois de plus à l'hypocrite. Non seulement elle trompait son mari, mais aussi son grand fils. Elle se consola en se disant qu'au point où elle en était, un mensonge de plus ou de moins n'avait plus d'importance.

CHAPITRE 26

Le verdict tomba en début d'après-midi : le juge condamna Rémi Legendre à quatre années d'incarcération. En entendant prononcer cette sentence, le jeune homme se mit à hurler et à se débattre dans la section des accusés.

— Non, non, je ne veux pas ! C'est trop long, je vais mourir !

Deux policiers s'emparèrent de lui et le firent sortir de la salle.

Marjolaine s'effondra, en larmes, dans les bras d'Ivan assis à ses côtés depuis le départ de François pour l'école.

— T'en fais pas, mon amour, si ton garçon se montre sage et coopérant, on réduira sans doute sa peine.

— Quatre ans, ça va paraître interminable, comme si la terre allait s'arrêter de tourner pendant tout ce temps. Une vie brisée et, par la suite, un casier judiciaire à traîner pour le reste de ses jours comme une tache noire étampée sur le front. C'est épouvantable ! Mon pauvre, pauvre enfant…

— Au moins, tu sais à quoi t'en tenir, maintenant. On ne va pas le lâcher, ton Rémi, on va s'organiser pour le soutenir.

Ivan avait-il dit « on » ne va pas le lâcher ? Et « on » va s'organiser ? Il en avait de bonnes, le Croate ! S'il n'avait pas d'autres encouragements à lui prodiguer, il aurait mieux fait de se taire. Dans quelques jours, il allait reprendre l'avion vers l'Europe et vers sa liberté, et elle devrait s'organiser pour soutenir Rémi. Pas lui ! Le soutenir de près ou de loin, en ce moment précis, elle ne savait même pas comment.

Cette maladroite tentative de consolation permit néanmoins à Marjolaine de se ressaisir et de calmer ses pleurs.

— Viens-t'en, Ivan, sortons d'ici. On n'arrivera certainement pas à revoir Rémi aujourd'hui, et je ne pourrai pas te le présenter. Tu t'en retourneras chez toi avec l'image d'un jeune prisonnier révolté, assis sur le banc des accusés entre deux gardiens, voilà tout ! Le fils malheureux de ta maîtresse malheureuse.

L'homme ne répondit pas et prit Marjolaine par le bras pour l'entraîner vers la sortie.

— Aimerais-tu qu'on aille prendre un verre quelque part, mon amour ? Ou peut-être préfères-tu rentrer toute seule chez toi ?

— Jamais de la vie ! On s'en va prendre un verre ensemble à la maison. Alain ne reviendra pas avant deux ou trois jours, pourquoi ne pas en profiter ?

Une fois sur la rue Durham, ils demeurèrent silencieux et prostrés sur le canapé du salon, trempant à peine les lèvres dans leur verre de porto. Marjolaine restait tendue et inconsolable, et elle ne voulait rien entendre.

Soudain, Ivan se leva et, sans prononcer une parole, alla s'asseoir sur le banc du piano. Il baissa alors la tête et, les yeux mi-clos, il demeura de longues minutes sans bouger, comme s'il méditait ou récitait une prière. Puis, il se mit à jouer, avec une douceur poignante, les différentes versions jadis composées à Dubrovnik sur l'air de *Jésus, que ma joie demeure*.

Marjolaine s'arrêta net de pleurer et l'écouta religieusement, buvant la mélodie à grandes goulées afin de s'imprégner à jamais de l'espoir contenu dans cette merveilleuse musique. Une fois la dernière note jouée, le pianiste ne broncha pas et maintint son état de recueillement, tête baissée et yeux fermés. Elle s'approcha de lui par-derrière et passa amoureusement ses bras autour de son cou.

— Quel cadeau tu m'as donné, Ivan! Oui, tu as raison, la vie continue, l'amour continue, l'Absolu continue, car tu viens de m'en faire vivre un court moment. Je n'oublierai jamais cet instant, mon amour. Sache que peu importe l'endroit où tu te trouveras dans l'univers, je ne cesserai jamais de t'aimer.

La sonnerie du téléphone interrompit brutalement ce moment de grâce. Cependant, quand Marjolaine reconnut le numéro du téléphone cellulaire d'Alain sur l'afficheur, comme elle l'avait fait la veille, elle refusa de répondre.

— Il s'agit de mon mari. Il peut aller au diable, celui-là! S'il voulait connaître rapidement la conclusion du procès, il n'avait qu'à venir lui-même au palais de justice aujourd'hui. Qu'il ne compte pas sur moi pour lui apprendre la nouvelle avant son retour!

— Si tu me permets, Marjolaine… Cela ne me regarde pas, je le sais, et je ne devrais peut-être pas m'en mêler, mais ne penses-tu pas qu'un père, en dépit de ses erreurs, a le droit de savoir? Le laisser dans l'ignorance m'apparaît d'une grande cruauté. Par simple charité, tu devrais le rappeler, je crois.

Marjolaine sursauta. Elle n'en revenait pas de la réaction généreuse et altruiste d'Ivan à l'égard d'un homme qu'il ne connaissait pas et qu'il devrait considérer comme un adversaire, à tout le moins comme son opposant sentimental.

— Ivan Solveye, tu ne cesseras jamais de m'épater !

— Et ce n'est pas fini !

— D'où viens-tu donc ? Parfois, tu me fais penser à un ange descendu du ciel.

— Bien mieux que cela, ma chère : je suis un homme qui a traversé le ciel entre Paris et Montréal pour venir te parler d'amour. De toutes sortes d'amour, pourrait-on dire ! Amour entre femme et amant, amour entre mère et fils, amour – oups ! –, compassion entre épouse et époux.

— Tu as raison, je vais le rappeler, le cher papa.

Elle s'empara du combiné et composa le numéro d'Alain, qui répondit immédiatement.

— Alain ? C'est moi. Excuse-moi, je n'ai pu te parler à temps. Oui, oui, tout est terminé. Le juge lui a donné quatre ans. Quoi ! Tu penses que ça aurait pu être pire ? Ouais… ça aurait pu être mieux aussi, hein ? Tu rentres dans trois jours ? Bon, eh bien… porte-toi bien d'ici là. Moi ? Oh ! moi, je vais bien. Au revoir.

Sans doute afin d'éviter de commenter la conversation téléphonique froide et hachurée de Marjolaine qu'il venait d'entendre, Ivan recommença à jouer. Cette fois, il s'attela à la partition du

Concerto de Québec ♪ d'André Mathieu en version pour piano seul, déposée sur le lutrin et à laquelle Marjolaine avait décidé de s'attaquer « un de ces jours », jour qui n'était jamais venu, car elle en trouvait l'exécution trop difficile.

— Comment cela, Ivan, tu connais cette composition d'un Québécois ?

— Mais oui, un pianiste d'ici me l'a fait connaître lorsque je suis venu en juin dernier. Je préfère le jouer avec un orchestre, mais la version pour piano solo me plaît beaucoup aussi.

La tentative de diversion du pianiste réussit, et Marjolaine se laissa emporter par cette musique dense et ensorcelante. Il ne fut plus question d'Alain. À la fin, elle applaudit à tout rompre en ne tarissant pas d'éloges sur l'extraordinaire interprétation de l'artiste.

— Et en plus, l'ange joue divinement de la musique !

Ils allaient s'embrasser quand ils entendirent la porte d'entrée s'ouvrir promptement. François écarquilla les yeux en découvrant un étranger debout au milieu du salon, pratiquement collé contre sa mère. Il salua l'homme d'un simple signe de tête et s'adressa directement à Marjolaine, prise au dépourvu et rouge de confusion.

— Maman ? Ça va ? Est-ce toi qui jouais du piano, tantôt ? Ça résonnait jusque dehors.

— Non, non, c'est plutôt Ivan. Je te présente Ivan Solveye, un ami rencontré lors de mon voyage en Suisse, l'été dernier. Il est

---

♪ Pour entendre ce morceau, visitez le www.quebec-amerique.com/coupsurcoup et sélectionnez l'extrait musical n° 8 : *Concerto de Québec*, version piano solo, d'André Mathieu.

pianiste de profession et s'adonne à visiter Montréal, ces jours-ci. Ivan, voici François, mon fils aîné.

Les deux hommes se serrèrent la main en s'examinant sans émettre un son. Mais François ne mit pas de temps à se retourner vers sa mère, le regard fébrile, pour poser la question qui l'avait tracassé pendant tout l'après-midi.

— Et alors, Rémi? Même durant mon examen, avec la permission du professeur, je t'ai appelée toutes les demi-heures, pour avoir des nouvelles.

— Oh! excuse-moi, François. Dans la salle d'audience, on a demandé de fermer tous les téléphones portables et j'ai oublié de réactiver le mien. Mais je savais que tu téléphonerais ici en revenant de l'école.

— Je n'ai pas pu résister à l'idée de venir t'attendre ici même, maman.

— Ton frère a été condamné à quatre ans de prison.

— Quatre ans de prison! Il n'y est pas allé de main morte, le juge! Ah, mon pauvre, pauvre petit Rémi…

— Par contre, selon son avocat, on lui offrira probablement l'opportunité d'une libération conditionnelle, s'il a un bon comportement et à la preuve de sa réhabilitation, après un tiers de sa peine. Ça reste à voir. Je te jure que sa réaction de cet après-midi, devant le juge, ne me semble pas de bon augure. Ton frère s'est mis à crier comme un perdu et on a dû le sortir de la salle.

François se prit la tête entre les mains et se mit à sangloter. Effarée, Marjolaine l'attira sur le canapé et le prit dans ses bras. Pour un instant, ils oublièrent la présence du Croate, qui en profita pour aller chercher discrètement son manteau et ses bottes dans le vestibule. Il s'approcha ensuite sur la pointe des pieds de la mère et du fils enlacés, et se pencha au-dessus d'eux.

— Je vais rentrer à mon hôtel, Marjolaine. Je pense que vous devez vous retrouver seuls tous les deux. Je te laisse la carte de mon auberge sur la table. Si jamais tu as besoin… euh… si jamais tu veux me reparler, tu n'as qu'à me téléphoner là-bas ou à me laisser un message.

Le pianiste se contenta de saluer d'un signe de tête, et Marjolaine le regarda partir avec un soupir de déception. « Conséquence d'une double vie », songea-t-elle. L'espace d'un moment, l'envie lui prit de dévoiler toute la vérité à François, là, tout de suite, en ce moment même. Et puis non ! Vraiment, son grand fils avait son quota pour aujourd'hui, lui aussi. Lui apprendre son intention de quitter son père pour l'amour d'un autre homme, de cet inconnu à qui il venait de serrer la main précisément le jour même de la condamnation de son frère, constituerait un acte d'une cruelle inhumanité !

De toute façon, si elle aimait sincèrement Ivan, elle n'acceptait pas encore complètement l'idée de s'exiler outre-mer pour le suivre. Abandonner ses fils en ces temps d'orage représentait pour elle non seulement le pire des sacrilèges, mais tout autant le pire des sacrifices. Sa place résidait ici, tout près d'eux. En cela consistait son devoir, pour le proche avenir en tout cas. Une place où régnaient la confusion, le désordre, l'embrouillamini, les scrupules, l'indécision, l'agitation, les tromperies et les cachotteries. Et l'ennui d'un amour perdu.

Elle eut envie de se mettre à hurler.

C'est pourquoi, une demi-heure plus tard, quand François lui offrit de venir souper avec Caroline dans leur petit appartement, elle n'hésita pas à accepter. Bien sûr, elle ne manqua pas d'en aviser discrètement Ivan par téléphone, à l'insu de son fils, avant de quitter la maison.

— T'en fais pas, je m'en vais souper chez mon fils. Il a rudement besoin de moi, et moi aussi, j'ai besoin de me sentir près de lui !

— Mais oui, mon amour, tout cela m'apparaît plus que normal. On se reparlera demain.

Tant pis pour le temps volé sur le court séjour de son amant à Montréal. Ce soir, elle allait jouer à plein, entièrement, totalement et sincèrement, son rôle de mère de famille.

Cela ne l'empêcha pas de remercier secrètement Ivan pour sa compréhension et sa compassion.

CHAPITRE 27

Tôt le lendemain matin, la sonnerie insistante du téléphone extirpa Marjolaine du lit où elle avait dormi seule. Elle aurait pu appeler Ivan pour l'inviter à la rejoindre en taxi, rue Durham, après que François l'eut déposée chez elle assez tôt, la veille, à la suite d'un souper quand même réconfortant avec le jeune couple. Toutefois, épuisée et dépassée par les événements, elle avait préféré demeurer seule. Un appel désespéré de Rémi quelques minutes après son retour à la maison l'avait mise dans tous ses états.

Le garçon s'était montré révolté et déprimé à la suite du dénouement de son procès, au point de parler de suicide.

— Je ne serai jamais capable de supporter ça. Je veux mourir, maman, et je trouverai bien le moyen d'en finir.

— Rémi, mon petit Rémi, prends ça plutôt comme une chance de pouvoir réfléchir, d'aller en cure de désintoxication et de te réhabiliter. De repartir à zéro, quoi ! Tu pourras même étudier tranquille sur place, terminer tes études collégiales ou apprendre un métier dans ce pénitencier-école. Tu es jeune, tu as toute la vie devant toi. Un tiers de ta peine représente un peu moins d'un an et demi. C'est loin de la fin du monde. Et puis, on est là, nous, on ne va pas t'abandonner.

À vrai dire, elle éprouvait des doutes sur la portée de ce « nous », incertaine de la sollicitude d'Alain. Elle eut tout de même l'impression d'avoir réussi à calmer son benjamin, au moment où elle referma le combiné, après lui avoir souhaité une bonne nuit avec promesse de se reparler dès le lendemain matin. De toute évidence, son rôle de mère s'imposait et prévalait sur tous les autres. Ivan saurait comprendre.

Ce matin, par contre, lors du premier appel téléphonique de la journée, le Croate insista, au bout du fil, pour la revoir durant l'avant-midi. Marjolaine se sentit obligée de manifester quelques regrets de ne pas l'avoir rappelé au cours de la soirée de la veille. Comme à l'accoutumée, l'amoureux se montra compréhensif.

— Ne t'en fais pas pour hier soir, ma chérie. Je me sentais moi-même complètement à plat et, très tôt, je suis tombé dans mon lit, comme une roche. Je t'invite à déjeuner au resto.

— Je ne pourrai pas partir avant l'appel de Rémi, Ivan. Il a promis de me rappeler ce matin, car hier soir, il avait le moral à la baisse, tu peux me croire ! On ne peut joindre un prisonnier de l'extérieur, tu comprends. Il faut attendre l'appel provenant de lui.

— Oh là là ! J'ai envie de te parler, moi aussi, j'ai des choses urgentes à te révéler aujourd'hui même.

— Comment ça, des choses urgentes à me révéler ? Tu ne vas tout de même pas m'annoncer que tu as une femme à New York et deux filles aux études dont l'une va se marier l'été prochain et l'autre vient d'être condamnée à quatre ans de prison ?

— Ha! Ha! J'aime ton sens de l'humour en dépit du contexte actuel, Marjolaine! Mais non, il ne s'agit de rien de tout ça, tu le sais bien! Mais…

— Mais quoi? Tu m'énerves, là, mon amour!

— Tu ne m'as jamais demandé la deuxième raison pour laquelle je suis venu au Québec. Je t'en avais parlé l'autre jour, tu te souviens? Eh bien, l'heure des explications est arrivée, aujourd'hui même. Il faudrait se rencontrer le plus tôt possible ce matin, car le rendez-vous important dont je t'ai parlé l'autre jour aura lieu en début d'après-midi.

— Le rendez-vous important? Je l'avais oublié. Tu m'intrigues, là! Écoute, je passe te prendre tout de suite après le téléphone de Rémi. Promis!

Une heure plus tard, un Ivan radieux, parfumé, pomponné et vêtu de ses plus beaux atours, pénétra dans la voiture de Marjolaine. Il insista pour choisir un restaurant au centre-ville, le mystérieux rendez-vous ayant lieu sur la rue Sherbrooke Ouest, tout près de la rue University. Ils entrèrent quelques minutes plus tard dans un vieux bistrot qui ne payait pas de mine et, empressés d'engager la conversation, ils commandèrent distraitement un déjeuner rudimentaire.

— Alors, cet appel de ton fils?

— Bof… Il va un peu mieux, je pense. Il devrait s'y faire, avec le temps. Mais toi, Ivan, tu m'inquiètes sans bon sens. Vite, allons à l'essentiel!

— Ma rencontre de cet après-midi, tout comme celle de ce matin, risque de changer toute ma vie, tu sais, Marjolaine.

— Ta rencontre de ce matin aussi? Tu veux dire : là, maintenant, avec moi?

— Oui, là, maintenant, avec toi. Et ça pourrait changer ta vie aussi. Toi qui adores les surprises, attends-toi à une sérieuse !

— S'il te plaît, cesse de me faire languir de la sorte et explique-moi ce qui se passe.

L'homme s'arrêta net de manger et, fourchette en l'air, braqua ses yeux dans ceux de sa bien-aimée. Les yeux gris semblaient lancer des flammèches. Elle remarqua un léger tremblement de sa lèvre supérieure et elle se mit elle-même à frissonner, se demandant bien ce qui l'attendait encore.

— Ma chérie, écoute-moi bien. Je n'ai pas voulu t'en parler plus tôt car, pour une fois, j'ai usé de sagesse en préférant constater d'abord de quelle manière se dérouleraient nos rencontres depuis mon arrivée au Québec. Je ne me trompais pas, nous avons passé le test. Malgré tous les problèmes qui t'assaillent actuellement, notre relation s'est maintenue. Toi et moi sommes de véritables amoureux, et nous pourrions très bien vivre ensemble. Je sens notre amour plus vibrant que jamais. Ai-je raison ?

— Oui, tu as raison, mais tu vas repartir bientôt, Ivan…

— Voilà ! Tu as tout dit ! De toute évidence, la distance presque infranchissable entre nos milieux de vie respectifs représente un obstacle quasi impossible à surmonter. J'ai adopté la nationalité française et j'habite Paris, et toi, citoyenne canadienne, tu possèdes une famille ici. Tes deux fils ont besoin de toi, et tu les adores, je le vois bien. Alors ?

— Alors quoi, Ivan ? Vas-tu me parler d'une entrave majeure, d'une obligation de rupture définitive entre toi et moi ?

Il avait raison. Ivan et elle se trouvaient dans une voie sans issue. Elle ne se sentait pas le courage de s'exiler en France dès maintenant, même temporairement. Des liens trop solides la retenaient, non plus à Alain mais à ses enfants. Elle baissa la tête, écrasée de chagrin. Mais Ivan n'avait-il pas laissé pointer quelque espoir?

— Je crois avoir trouvé une solution et, le croirais-tu, cette solution nous a précédés, Marjolaine. Avant même notre rencontre à Manuello, elle avait commencé à mijoter. Elle se prépare depuis plusieurs mois, cette solution. Si tu l'acceptes, naturellement. Elle est même venue du ciel, je pense. Ah! ce destin, ce fameux et étrange destin...

— Une solution? Mais quelle solution, Ivan, quelle solution?

Marjolaine haussa le ton. Un peu plus et elle se serait levée et aurait crié au beau milieu du restaurant. Après tout, n'était-elle pas en train de jouer sa vie? Ou plutôt de jouer leur vie?

— Cette solution se concrétisera cet après-midi, à deux heures précisément, en présence des représentants de la direction de l'école Schulich de l'Université McGill, quand je signerai le contrat d'un an que l'on me propose comme professeur de piano invité par la faculté de musique.

— Quoi! Que me racontes-tu là? Tu habiterais à temps plein ici, au Québec, pendant toute une année?

— Oui, et si tout va bien et si je me plais dans cette fonction, le contrat comporte même une clause stipulant l'éventualité d'une prolongation de séjour. J'aviserai à ce moment-là. Pour aujourd'hui, je ne veux songer qu'au présent. Mais avant de signer tous ces papiers, je veux savoir ce que tu en penses, mon amour.

— Ivan, je t'aime! Voilà la meilleure nouvelle du siècle. Oh! mon Dieu, tu ne repartiras pas, tu vas rester ici, tout près? Mon amour, mon amour...

Obnubilée par la nouvelle renversante révélée par le pianiste, Marjolaine se leva de la banquette pour sauter sans retenue au cou du pianiste, sous le regard étonné des autres clients du restaurant. Néanmoins, elle mit un certain temps à retrouver ses esprits. Cette nouvelle explosion, venue encore une fois perturber son existence, ressemblait davantage à un magnifique éclat de soleil qu'à un autre ouragan ravageur. Enfin, la lumière ! Enfin, un espoir de bonheur !

Bombardé par les questions de Marjolaine, Ivan s'appliqua à apporter des précisions. Il raconta qu'à la suite de son récital donné à la Place des Arts en juin dernier, la direction de l'Université McGill, justement à la recherche d'un éminent pianiste à inviter comme professeur en résidence à la faculté de musique pour les élèves à la maîtrise et au doctorat, l'avait aussitôt contacté.

Depuis, les démarches s'étaient déroulées à bon train et plutôt favorablement. Le Croate avait d'abord dû remplir ses obligations et terminer ses contrats en France avant de planifier son rendez-vous à McGill. Entre-temps, il avait consulté son agent et sa maison de disques française avec lesquels il désirait conserver un contact étroit et direct. Il avait, par la suite, précisé aux autorités de l'université certaines conditions à inscrire sur son contrat : possibilité, au cours de cette année, de quitter le Québec à quelques reprises, selon ses engagements déjà signés, pour aller jouer dans divers pays comme concertiste invité, permission de s'absenter pour produire un nouveau disque en France l'automne prochain, salaire raisonnable et frais de résidence assumés. Après sa rencontre avec Marjolaine, il avait ajouté une possibilité de prolongation du contrat. On avait accepté toutes ses requêtes et préparé les papiers de l'entente qu'il s'apprêtait à signer, cet après-midi même.

Marjolaine l'écoutait, bouche bée. De toutes les surprises ménagées par son amoureux depuis sa venue à Manuello, celle-ci s'avérait la plus extraordinaire.

Non, elle ne rêvait pas. Il ne restait plus à Ivan qu'à apposer son nom, dans quelques heures, sur le contrat et le formulaire d'emploi, ainsi qu'à fixer la date du début de ses nouvelles fonctions.

Soudain, le pianiste s'arrêta net de parler et darda Marjolaine d'un regard interrogateur et insistant au point où elle eut l'impression de sentir son cœur cesser de battre. Ivan prétendit alors avoir un dernier problème à régler, ou plutôt une dernière disposition à prendre, la plus importante de toutes, avant de signer quoi que ce soit.

— Je voudrais ton consentement, Marjolaine.

— Mon consentement à quoi, Ivan ? Mon consentement à ce que tu viennes habiter au Québec ? Ça ne me concerne pas du tout, voyons ! Tu n'as pas de permission à me demander. Avec ou sans moi, tu peux et même tu te dois de vivre cette expérience unique et tellement valorisante.

— Non, mon amour, je désire la vivre avec toi et auprès de toi, cette expérience. Et je réclame ton consentement pour entreprendre, grâce à ce contrat, une nouvelle existence en couple à Montréal, dans un petit appartement bien à nous. Au moins, ici, tu ne seras pas privée de tes enfants et tu pourras les voir quand tu voudras. Jamais je ne m'interposerai. Pour la suite, pour l'an prochain, on verra en temps et lieu.

— Oh, Ivan, je t'aime tant ! Et j'en ai ras le bol de mon mari. Mais… tu me demandes de prendre une décision aussi importante, ce matin, là, tout de suite, en l'espace de quelques secondes… Te rends-tu compte ? Je ne m'attendais pas à une proposition aussi mirobolante de ta part, moi ! Contrairement à toi, je n'ai pas songé à une telle éventualité pendant des mois, quoique… En tout cas, je n'ai pas envisagé ni préparé de contrat, je n'ai même jamais rêvé de te voir débarquer ici à long terme. Même si tu m'as demandé cent fois d'aller te rejoindre en France, il ne s'agissait, dans mon esprit, que d'une aventure passagère dont j'avais pourtant bien envie. Je t'avoue sincèrement qu'avant ton arrivée impromptue de la semaine dernière, je ne pouvais me décider à tout chambarder pour aller vivre une idylle aléatoire avec toi, outre-mer. Jamais je n'ai pensé que ça pourrait se concrétiser ici et de façon vraiment plus sérieuse et officielle. Tu me prends de court, là !

— Une idylle aléatoire, as-tu dit ? Douterais-tu de mes sentiments ?

— Pas du tout, voyons ! Là n'est pas la question.

— Si tu avais accepté de me rejoindre à Paris, peut-être aurais-je laissé tomber ce projet de contrat et ne serais-je jamais revenu au Québec.

— Tu sais, Ivan, s'aimer et vivre ensemble représentent à mes yeux deux choses différentes, et elles ne se concilient pas toujours facilement entre un homme et une femme de notre âge, j'en sais quelque chose ! Tous les divorcés pourraient t'en parler longuement, eux qui se sont déjà aimés bien sincèrement.

— Quelle rationnelle tu fais, mon amour ! Alors que moi, j'étais prêt à sauter dans l'aventure, à prendre tous les risques et à faire tous les sacrifices nécessaires, moi, l'amoureux fou, moi, le sensible, l'emporté, le fougueux.

— Avais-tu autant que moi à perdre, Ivan ? N'oublie pas que le sacrifice de quitter les miens et de m'expatrier sur un autre continent ne revenait qu'à moi seule.

— Tu as raison, mon amour.

— Mais là, tu viens de changer tout le contexte. Il s'agirait simplement de me séparer d'Alain à présent, pour pouvoir demeurer avec toi sans révolutionner le reste de ma vie, c'est bien cela ? Tout mon univers resterait en place, à tout le moins pour la prochaine année, mes enfants, ma famille, mes amis, mon écriture, mon éditeur, ma ville, tout ! Et avec toi au milieu de tout cela, ce serait formidable ! N'empêche, ça me fait quand même peur.

— Je peux comprendre tes craintes, mon amour. J'ai commis l'erreur de ne pas te parler de ce grand projet plus tôt. Je me faisais une telle joie de te surprendre encore. Écoute-moi bien : si cela peut te rassurer, que tu acceptes ou non de partager ma vie, je vais le signer, ce fameux contrat. Après tout, l'idée d'enseigner le piano à Montréal comme artiste en résidence m'a séduit dès juin dernier alors que tu n'existais même pas dans le décor. J'ai maintenant envie de vivre cette aventure et de connaître davantage ce beau pays. Je suis un citoyen du monde, tu comprends ? Pour le reste, je vais me croiser les doigts et t'attendre.

— Ne t'inquiète pas trop, Ivan. Ta place dans mon cœur s'avère bien réelle. Donne-moi seulement un peu de temps, à tout le moins quelques jours, pour digérer tout ça et t'offrir, dans ma vie concrète, une place réelle et solide.

Quelques instants plus tard, elle jeta un regard nouveau sur l'homme qui quittait le restaurant, se dirigeant d'un pas alerte vers le vieil édifice de pierres de l'université. Ivan Solveye, son futur conjoint... La signature qu'il s'en allait apposer sur un bout de papier représentait bien davantage qu'un engagement à enseigner le piano à des élèves surdoués. Elle signifiait tout autant le début d'une vie nouvelle, la continuation d'une belle histoire d'amour.

Après tout, pourquoi pas ? Elle porta la main à sa poitrine et réalisa soudain qu'elle avait épinglé, tout juste avant de partir ce matin, son papillon blanc sur le revers de son col.

CHAPITRE 28

La nuit suivant la signature du contrat par Ivan à l'Université McGill, Marjolaine n'arrivait pas à s'assoupir tant les changements dans sa vie semblaient se concrétiser soudain, tous en même temps. À côté d'elle, Ivan, au contraire, dormait du sommeil du juste, blotti tout au fond du lit de Rémi. Elle se releva au petit matin et se dirigea sur la pointe des pieds vers son bureau, situé deux étages plus haut.

Étrangement, comme si terminer son roman constituait une condition à sa prochaine libération, l'envie lui prit d'écrire enfin la finale de sa trilogie, à tout le moins d'en tracer une ébauche et d'en dresser le plan approximatif. Elle imagina l'ancien prêtre, Émile, devenu pasteur de l'Église baptiste, en train de transformer, en compagnie de sa femme, leur immense demeure louée sur la rue Saint-Denis en refuge pour mères célibataires. Déjà, une adorable petite fille était née de leur union. Le couple mettrait au monde plusieurs autres enfants et mènerait une vie heureuse en dépit de l'histoire pour le moins marginale de son passé.

L'histoire marginale de son passé... Ces mots ramenèrent Marjolaine à sa propre histoire du temps présent, tout aussi marginale. Premièrement, en ce moment même, au sous-sol de sa maison, dormait un homme qu'elle connaissait assez peu, à la vérité, mais qu'elle considérait comme un être adorable susceptible de lui ouvrir une porte nouvelle sur l'avenir. Deuxièmement, roupillait en prison, sur une étroite couchette de cellule, son malheureux fils de dix-huit ans dont les lendemains lui paraissaient gravement hypothéqués. De plus, son mari se prélassait probablement dans le lit d'un luxueux hôtel de New York, insensible au drame vécu par les siens et absolument indifférent au sujet de leur avenir. Son fils aîné, quant à lui, dormait dans les bras de la future mère de ses enfants.

En cette nuit sans lune, elle seule se tenait debout dans le silence de sa maison, inquiète, préoccupée, hésitante. Dans la conception de ses romans, elle pouvait tirer les cordes à loisir et gérer la tournure des événements à sa guise. Quand elle écrivait, les décisions de Marjolaine Danserot demeuraient sans conséquence, sinon celle de plaire ou non à ses lecteurs.

Il en était tout autrement concernant sa propre réalité. Elle n'avait pas le droit de commettre une erreur, des répercussions trop lourdes pouvaient en découler. Trop de souffrance ou trop de désarroi... Et pourquoi pas trop de bonheur ? Et une liberté nouvelle, la libération d'une existence morne auprès d'un homme qui ne lui était plus rien ? Ou presque rien... Elle aimait encore Alain, mais d'une affection amicale bâtie sur d'anciens souvenirs, de vieilles habitudes, des sentiments effilochés au fil du temps. Un feu mal entretenu, à vrai dire ! Que des braises en train de s'éteindre. Si les trente prochaines années devaient ressembler à cela, elle préférait s'enfuir, briser son couple et quitter la rue Durham. Prendre des risques ailleurs plutôt que de laisser le destin décider à sa place la trame de sa propre histoire.

Elle sortit sa tablette à écrire et, d'une main ferme, entreprit de rédiger une lettre.

Mon cher Alain,

Quand tu trouveras cette lettre sur ton oreiller, à ton retour des États-Unis, j'aurai déjà quitté notre vie commune. Ton départ pour New York au moment du procès de Rémi aura déclenché ce qui, tôt ou tard, devait se produire. Le couple que nous formions autrefois bat dangereusement de l'aile maintenant, et je prends, non sans hésitation, la décision de te quitter. Par contre, il m'importe de rester en bons termes avec toi. Les enfants et même moi en avons besoin.

J'ai décidé de partir, en espérant que cette décision ne te blessera pas trop. Je vais en aviser les garçons avant ton retour. Parce que je veux jouer franc jeu avec toi, je désire te faire part de ma réalité actuelle. J'ai rencontré, en Suisse l'été dernier, un homme extraordinaire avec lequel j'ai développé beaucoup d'affinités. Il a le projet de s'installer à long terme à Montréal à partir du mois de mai. Il se trouve actuellement ici, au Québec, pour une courte visite d'affaires, et j'ai l'intention de l'accompagner en Europe au moment de son départ. J'y demeurerai une semaine ou deux, pas davantage, à cause de Rémi que je ne veux pas abandonner. À mon retour, cet homme et moi chercherons un nouvel appartement où nous installer.

Je n'aurais jamais pensé en venir là, Alain, mais on dirait que le destin m'y pousse depuis des mois. Nous n'avons plus rien en commun, toi et moi, et notre couple ne correspond plus à mes attentes ni à mes besoins. Je te demande pardon pour le mal que je te fais, si je t'en fais… Et je te souhaite de poursuivre une vie heureuse.

En espérant nous voir demeurer de bons amis, je t'embrasse avec toute l'affection amicale que je continuerai d'éprouver à ton égard. Je ne te remercierai jamais assez pour les deux fils que tu m'as donnés et le bonheur que j'ai vécu durant une bonne partie de notre vie ensemble.

Dès mon retour de France, je te contacterai afin d'organiser concrètement mon départ de la maison.

Marjolaine

Le premier à lire la lettre fut Ivan, quand Marjolaine la lui présenta, quelques minutes après son réveil. Une fois la lecture terminée, il s'exclama, les yeux humides :

— Notre couple vient de naître officiellement ce matin, à cette heure précise. Tu l'as écrit en toutes lettres sur cette page, mon amour. Un nouveau roman vient de commencer. Notre roman.

Rémi, ayant bien d'autres chats à fouetter, accepta sans trop réagir l'annonce de la rupture de ses parents. Il fut transféré, quelques jours après son passage devant le juge, dans un pénitencier fédéral de la banlieue de Montréal, une sorte de prison-école où existaient des classes de primaire, secondaire et collégial, de même que des ateliers d'enseignement technique. Une bénévole venait même y donner des cours de piano ! Il consentit de bon gré à terminer son cégep et à s'inscrire à une sérieuse thérapie, à la fois de groupe et personnelle, avec le psychologue des lieux. L'espoir était permis, des lueurs se pointaient enfin à l'horizon.

Quand François apprit la séparation de ses parents, lui non plus ne se montra pas surpris. Et Marjolaine faillit tomber par terre en entendant sa réplique.

— Ah bon. Papa t'a enfin avoué l'existence de sa maîtresse ? Il était temps !

— Que me dis-tu là ?

— J'ai découvert ça par hasard, l'année passée. Je n'osais pas te l'annoncer. Après tout, ça ne me regarde pas.

Marjolaine faillit s'effondrer, la tête envahie par une nuée de papillons.

Ils n'étaient point blancs.

FIN

À suivre dans *Coup d'envoi*

RO

Achevé d'imprimer au Canada
sur papier 30 % recyclé
sur les presses de Imprimerie Lebonfon Inc.

procédé
sans
chlore

30 % post-
consommation

archives
permanentes